STÉPHANE DE

Fondateur d' *Eloc*

PORTER SA VOIX

VOIX

| S'AFFIRMER
PAR LA PAROLE

Avec la collaboration de Gaëlle Rolin

Direction éditoriale : Mélanie Louis
Édition : Louise Roullier, Tara Mazelié, Bérengère Baucher
Conception graphique de la couverture : Margot Dubosq
Conception graphique de l'intérieur : Marina Delranc / Terre Lune
Mise en page : Nadine Aymard
Illustrations : Pauline Clavel
Correction : Méryem Puill-Châtillon, Anne-Marie Lentaigne
Fabrication : Stéphanie Parlange

© Le Robert 2018 – 25 avenue Pierre de Coubertin – 75211 Paris cedex 13
ISBN : 978-2-32101-290-0

Je dédie ce livre à ma famille,
Nassira, Alma, Carla, Anna,
mon père Antonio et ma mère Rose,
pour votre soutien inconditionnel
et la patience dont vous faites preuve
pour que je puisse accomplir mes rêves.

Merci à mes collaborateurs d'Indigo et Eloquentia,
ainsi qu'à tous les établissements scolaires
et les associations qui ont été les premiers à mettre en place
la pédagogie « Porter sa voix ».

AVANT-PROPOS

Le 15 novembre 2016, mon film *À voix haute, la force de la parole* est diffusé sur France 2. Même s'il est programmé en deuxième partie de soirée, il réalise un énorme succès d'audience. Que ce soient les téléspectateurs ou les internautes qui ont regardé le documentaire en *replay* ou sur YouTube, près d'un million de vues ont été comptabilisées au total. Du jour au lendemain, me voilà invité à répondre à des dizaines d'invitations de journalistes, sur les plateaux de télévision et les radios nationales. Moi qui milite pour l'émergence de la prise de parole en public depuis si longtemps, je dois soudain m'exprimer face à des millions de gens. L'exercice est nouveau pour moi et mes années de pratique ne sont pas de trop pour tenter de transmettre des messages en quelques minutes.

À la suite de cet engouement inespéré, les portes du cinéma s'ouvrent à nous. Le distributeur Stéphane Célérier (de Mars Distribution) me demande, ainsi qu'à mes producteurs Harry et Anna Tordjman, de rajouter 30 minutes au documentaire pour pouvoir le diffuser en salle. Avec plus de 100 heures de rush en stock, le défi est facilement réalisable. L'aventure se poursuit donc au cinéma, une trajectoire atypique pour un film de télévision.

Sorti le 12 avril 2017, *À voix haute* est devenu le deuxième documentaire le plus vu en France sur grand écran cette année-là. Comble de la fierté, le 31 janvier 2018, il est sélectionné pour la cérémonie des Césars dans la catégorie du meilleur documentaire, face à *I am not your negro* de Raoul Peck et *Visages villages* d'Agnès Varda et JR.

L'équipe du film, les formateurs à la prise de parole, les membres des associations Eloquentia, les jeunes qui ont participé au programme et moi-même, ressentons une joie immense devant le parcours réalisé par *À voix haute*. Car la reconnaissance de mon travail artistique ne peut être dissociée du propos du film, de sa force. *À voix haute* milite pour la prise de parole, autant dans nos cursus scolaires que dans nos relations aux autres, qu'il s'agisse de nos proches, nos amis, nos collègues, nos voisins, tous nos concitoyens.

Dans ce film, on découvre une jeunesse qui exprime une formidable envie de dialoguer, profitant des espaces de débat dans le respect et la bienveillance. Nous avons tous vibré avec Leïla, Eddy, Souleïla, nous nous sommes pendus aux lèvres d'Elhadj et de tous les élèves de cette promotion. *À voix haute*, pourtant, a fait irruption dans une période compliquée pour notre pays, encore profondément marqué par les attentats et où la liberté d'expression était devenue un sujet difficile à manipuler.

J'ai été moi-même surpris par le succès du documentaire. À la suite de sa diffusion, j'ai reçu plus de six cents messages sur les réseaux sociaux, et plusieurs centaines de mails de téléspectateurs qui exprimaient leur joie d'avoir assisté à un programme vivifiant. Des Français de tous les milieux sociaux ont constaté, avec soulagement, que l'on peut encore se parler sans clashs, intelligemment, en faisant la part belle à des échanges sains et en célébrant les différences de chacun, selon son point de vue et son histoire, dans le berceau de notre langue commune.

Ce que raconte *À voix haute*, c'est le concours d'éloquence que j'ai créé en 2013 à l'université de Paris 8 Saint-Denis. Celui-ci est destiné à élire « le meilleur orateur de Seine-Saint-Denis », âgé de 18 à 30 ans. Aujourd'hui, avec mon association, Eloquentia, nous organisons ce type d'événements tout au long de l'année aux quatre coins de la France, de Nanterre à Marseille en passant par Limoges.

Le documentaire montre également la formation que dispense l'association. Chaque samedi, de janvier à avril 2015, à Saint-Denis, nos intervenants ont donné aux élèves de cette promotion des outils leur permettant de progresser et de préparer le concours. Cette formation compte des séances d'expression scénique, des exercices vocaux, de la rhétorique classique pour développer la maîtrise du discours, du slam, mais aussi des simulations d'entretiens qui visent une meilleure orientation professionnelle des candidats. Ces jeunes ont été bousculés, amenés à réfléchir sur eux-mêmes, à écouter les points de vue ou les remarques du groupe dans lequel ils évoluaient. Tel est le cadre d'apprentissage que j'ai souhaité mettre en place pour faire de la prise de parole une pratique bienveillante et éducative.

À voix haute a circulé dans de nombreux établissements scolaires. J'ai été contacté par des professeurs de collège et de lycée, des proviseurs, des animateurs de services jeunesse, des enseignants de centres de formation et d'apprentissage. Ils souhaitaient que leurs élèves ou les jeunes qu'ils encadraient bénéficient des mêmes enseignements, afin qu'ils réfléchissent aux individus qu'ils étaient, qu'ils soient mieux outillés face au monde, qu'ils dialoguent plus facilement au quotidien. Cette éducation au savoir-être crée des cercles vertueux capables d'endiguer l'autocensure et la mauvaise estime de soi de nombreux jeunes.

Nous avons été beaucoup sollicités car, jusque-là, l'école ne préparait pas vraiment à l'oral. Moi-même, j'ai dû attendre l'âge de 23 ans, en école de commerce, pour bénéficier d'un cours exclusivement dédié à la prise de parole. Aucun programme de tronc commun ne me l'avait proposé auparavant, y compris lors de mes études de droit à l'université. Jusqu'à peu, en France, seules les grandes écoles enseignaient à leurs élèves la prise de parole en public.

En 2015, l'Éducation nationale a renforcé dans les programmes la place de l'expression orale, devenue une compétence à maîtriser en fin de collège. Mais c'est bien la réforme du baccalauréat, annoncée par le rapport Mathiot en février 2018, qui a amorcé un véritable tournant. À partir de 2021, le bac comprendra une épreuve orale, dite « Grand oral ». Le candidat devra présenter un travail de recherche, réalisé en classe, sur un thème choisi. Ce Grand oral qui se déclinera en deux temps, un exposé et un entretien, permettra d'évaluer autant les connaissances que l'esprit critique de l'élève. En outre, la place de cette épreuve dans l'examen ne sera pas anecdotique mais centrale. L'annonce de cette réforme m'a donné l'impression que l'expression orale entrait enfin réellement dans l'arène de l'Éducation nationale, et qu'il faudrait désormais préparer les élèves à s'exprimer et à argumenter à voix haute. De fait, la prise de parole devient un enjeu primordial pour les enseignants qui devront être en mesure de former leurs élèves.

Avant même cette actualité, j'avais déjà très envie de partager mon expérience, de diffuser une pédagogie ayant porté ses fruits pour des centaines de jeunes. En plus des concours organisés en France, nos premières formations en collège et lycée, mises en place dès 2014 en Île-de-France, montrent en effet cette soif de dire qu'éprouvent les jeunes et l'appétence des enseignants pour la pratique dont fait l'objet ce livre[1]. Les professeurs ou les référents qui nous contactent misent sur le potentiel d'intelligence humaine présent chez leurs élèves ou au sein de leur groupe. Ils ont pris conscience d'une réalité : développer le savoir-être est fondamental et permet d'être plus réceptif au savoir tout court.

---

1 Depuis la création des formations Eloquentia, nous avons formé plus de 2500 jeunes à la prise de parole. Pour l'année 2018 à elle seule, l'association aura formé près de 1400 jeunes.

La majorité des citoyens semble avoir besoin d'un mode d'emploi pour prendre la parole. Pourtant, les enfants se mettent à parler par mimétisme, après avoir été baignés dans un environnement de mots : les phrases du quotidien, les histoires, les jeux, les apprentissages divers pendant leurs premières années. Les parents reçoivent souvent le premier mot de leur enfant comme un fruit qui aurait suffisamment mûri pour tomber de l'arbre. L'école leur enseigne ensuite à lire et à écrire. De manière technique, nos enfants apprennent que les syllabes composent des mots qui constituent eux-mêmes un fonds de vocabulaire plus ou moins étayé d'un individu à l'autre. Et l'apprentissage s'arrête là. On n'enseigne pas réellement aux enfants, dans un cours dédié à cette question, à exprimer ce qu'ils ressentent pour construire un discours cohérent, en phase avec ce qui se passe dans leur cœur et dans leur intellect. On demande bien aux collégiens et aux lycéens d'exposer des connaissances à l'oral, mais les adolescents n'apprennent pas nécessairement à se réapproprier la parole et à développer leur esprit critique.

Pourtant, j'ai pu constater au cours de mes interventions dans le monde professionnel que la prise de parole était un enjeu essentiel, aussi bien pour la communication managériale que pour la gestion de conflits. La résonance des formations que j'ai créées, avec Eloquentia et Locutia[2], m'a amené à réfléchir à un ouvrage qui puisse transmettre cette pédagogie organique, née d'abord de mon parcours personnel puis de l'expérience des formations sur le terrain. J'ai souhaité raconter ce que nous parvenions à faire émerger dans nos programmes de prise de parole : le développement de la confiance en soi et celui de notre rapport aux autres.

Je précise que je n'ai pas la prétention de posséder un savoir universitaire sur ces questions. Ce sont les résultats que j'ai observés, après la mise en pratique d'une méthode empirique, qui m'ont montré que celle-ci fonctionnait. Si elle est portée par des

---

2 Formation à la prise de parole en milieu professionnel.

formateurs chevronnés, cette méthode s'est aussi affinée dans des salles de classe ou des entreprises, grâce à l'émulation, la spontanéité des jeunes et des participants qui nous ont fait confiance et qui se sont lancés dans cette aventure. Leurs retours ont permis de la faire évoluer.

Tel est le livre que vous tenez entre les mains. Je l'ai imaginé comme un manifeste pédagogique pour la prise de parole, avec une forte portée pratique. Son intention est d'entraîner vos élèves, les jeunes que vous encadrez, ou vos enfants, qu'ils aient 10 ou 25 ans, mais aussi de vous former vous-même à prendre la parole, seul devant votre miroir, en couple ou entre amis.

Nos sociétés sont aujourd'hui façonnées par de nombreux métissages culturels, apportés par les arts, les flux migratoires ou encore les mariages mixtes. La planète est à portée de clics et de *chats*. Réapprendre à dialoguer dans ce monde interconnecté, aux voix multiples, est une priorité pour nous tous.

Que tous ceux qui liront ce livre n'aient plus jamais honte de s'exprimer à l'oral, voilà le souhait que je formule. Tous, c'est-à-dire des enfants, des adultes, des managers, des amis, des parents, des citoyens.

Pour ce faire, je vais partager dans ce livre, avec vous, ma vision de ce que j'appelle *la prise de parole éducative*, son cadre pédagogique, ses méthodes et ses exercices. L'objet de la prise de parole éducative n'est pas d'enseigner des « techniques » pour « toujours avoir raison », pour « séduire », ni même pour « apprendre à convaincre ». Ces « astuces » relèvent surtout de la rhétorique classique, ou de ce que l'on range dans le terme un peu fourre-tout d'« art oratoire ».

Non, l'objectif de la prise de parole éducative, c'est avant tout d'aider chaque personne à « porter sa voix », sa propre voix. Elle vise à aider l'individu à se questionner, à se livrer à une introspection pour trouver les mots qui lui correspondent, à être compris et écouté par un groupe qui l'aide à progresser. Pour permettre à chacun d'atteindre le stade de la congruence, c'est-à-dire réussir à exprimer, le plus justement, ce qu'il ressent au fond de lui-même.

Porter sa voix, c'est le titre que j'ai souhaité donner à cet ouvrage, parce qu'il illustre la philosophie de cette pédagogie : se révéler aux autres pour se révéler à soi-même.

PARTIE

« PORTER SA VOIX », NAISSANCE D'UNE PÉDAGOGIE

1

UN PARCOURS FAÇONNÉ PAR LES MOTS

Mon parcours est une histoire de ténacité. Au cours de ma scolarité, je suis souvent passé *in extremis* dans la classe supérieure, ratant, recommençant, persistant. De l'école primaire au début du lycée, je me suis longtemps économisé, puis, une fois dos au mur, j'ai dû me remonter les manches.

Mais un déclic a transformé ma trajectoire. En fin de collège, j'ai pris conscience que la façon d'interagir avec les autres, que les mots qu'on choisissait, l'art de les manipuler, étaient déterminants pour la construction personnelle, au risque de se sentir fragilisé. J'ai compris que le vocabulaire nous aidait à mettre des mots sur nos émotions, à faire preuve de subtilités, de nuances. Les mots sont notre outil pour la construction de notre réflexion : plus on les maîtrise, à l'écrit comme à l'oral, et plus ils permettent de se faire comprendre par les autres, au plus juste de ce que l'on pense, et donc de gagner en confiance en soi.

J'en ai moi-même fait l'expérience à l'âge de 14 ans où, en quelques phrases, mon amour-propre a été dégommé. Je dois beaucoup à ces mots qui ont joué à l'époque un rôle de déclencheur sur l'importance de la prise de parole. Sans cette révélation, j'aurais pris un chemin très différent : je ne serais pas capable de mettre des mots sur mes aspirations, de les concevoir intellectuellement et de les formuler pour les mettre en action. Or, un jeune qui ne sait pas présenter clairement ce qu'il souhaite aura peu de chances de voir advenir ses désirs. La formulation est le prérequis du passage à l'action. Savoir exprimer clairement ses opinions, ses objectifs, ses ambitions, ses rêves, ses envies face à quelqu'un, c'est la première étape, fondamentale, pour qu'ils puissent un jour exister ailleurs que dans son esprit.

Et pour cela, il faut une compétence indispensable : la confiance en ce que l'on pense et en sa manière de le dire. Apprendre la prise de parole revient à apprendre, d'abord et avant tout, à asseoir sa confiance en soi.

Je l'ai compris à l'adolescence : pour ne plus jamais manquer de confiance, il me fallait intégrer les codes qui servaient à structurer ma pensée avant d'ouvrir la bouche, puis la faire vivre de manière créative et incarnée, tout en permettant à n'importe quel auditeur de suivre mon raisonnement. Ce travail sur moi m'a pris des années, dans une progression lente, le temps que ces fondamentaux se mettent bien en place.

Dans le même temps, je m'instruisais aussi bien grâce aux manuels scolaires que sur les réseaux sociaux ou les sites web d'information. J'ai lu, écouté, découvert. C'est ainsi que j'ai nourri ma réflexion et mon esprit critique sur le monde qui m'entourait.

J'ai consulté des orthophonistes, des psychologues, j'ai suivi des cours de théâtre, de rhétorique, et toutes ces activités qui avaient la parole pour dénominateur commun ont contribué à ma construction personnelle. Elles sont, finalement, à la genèse de ce qui deviendra mon postulat pédagogique.

La pédagogie « Porter sa voix », c'est donc, d'abord, celle que j'ai créée, sans le savoir, pour moi. Toutes ces expériences m'ont servi à prendre ma revanche sur les mots, elles m'ont permis de m'affirmer en tant qu'homme, elles m'ont sorti d'une forme d'ornière née d'un décalage social entre deux mondes, pourtant séparés l'un de l'autre par une poignée de kilomètres.

I. LA PAROLE, FACTEUR D'EXCLUSION

J'ai grandi dans les années 1990 à Aubervilliers, en Seine-Saint-Denis, au sein d'une famille portugaise dans le quartier des Quatre-Chemins. Sans être le pitre de la classe, à l'école et au collège, j'aimais participer aux vannes, à l'ambiance « gol-ri » provoquée par les *punchlines* de Mathieu, Medhi, Sarah et les autres « cool », qui distrayaient le groupe. J'abondais dans leur sens, je riais devant leurs sorties. Nous avions les mêmes codes, le même langage, le même humour, le même bagou. Dans cette atmosphère, je ne détonnais pas. Je me fondais dans le groupe.

Pour les enseignants, j'avais le profil du délégué de classe, plutôt facile à gérer et extraverti. J'étais apprécié tant pour mon comportement – j'incarnais l'élève sympathique, un peu provocateur mais qui ne franchissait jamais les bornes – que par mes résultats, satisfaisants sans pour autant tutoyer les sommets. Dans les établissements scolaires que j'ai fréquentés à Aubervilliers, jusqu'à la classe de troisième, je me situais juste au-dessus de la moyenne. Je passais dans la classe supérieure sans travailler de manière acharnée. Cette débrouille, c'était aussi le résultat d'un bon usage de la « tchatche » avec les professeurs.

À l'époque, je n'avais que le basket en tête. Dès l'âge de 5 ans, j'avais décidé de devenir joueur professionnel. Je m'entraînais chaque soir et tous les week-ends. À la maison, mes parents, qui m'ont toujours laissé une grande liberté, soutenaient cette ambition. Ma mère vérifiait quand même que mes notes ne dégringolaient pas trop bas. Ma famille ne faisait pas preuve d'une autorité exacerbée à la maison, j'y avais la parole, on m'écoutait.

Je n'ai jamais « tenu les murs du quartier » ni traîné dans la cité qui jouxtait le trois-pièces familial. Pourtant, la mixité sociale dans laquelle j'ai baigné depuis ma naissance m'a poussé très tôt à naviguer entre plusieurs mondes : à la maison, auprès de mes parents portugais, arrivés en France dans les années 1960 et souhaitant que leur fils unique s'épanouisse ; à l'école ; dans mon club de basket à Bondy en Seine-Saint-Denis, où j'étais vu comme un espoir de ce sport ; au centre aéré d'Aubervilliers pendant les vacances scolaires, où les enfants des cités qui quadrillaient mon quartier, de toutes les origines, étaient mélangés.

L'école et le centre aéré, dans ces quartiers populaires métissés, c'est le règne de « la grande gueule ». Dès le primaire, dans la cour de récréation ou dans les maisons de quartier, c'est à celui qui manie le verbe, qui parle fort pour couvrir la voix des autres, qui ouvre ou referme les polémiques, mais aussi qui rebondit sur une blague, qui transforme une situation désavantageuse avec le bon mot qui fera rire le groupe. Des traits d'esprit à hauteur d'enfant, au goût de bitume, où les accents et les cultures se mélangent. Il a fallu que je prenne la parole très tôt pour me faire respecter dans cet univers-là, pour ne pas être écrasé par les autres, pour exister.

Au cours de mon enfance, le quartier était plutôt tranquille, l'ambiance familiale et joyeuse. J'ai vu la situation basculer à partir de mes dix ans. L'atmosphère est devenue de plus en plus tendue dans mon quartier au début des années 2000, le chômage, la déscolarisation, la drogue se sont faits de plus en plus présents. Mes parents observaient l'évolution de leur environnement avec inquiétude. À l'âge de 14 ans, j'ai été impliqué dans une bagarre. Une histoire d'ego d'adolescents qui s'est transformée, sans possibilité de dialoguer, en échanges de coups.

À cette époque, le basket m'offrait aussi une possibilité de changer d'environnement : le club de Rueil-Malmaison me proposait d'intégrer son équipe pour les championnats de France cadets et, par la suite, de devenir joueur professionnel chez eux. J'étais en pleine année de troisième mais j'ai accepté. Mes parents n'ont pas hésité, et nous avons déménagé tous les trois, direction la porte d'Auteuil. On m'a inscrit dans un collège-lycée privé de Boulogne-Billancourt, adaptant les horaires pour les jeunes sportifs qui ambitionnent de devenir professionnels. Moi qui avais grandi dans le département le plus pauvre d'Île-de-France, j'habitais désormais dans les quartiers résidentiels et bourgeois de l'Ouest parisien, à l'ombre des gradins de Roland-Garros. Un renversement de codes, voilà ce que j'ai vécu en découvrant cet univers, pourtant si proche, géographiquement, de l'endroit où j'étais né.

Dès mon arrivée dans cette école, j'ai senti la différence en traversant la cour. L'atmosphère était plus calme. Dans mon ancien collège, la cour, c'était un lieu d'enjeux, il fallait se tenir constamment sur ses gardes, esquiver, répliquer, dégainer. C'était stimulant mais parfois fatigant. Là, les tensions étaient moins palpables, et l'autorité des adultes clairement respectée.

J'arrivais donc dans ce nouvel établissement, plein de bonne volonté et d'envie de m'intégrer, mais pétri des réflexes verbaux que j'avais appris dans le « 9-3 ». Il ne m'a fallu que quelques jours de présence pour comprendre que ces codes ne fonctionnaient pas dans ce collège privilégié.

Nous sommes en cours de mathématiques. Je rencontre la professeure, Mme V., pour la première fois. Une autorité naturelle. Aucun élève ne bavarde. Elle m'interpelle et me demande de venir au tableau pour réciter le théorème de Thalès. Je connais la réponse, mais, impressionné, je ne parviens pas à remettre mes idées en place. Je me sens observé par le groupe, par cette professeure qui s'impatiente devant mes balbutiements. Je sens qu'en plus de ne pas avoir la réponse, la bonne attitude, je n'ai pas le bon look, avec mes Nike « Requin » et mon survêt Sergio Tacchini. Je détonne. Quand elle me fait remarquer que mes hésitations me font ressembler à une vache espagnole, je choisis de dégainer l'arme que je maîtrise le mieux : m'en sortir par la « tchatche ». Jouer la corde de l'humour, lancer la petite blague qui fera rire l'assistance et détendra l'enseignant quelques secondes. Je lui réponds :

– Pas espagnole, madame. Portugaise !

Je guette les rires, comme pour reprendre ma respiration, sortir de l'eau. Des rires, il y en a quelques-uns, mais ils ne suffisent pas à détendre ma professeure, bien au contraire.

– Ah, je vois… Vous êtes un comique. Regardez-moi quand je vous parle. On n'est pas en banlieue ici. Alors, vous allez me le réciter, ce théorème ?

– En vrai, j'm'en souviens pas très bien…

– On dit « à vrai dire » ou « pour dire vrai », et non pas « en vrai ». En français, comme en mathématiques, il y a des règles et manifestement elles vous sont bien étrangères.

– Mais, madame, c'est chaud aussi ce que vous me demandez de réciter, direct, comme ça, du tac au tac !

Les autres me regardent, affolés, comme si je ne me rendais pas compte de ce à quoi je m'exposais.

– Pardon ? C'est « chaud » ? Vous avez vraiment dit : « C'est chaud », là ? Mais c'est le carnaval ! Allez, allez… Vous avez chaud ? Eh bien, vous allez prendre l'air. Foncez immédiatement en heure de colle et recopiez-moi deux cents fois : « J'aime la langue française, sa syntaxe, sa grammaire et le théorème de Thalès. »

Le silence s'est fait. J'ai senti que j'avais choqué par mon comportement et surtout par ma façon de m'exprimer. Je parlais comme un « banlieusard » et cette enseignante venait de me faire comprendre que c'était intolérable. Je me suis levé et je suis sorti. J'ai bien saisi quelques regards complices, de ceux qui deviendraient mes amis ensuite, mais je n'avais pas vraiment remporté les suffrages de la classe. Pourtant, dans mon ancien collège, on aurait « validé » mon attitude. J'ai ressenti de la honte. Moi, le meneur de jeu sur un terrain de basket, le délégué de classe bien dans ses pompes, le fils unique sans problème, subitement, je n'étais plus intégré. Je prenais conscience que les codes que j'avais pratiqués au quotidien n'étaient plus de mise. Ces codes sociaux que j'avais toujours connus à Aubervilliers avaient été pulvérisés à Boulogne-Billancourt, dans la torpeur d'une salle de classe, pleine de visages neufs. Parce que j'avais employé ces mots, innocemment, j'avais été montré du doigt par une enseignante. Elle m'avait donné l'impression d'être, pour la première fois de ma vie, un étranger.

Dans les mois qui ont suivi, je me suis replié sur moi. Quand je devais prendre la parole en cours, j'éprouvais de l'angoisse, je n'étais plus en confiance. Je parlais de moins en moins.

Dans ce collège au niveau d'exigence scolaire plus élevé que le précédent, je me battais pour ne pas descendre sous la barre fatidique du 10 de moyenne. J'ai eu mon brevet sans gloire et suis passé en classe de seconde aux forceps. Les professeurs préjugeaient de mon intelligence. Pourquoi portaient-ils ce regard sur moi ? Sûrement parce que je m'exprimais mal. Leurs *a priori* venaient, notamment, de la façon dont je m'adressais à eux.

Je constatais aussi un décalage entre mes camarades et moi. À l'époque, le lexique du jeune de banlieue était à la mode dans les cours de récré, donc je n'étais pas vraiment stigmatisé parce que je venais du « 9-3 ». Certains essayaient même de copier mes tics de langage. Mais, précisément, je voyais bien que j'étais différent de beaucoup de jeunes nés dans les beaux quartiers. Quand j'abordais les filles, aussi, je sentais ce fossé dans leur regard. Je devais prouver ma valeur aux autres, je l'avais compris sans qu'ils me le disent.

Ma mère m'a fait prendre des cours particuliers, sentant qu'une frustration s'installait. La blessure narcissique née pendant le cours de mathématiques ainsi que l'envie de m'intégrer dans ce milieu m'ont donné de la force. Je n'avais qu'une seule motivation, bien ancrée en moi : montrer à tous, et surtout à ceux qui en avaient douté, que je n'étais pas un idiot, que je pouvais réussir à l'école. J'ai tout fait pour ne plus jamais revivre ce sentiment d'exclusion. Depuis la fin du collège, je n'ai jamais revu cette professeure de maths. Pourtant, je la remercierais sûrement aujourd'hui : elle ne m'a pas épargné, mais elle m'a donné envie de me battre.

II. LA PAROLE, QUÊTE D'UNE VÉRITÉ

Cependant, tout n'était pas idéal dans cet établissement. Lors des cours, très verticaux, il n'était pas naturel pour un élève d'interpeller le professeur pour lui faire une remarque. Certes, l'autorité de ce cadre facilitait l'apprentissage, mais une spontanéité, un échange se perdaient entre élèves et professeurs. Dans ce collège, prendre la parole en cours revenait à prendre un risque. Soit on se taisait par respect pour l'enseignant, soit on levait la main pour parler ; dans ce cas, ce qu'on s'apprêtait à dire devait être réfléchi, correct, sans accrocs. Sinon, c'était la honte. L'enseignant risquait d'« afficher » celui qui se lançait devant toute la classe si ce qu'il disait ne se révélait pas juste. Dans ce contexte, prendre la parole, pour moi, c'était donc s'exprimer la peur au ventre, en devant toujours viser l'excellence.

En Seine-Saint-Denis, dans les établissements que j'avais fréquentés, c'était tout le contraire. La parole, on la prenait en classe

21

relativement n'importe comment. L'expression était facilitée, les élèves, rarement sanctionnés pour avoir parlé sans y avoir été invités. L'enseignant rebondissait parfois sur certaines remarques pour faire avancer sa séance. Le cours était beaucoup plus vivant. Mais c'était aussi plus turbulent, pas forcément structuré, le cadre ne permettait pas vraiment l'écoute de chaque élève par le reste de la classe.

Du haut de mes 15 ans, j'avais touché du doigt deux expériences très différentes. Si le cadre dans lequel j'ai évolué à Boulogne-Billancourt facilitait le travail scolaire, j'ai vite saisi qu'il était un peu trop fermé à mon goût, que l'on perdait en interactivité.

Au lycée, j'ai répliqué aux préjugés de mes professeurs par une boulimie de lecture. Je voulais tout apprendre, tout savoir. Je me suis mis à lire de la philosophie et je me suis découvert une passion pour elle.

En première et en terminale, j'ai étudié la *République* de Platon. J'ai découvert le concept d'*agora* : ce lieu où l'on se rencontrait dans la Grèce antique pour discuter, notamment, des problèmes dans la cité. Il y avait aussi l'*ecclésia*, où l'on se réunissait pour prendre des décisions politiques par le vote en évitant la foire d'empoigne. De tels lieux ont sanctuarisé la parole comme un instrument de la vie en démocratie.

Ce qui m'intéressait dans l'œuvre de Platon, c'étaient les principes de la maïeutique[1], posés par Socrate. Ce système de validation par le questionnement entre le maître et le disciple servait à faire avancer et à vérifier le déroulement d'une pensée. J'ai découvert aussi Gorgias et les sophistes, ces professeurs de rhétorique dont

---

1 MAÏEUTIQUE, [n.f.] : méthode par laquelle Socrate, fils de sage-femme, disait accoucher les esprits des pensées qu'ils contiennent sans le savoir. *Didact.* Méthode pédagogique suscitant la réflexion intellectuelle. (*Le Petit Robert*, édition 2018)

les enseignements visaient d'abord à former les citoyens à la prise de parole, notamment pour participer à la vie politique et potentiellement emporter l'adhésion des foules par leur discours. À cette époque, des orateurs étaient tentés de vouloir briller, même de manière éphémère, pour se faire acclamer par l'assemblée en disant ce que celle-ci voulait entendre, plutôt que de formuler un discours honnête ou constructif. Socrate, au contraire, mettait en avant la vérité qui doit émaner de la bouche d'un discoureur, la conformité entre sa pensée et les mots employés pour la présenter aux autres.

Cette recherche de la vérité qui émerge grâce au procédé de la maïeutique socratique me passionnait. À ce moment-là, j'ai commencé moi-même à beaucoup me questionner, sans doute à faire ma propre maïeutique.

Le questionnement est une arme d'introspection incroyable. Quand on prend le temps de s'interroger, on déconstruit ses idéaux. J'ai remis en question mon rapport au basket et même mes aspirations personnelles. Je voulais devenir basketteur pour être riche et célèbre. Dans nos sociétés du spectacle, les sportifs sont des héros, dont on fantasme la réussite. Mais est-ce que cette carrière correspondait vraiment à ce dont j'avais envie ? Pourquoi le métier de ma professeure de philosophie, qui me nourrissait tellement sur le plan intellectuel, n'était-il pas plus valorisé ? Qu'en était-il des médecins qui sauvent des vies, des associatifs qui maintiennent le lien social à flot ? Je me suis rendu compte que j'étais aussi très intéressé par l'art, par les questions politiques et sociales, que cela me correspondait plus que mes entraînements sportifs quotidiens très exigeants, et j'ai mis fin, de manière précoce, à ma vie de basketteur professionnel.

III. LA PAROLE,
POUR CONSTRUIRE LA CONFIANCE EN SOI

Au lycée, à force de pratique, je suis devenu de plus en plus à l'aise pour prendre la parole. Je lisais le journal *Le Monde* et je surlignais tous les mots que je ne connaissais pas, pour aller vérifier leur signification. J'apprenais le français comme on apprend une langue étrangère.

Plus je lisais, plus je m'améliorais à l'oral et plus je m'améliorais, plus je m'affirmais : c'était un cercle vertueux.

J'ai découvert Albert Camus, qui, dans ses œuvres, s'interroge sur l'impact du métissage sur la nature humaine et sur le vivre-ensemble. Dans son roman *La Peste*, confrontés à une maladie contagieuse et mortelle, les personnages doivent faire corps malgré leurs différences. Les questions posées par Camus, pied-noir d'Algérie, m'ont rattrapé dans ma chair et mon histoire, moi, fils d'immigrés, né en banlieue, devenu français. À l'époque, déjà, les tensions dans la société me poussaient à m'interroger. Comment peut-on être à la fois multiple et ne faire qu'un ? Porter ce pluriculturalisme et participer à l'unité d'un pays ? Mon postulat, c'était précisément que la solution passait par le dialogue.

J'ai lu Cicéron, Démosthène, Plutarque. En parcourant Cicéron, j'ai compris le lien entre la parole politique et son impact sur le destin d'un pays. J'ai appris que le grand orateur Démosthène, bègue à l'origine, n'avait réussi à maîtriser l'art oratoire qu'à force de pratique et de volonté. L'éloquence n'avait donc rien d'inné et avec du travail, chacun pouvait y parvenir.

En lisant les *Œuvres morales* de Plutarque, j'ai enfin compris que si la prise de parole était fondamentale, l'écoute l'était tout autant, si on voulait créer un dialogue et un enrichissement mutuel entre un rhéteur et son assistance. Quand, quelques années plus tard, je me suis mis à réfléchir au contenu pédagogique des programmes Eloquentia, j'ai fait de son texte *Comment il faut écouter* un pilier. Plutarque y évoque les orateurs qui ne parlent que pour s'écouter parler, se regarder convaincre, sans jamais prêter attention aux autres. Il dénonce ce que l'on pourrait appeler « l'éloquence du nombril », l'éloquence comme simple expression de notre ego. Plutarque déplore que l'art de discourir dans les instances politiques se soit dissocié de son objectif premier : discuter de l'intérêt collectif et s'écouter les uns les autres. Bien qu'il parle de la situation en Grèce antique sous la domination de Rome, ce texte est étonnamment contemporain.

●●● Extrait du texte de Plutarque,
« Comment il faut écouter », *Œuvres morales* [Ier et IIe siècles],
trad. Ricard, 1844.

Je pense qu'il est bon de converser fréquemment [...] et avec soi-même et avec autrui. Or, à cet égard, nous voyons la plupart agir imprudemment. Ils s'exercent à discourir avant d'avoir été façonnés à écouter ; et ils se figurent que pour parler il y a une science et une pratique, mais que pour l'audition elle apporte toujours du profit, quelle que soit la manière de s'en servir. Et pourtant, au jeu de paume on apprend tous ensemble à recevoir la balle et à la lancer ; mais dans la pratique oratoire il n'en est pas ainsi : le talent d'accepter convenablement les discours est antérieur au talent de les prononcer. [...] . Lorsque les oiseaux pondent des œufs sans germe, appelés « œufs conçus du vent », on dit qu'il n'en résulte que des débris imparfaits et des embryons inanimés. De même, quand les jeunes gens ne savent pas écouter et qu'ils n'ont pas été habitués à profiter par l'audition, leur parole est comme un œuf sans germe. C'est un son « Dispersé dans les airs, stérile, insaisissable ».

> [...] Ainsi donc, en toute circonstance, le silence est pour le jeune homme un ornement assuré, et surtout lorsqu'il entend parler un autre. Il ne doit pas se troubler, ne pas se récrier à chaque parole : même si le discours ne lui plaît guère, il faut qu'il se contienne et attende que son interlocuteur ait fini de parler. [...] Celui qui a été habitué à prêter l'oreille en restant maître de sa personne et en montrant de la réserve, celui-là recueille et garde les discours utiles ; et pour les discours inutiles ou faux, il les discerne et les reconnaît mieux. [...] Aussi quelques-uns ont-ils dit avec justesse, qu'il vaut mieux de l'esprit des jeunes gens faire sortir la jactance et l'orgueil que l'air des outres, lorsqu'il s'agit d'y verser quelque chose d'utile ; sinon, plein de vent et trop gonflé, cet esprit ne reçoit rien.

En première année de droit à l'université, toujours par amour des mots et pour m'exercer aux prises de parole en public, j'ai découvert les concours d'éloquence. Beaucoup de candidats y participaient, justement, dans le seul but de s'écouter parler. Je cherchais, au début, à faire comme eux. Je choisissais des mots châtiés, comme s'ils me permettaient d'appartenir au cercle des « sachants ». Je voulais à tout prix me rassurer, faire mentir ceux qui avaient pu penser que je ne valais rien.

Bertrand Périer, avocat à la Cour de cassation, donnait alors des cours de rhétorique dans une association, avec l'avocat pénaliste Olivier Schnerb. Ces deux ténors du barreau apprenaient aux étudiants à organiser leur pensée. Ils étaient fascinants d'aisance, tant sur le fond que sur la forme, tant par les références culturelles que par la présentation de leur propos. Ils maîtrisaient parfaitement le triptyque de Cicéron : convaincre, c'est instruire, plaire et émouvoir. J'ai suivi leurs ateliers et j'ai appris à structurer mon discours.

J'ai surtout fait un bond énorme grâce aux cours de théâtre. J'ai appris à être moi-même, à habiter mon texte, à gérer mon stress et ma respiration. Le théâtre est une arme puissante pour viser juste, revenir aux fondamentaux de ce que l'orateur veut exprimer. Au cours de ces concours d'éloquence, je me faisais souvent éliminer dès les premiers tours, alors j'ai arrêté les jeux de manche, j'en ai profité pour dire ce que j'avais dans le cœur.

Mon assurance augmentait, l'amélioration était nette. J'ai continué à participer à ces concours en arrivant en école de commerce, à l'ESSEC et j'ai fini par la représenter dans une *battle* contre l'ESCP, un soir de 2011. Là, j'ai remporté tous les suffrages de la salle. J'ai même eu droit à une *standing ovation*. Moi qui avais redoublé ma terminale pour entrer, sans succès, en classe préparatoire, moi le jeune de banlieue aux tics de langage trop prononcés pour l'Ouest parisien, j'avais devant moi un amphithéâtre de cinq cents personnes qui m'acclamaient.

Ce soir-là, j'ai vu tout mon parcours défiler devant mes yeux : mes difficultés d'élocution, mon travail et ma transformation. J'ai mesuré la puissance de la parole que j'avais apprivoisée pour montrer enfin qui j'étais. Cette même parole qui m'avait exclu au lycée me permettait de m'intégrer pleinement dans une grande école, à l'ESSEC.

J'avais eu honte de la manière dont je parlais, j'avais été humilié à cause des mots que j'avais prononcés, et sept ans plus tard, voilà que j'étais porté aux nues grâce à la parole.

2

QUAND LA PAROLE RASSEMBLE

I. LA PAROLE, MODÈLE DE RÉSOLUTION DES CONFLITS

Les mots, et leur force, ont continué à me porter. J'ai poursuivi mes études avec une thèse (que j'ai développée pendant trois ans sans jamais la terminer) sur les modes alternatifs de résolution des conflits. La médiation, l'arbitrage, la conciliation, autant de procédés qui permettent de dénouer des litiges par la parole. Au cours de ces études, j'ai découvert qu'il existait pour chaque conflit une médiation propre.

La première difficulté, en médiation, consiste à réunir les deux parties en conflit – un couple qui divorce, un patron et son salarié... – autour d'une table, dans la même pièce. Je me suis rendu compte de l'importance d'un cadre neutre pour se parler. Comment créer cette arène de rencontre ? Quelles valeurs fortes y installer pour que le dialogue soit possible malgré le passif et les désaccords ?

Cette prise de conscience faisait écho à la situation de la France à la même époque. Depuis plusieurs années, le dialogue au sein de la société se crispait chaque jour un peu plus. Il y avait eu les émeutes de 2005, éclatées à Clichy-sous-Bois, qui avaient embrasé toute une partie des banlieues françaises et la chaîne d'information en continu iTélé, tout juste passée sur la TNT, pouvait raconter en direct cet embrasement. De même, BFM TV a été créée peu de temps après la fin des émeutes. Cette fin d'année 2005 marque alors un changement dans la façon de raconter la société : les images diffusées en boucle à toute heure occupent un espace médiatique qui s'étend sans cesse, et deviennent de plus en plus difficiles à analyser. L'image prime sur les mots. Après 2005, la tension entre l'humoriste Dieudonné et le Premier ministre Manuel Valls, ainsi que l'affaire des caricatures de Mahomet, ont continué à attiser les débats et à diviser les citoyens.

Un fossé et des préjugés séparaient ma famille restée à Aubervilliers et mes amis des « grandes écoles », et je m'en rendais compte. Ce même fossé ne cessait de grandir en France, mettant à mal le lien social. À cause de cette crise de la liberté d'expression, beaucoup de jeunes avaient le sentiment de ne pas être entendus.

Pourtant, l'avènement des réseaux sociaux avait, depuis l'époque des émeutes, changé la donne. La parole, auparavant confisquée par une petite partie des individus, souvent masculins, souvent âgés, souvent diplômés, était devenue plus horizontale. Tout le monde était invité à se faire entendre – sur Facebook, sur Twitter, sur les libres antennes à la radio, sur les forums d'Internet, les blogs, les sites d'information. Mais si le citoyen des années 2000 était poussé à s'exprimer, personne ne lui apprenait cependant à le faire, ni même à écouter ceux qui émettaient un jugement différent du sien. Cette démocratisation de la parole s'était faite violemment. La *punchline* était devenue reine, il fallait clasher pour exister. Ne pas chercher à comprendre, mais plutôt couper l'herbe sous le pied. C'était tout l'inverse des longues conversations inspirées de la maïeutique, chères à Socrate, à travers lesquelles on mesurait toutes les options, toutes les nuances, toutes les couleurs d'un propos et d'une réflexion.

Le constat était simple : pour nous entendre, il nous fallait réapprendre à dialoguer. Au sein d'une société plurielle, si on ne se parle pas, on ne peut pas se comprendre, si on ne peut pas se comprendre, il n'y a plus d'idéal commun et nous ne savons plus ce qui nous relie les uns aux autres. C'est potentiellement la fin du pacte de société et le début d'un déchirement social.

Je me suis intéressé, à ce moment-là, à la manière dont l'oral était enseigné dans le système scolaire classique. Hormis des initiatives individuelles d'enseignants et des exercices codifiés comme les récitations ou les exposés, l'apprentissage de la prise de parole était encore peu transmis aux élèves du primaire ou du secondaire. Il fallait porter ces sujets sur la place publique, précisément dans l'*agora* française.

II. LES PRÉCEPTES DE FREINET, MONTESSORI, STEINER

Mon parcours personnel m'avait montré le lien entre l'apprentissage de la prise de parole et le savoir-être. J'avais compris l'intérêt de l'introspection pour gagner en confiance, devenir plus serein et donc mieux communiquer sa réflexion et ses émotions. J'avais aussi vu que, pour obtenir ces résultats, l'écoute active et le questionnement par le groupe de celui qui s'exprime étaient primordiaux.

J'ai commencé à découvrir les enseignements et expérimentations de Maria Montessori, de Rudolf Steiner ou encore de Célestin Freinet. Ces pédagogues de l'*Éducation nouvelle*, courant apparu dès le début du XXe siècle, avaient comme dénominateur commun une méthodologie empirique qui consistait à mettre les enfants en activité. Ceux-ci étaient invités à collaborer, à dialoguer entre eux et à exprimer ce qu'ils ressentaient. Toutes ces approches me semblaient intéressantes car l'oralité y était plus libérée que dans l'enseignement traditionnel et jouait un rôle central, non seulement entre les élèves, mais aussi entre élèves et enseignant. Cela détonait d'autant plus avec les pratiques éducatives de l'époque où l'instituteur, « hussard noir » de la République selon les mots de Charles Péguy, représentait l'autorité et le savoir, où sa parole était incontestable. Le rôle des enfants se résumait à l'écouter. Encore récemment, cette vision pyramidale de l'enseignement prévalait, au moins dans notre imaginaire collectif.

Les approches alternatives proposées par l'Éducation nouvelle m'ont beaucoup parlé, car elles invitaient les jeunes à s'exprimer et à développer la confiance en eux. Elles faisaient écho à mon parcours.

III. LA CRÉATION D'ELOQUENTIA EN SEINE-SAINT-DENIS

Ce vers quoi je souhaitais tendre, c'était pousser l'individu à se questionner sur sa trajectoire. Je voulais qu'il se demande : « Qu'est-ce qui me révolte ? À quoi est-ce que j'aspire ? Qu'est-ce qui m'anime ? » Cette introspection est la première étape d'un processus. Elle permet ensuite à l'individu de se comprendre, puis de structurer sa réflexion, conditions *sine qua non* pour se positionner face aux autres. À mes yeux, il était fondamental de développer la prise de parole dans nos parcours scolaires, d'éveiller au savoir-être au sein d'un système éducatif classique qui se concentrait, traditionnellement, sur le savoir tout court.

À 24 ans, j'ai démissionné de mon cabinet d'avocat pour me consacrer pleinement au développement de projets sociaux, éducatifs, artistiques et culturels, pour créer du lien de manière innovante. J'ai alors fondé, à travers une association, les programmes Eloquentia. C'est à l'université Paris 8 à Saint-Denis (93) que j'ai décidé d'ancrer cette aventure. D'abord parce que c'est mon département d'origine, ensuite, parce que j'en avais assez des clichés sur les « jeunes de banlieue ». À Paris 8, il y a chaque année 24 000 jeunes qui aspirent à un parcours universitaire. À deux kilomètres de là, l'université de Villetaneuse compte, elle aussi, 25 000 étudiants. Sur un périmètre de cinq kilomètres carrés, uniquement dans ces deux établissements, on dénombre donc environ 50 000 jeunes qui étudient. Ils n'ont rien à voir avec l'imagerie répandue du « jeune de banlieue », qui tient les murs de sa cité et qui deale. Il me semblait fondamental que le programme puisse naître là-bas, afin de faire entendre la voix de cette jeunesse, majorité silencieuse souvent ignorée, qui n'attire pas les médias parce qu'elle ne fait pas de vagues.

J'ai fait le pari de créer un concours de prise de parole, qui célébrerait la liberté d'expression. Il prenait une résonance forte en plein cœur du 93 où, justement, depuis les émeutes de 2005, les clichés sur la banlieue avaient la vie dure. Il était important de permettre à ces jeunes de renverser la vapeur. Créer une olympiade bienveillante pour élire le meilleur orateur de Seine-Saint-Denis, c'était aussi une façon de revaloriser l'image de la jeunesse, souvent discriminée, de ce département.

Je souhaitais aussi tester mon postulat pédagogique auprès d'étudiants qui devraient bientôt s'insérer dans la société. Beaucoup d'entre eux arrivaient à l'université par défaut et déploraient souvent le manque de ponts avec le monde du travail. C'est justement pour pallier ce manque que nous devions proposer des outils complémentaires afin que les élèves gagnent en confiance en eux, soient plus à l'aise à l'oral et puissent trouver leur voie. Pour moi qui avais reçu mes premiers cours de prise de parole en « grande école », il fallait impérativement démocratiser cette pratique, *a fortiori* dans l'enseignement public et dans un contexte où le niveau de chômage des jeunes diplômés reste élevé.

IV. LE PREMIER CONCOURS ELOQUENTIA

En 2012, j'ai tenté de convaincre la direction de l'université de Saint-Denis de mettre en place à la fois la formation et le concours. Mais elle était un peu frileuse à l'idée de laisser un jeune de 25 ans, qui n'avait pas encore fait ses preuves, donner ses propres cours dans les murs de la faculté. En revanche, elle m'a laissé le droit de créer le concours d'éloquence et, pour cela, d'utiliser les amphithéâtres et de circuler dans l'université pour en parler aux étudiants.

Avec quelques amis et le bureau des étudiants en droit, nous avons monté des stands et nous nous sommes installés dans les couloirs pour recruter des jeunes. Pour la soirée de lancement du concours en janvier 2013, nous voulions organiser une *battle* entre deux candidats, qui s'affronteraient dans une joute oratoire. Beaucoup d'étudiants nous disaient que ce n'était pas pour eux : ils étaient timides, non formés à cet exercice. Ils avaient aussi l'image des concours d'éloquence classiques, où il fallait s'exprimer « avec une patate chaude dans la bouche », autrement dit en respectant des codes figés qu'ils ne maîtrisaient pas. Nous avons finalement trouvé deux volontaires, que nous avons aussi coachés.

Leïla Bekhti a accepté d'être la marraine de cette soirée, qui s'est révélée une réussite totale. Le bouche-à-oreille avait fonctionné, l'amphithéâtre était plein à craquer, et les deux candidats téméraires ont séduit leurs pairs. À leur suite, une trentaine d'étudiants et d'étudiantes se sont inscrits au premier concours, qui débutait peu de temps après.

Pour donner quelques clés sur la prise de parole en public aux étudiants, nous avons organisé des ateliers de deux heures avec des rudiments de rhétorique. Au fil des tours, l'amphithéâtre se remplissait de plus en plus. Le 22 avril 2013, Zakaria Challabi a remporté la première finale, devant une salle chauffée à bloc, pleine d'étudiants, de proches des finalistes et de membres de l'université, et devant des jurés prestigieux tels que Matthieu Chedid ou Tahar Rahim. Face à cet engouement des étudiants, la direction nous a finalement donné l'autorisation de mettre en place la formation l'année suivante et de réitérer le concours.

L'initiative de Saint-Denis a fait des petits. Les concours Eloquentia ont ensuite essaimé à Nanterre en 2015. Depuis leur lancement, ces derniers ont mobilisé 600 étudiants sur les seuls sites de Nanterre et de Saint-Denis. En 2016, l'ensemble des tours du concours de Saint-Denis a réuni plus de 3 000 spectateurs. Des concours ont depuis émergé à Limoges, Grenoble, Bordeaux et Marseille ainsi que dans des dizaines de collèges et lycées de France.

V. LE SUCCÈS DES PREMIÈRES FORMATIONS

À Paris 8, j'ai réuni des formateurs que j'avais moi-même rencontrés dans mon parcours : Bertrand Périer, mon ancien formateur en rhétorique, et Alexandra Henry, professeure d'expression scénique et metteuse en scène de talent.

Trois matières composaient le corpus de la première formation : la rhétorique, l'expression scénique et un module d'aspiration professionnelle. Plus tard, j'ai souhaité approfondir le travail sur la voix, en intégrant un cours animé par Pierre Derycke. Les ateliers slam assurés par Loubaki Loussalat s'y sont ajoutés en 2015, à la demande des candidats.

Les étudiants de la première promotion avaient des profils divers : ils suivaient des cours de sciences politiques, de droit, de théâtre ; ils se questionnaient beaucoup sur leur orientation professionnelle, notamment dans le module que j'animais.

Très vite, j'ai été contacté pour agir en amont de l'université. En 2014, Mathieu Hanotin, alors député PS de la Seine-Saint-Denis, m'a demandé de réfléchir à une formation pour le collège, et notamment pour les conseils départementaux des collégiens. Ces délégués de classe, issus de 67 collèges du département, disposaient d'un budget pour mener des projets dans les établissements de Seine-Saint-Denis et pouvaient interpeller les élus du département sur les questions éducatives. J'ai choisi, parmi les jeunes ayant suivi la formation à l'université et les meilleurs candidats au concours, de nouveaux formateurs susceptibles de transmettre leurs connaissances aux collégiens du département. Nous avons coaché ces adolescents pour qu'ils prennent la parole en assemblée plénière et les avons fait participer à des simulations de négociation.

Dans le cadre du programme « Odyssée Jeunes », grâce auquel des collégiens du 93 partent en voyage culturel à l'étranger, nous avons aussi mis en place des ateliers afin de leur apprendre à raconter publiquement ce qu'ils avaient vécu.

Enfin, nous sommes sortis du département pour intervenir à l'Unesco, dans le cadre de la COP 21. J'ai été sollicité pour concevoir un jeu de prise de parole où des élèves incarneraient des présidents de la République, dans « une COP 21 des collégiens ».

Après ces initiatives émanant du politique, des enseignants de collège et de lycée ont commencé à nous contacter directement : ils souhaitaient organiser des séances de prise de parole éducative dans leur classe. Les enfants d'une même classe, dans la mesure où ils se regroupent souvent par cercles d'affinités, ne se connaissent pas forcément et ne s'ouvrent pas nécessairement tous les uns aux autres. Nos séances leur donnent ainsi l'occasion de découvrir leurs pairs, de s'intéresser au parcours de leur voisin de table, de faire tomber le masque au-delà de l'image qu'ils donnent d'eux-mêmes via les réseaux sociaux. L'enseignement secondaire tel qu'il existe propose très peu d'espaces sanctuarisés où l'on demande aux élèves de s'exprimer, où on leur permet de partager des opinions personnelles. Lorsque c'est le cas, cela relève souvent de la volonté du professeur principal ou de l'enseignant. C'est si rare que, dès que l'on ménage de tels espaces et qu'ils sont encadrés par une autorité bienveillante, les élèves s'y engouffrent. Nous réfléchissons d'ailleurs aujourd'hui à une adaptation de la pédagogie pour l'école primaire.

En 2015, nous comptions déjà des actions dans une cinquantaine d'établissements scolaires. Après la sortie d'*À voix haute*, nous avons été submergés de demandes. Les structures qui nous ont contactés se sont diversifiées. Nous sommes aussi intervenus en prison, à Villepinte, à Nanterre et à Arles, à la demande des personnels pénitentiaires, qui cherchaient à donner aux détenus les moyens de s'émanciper par la parole, quels que soient leurs parcours.

C'est pour répondre à cet engouement que j'ai souhaité partager l'esprit et la méthode de la pédagogie « Porter sa voix ». J'ai voulu les rendre disponibles et facilement accessibles pour tous, à travers cet ouvrage.

PARTIE

II

PORTER SA VOIX POUR ÊTRE SOI

1
PRENDRE LA PAROLE

Comment la pratique oratoire m'a-t-elle aidé à me construire ?
Pour formuler mon postulat pédagogique, c'est la première question que je me suis posée. Était-ce la volonté de devenir éloquent ?
L'envie de séduire un auditoire ? Une curiosité pour des techniques rhétoriques ? Avais-je vu cette passion de l'oral comme un art ?
Avais-je développé un amour de la langue, du langage et des mots ?
Ma réponse était partout et nulle part à la fois. En réalité, j'ai compris que c'était le fait même d'oser prendre la parole qui m'avait fait découvrir mon intérêt pour la langue et la lecture, mais aussi des nouveaux traits de ma personnalité. La prise de parole a été le moteur de ma confiance en moi. Bien loin d'un simple manuel sur l'art de convaincre en quelques leçons, cet ouvrage est donc bien un plaidoyer pour le développement de cet enseignement.

Il me semble essentiel, au préalable, de distinguer la « parole » des notions avec lesquelles on peut la confondre, comme la « langue » ou le « langage ». Il ne s'agit pas de faire une étude linguistique de ces mots, ni de rentrer dans des disputes doctrinales, mais simplement d'expliquer mes partis pris, tels que je les ai formulés au moment de créer les premières formations Eloquentia, en 2013.

I. LANGUE, LANGAGE ET PRISE DE PAROLE

A. La langue

La langue représente le socle commun d'une culture, le patrimoine d'un pays, son identité. « La langue n'existe qu'en vertu d'une sorte de contrat passé entre les membres de la communauté », écrit le linguiste Ferdinand de Saussure. « Elle est la partie sociale du langage, extérieure à l'individu, qui à lui seul ne peut ni la créer ni la modifier[1]. »

Matériau en évolution constante, la langue reflète les tumultes de l'histoire d'un territoire et de sa population. Parmi les nouveaux mots entrés dans l'édition 2018 du *Petit Robert*, *flexitarien*[2], *déradicaliser* ou encore *influenceur* disent bien les préoccupations de ce début du XXIe siècle.

La langue révèle également les métissages d'une culture, la manière dont les vagues d'immigration ont infusé et enrichi le quotidien. Des mots aussi courants en français que *magasin*, *jupe* ou *épinard* sont des mots d'origine arabe, tout comme *kiffer*, *avoir le seum* ou *être maboul* qui sont devenus des expressions courantes.

Parler une langue est la première expression d'un sentiment d'appartenance à un pays et à sa culture, au-delà des origines

---

1 Ferdinand de Saussure, *Cours de linguistique générale*, 1re édition 1916 ; Paris, Payot, 1995.
2 FLEXITARIEN, [adj. et n.] (anglais *flexitarian*, mot-valise, de *flexible* et *vegetarian*) : « qui limite sa consommation de viande, sans être exclusivement végétarien » (*Le Petit Robert*, édition 2018).

culturelles et ethniques. L'usage d'une même langue relie tous ceux qui la pratiquent, tel un instrument de reconnaissance. Un individu, bien qu'il ait des origines ivoiriennes, cambodgiennes ou algériennes, parlera, en France, le français. Ce sera son premier point de rencontre avec des Français d'autres origines et d'autres milieux sociaux.

B. Le langage

Le langage d'un individu, c'est le rapport personnel qu'il entretient avec la langue : en France, les 67 millions d'habitants parlent le français, mais chacun d'eux dispose de son propre langage. La façon dont ils manient cette langue et jonglent avec le vocabulaire diffère en fonction de leur référentiel culturel : la petite enfance, l'enfance, la manière dont on parle la langue à la maison, l'apprentissage, l'entourage social. Finalement il y a autant de langages que d'individus, tous ayant leur propre histoire avec la langue, leur propre manière de l'apprendre, de se l'approprier. Si le français est notre instrument commun, chacun de nous l'accorde et en joue différemment, en fonction de son environnement et des expressions de ceux qui l'entourent.

On parle d'ailleurs souvent de « niveaux de langue », avec l'idée que certains ont un niveau supérieur à d'autres dans la maîtrise de cet instrument. Dans l'enseignement du français, on distingue généralement trois niveaux : familier, courant, soutenu. Ils correspondent à un vocabulaire différent, à une application variée des règles de syntaxe. Autre exemple des différents « langages », les dialectes, l'argot, le patois, qu'ils soient du Gers ou de Seine-Saint-Denis, sont une manière particulière de coder la langue, de l'employer dans un contexte et face à un public donnés. Les niveaux comme les dialectes s'adaptent en effet aux auditoires : c'est bien l'interlocuteur qui va estimer qu'un niveau est acceptable, insuffisant ou trop soutenu par rapport à un contexte.

La capacité à jongler aisément avec le matériau de la langue, que chaque individu développe au cours de sa vie, détermine ainsi une hiérarchie sociale. Il y a ceux qui maîtrisent les nuances du langage, et les autres. Certains savent trouver la bonne tournure, le bon niveau, la bonne intonation en fonction de leur auditoire, du moment de leur prise de parole, du contexte ; à l'inverse, d'autres semblent enfermés dans une manière uniforme de se dire et de dire le monde. Du moins, c'est ce qu'une partie de la société pourrait penser d'eux si elle s'arrêtait à leur langage, si elle ne leur accordait pas l'espace pour s'exprimer.

La manière dont la langue de l'un claque à l'oreille de l'autre divise les individus. Et elle joue beaucoup dans le regard que la société porte sur une personne. Les jeunes « parleraient mal », dans le mauvais niveau de langue. Ils seraient bourrés de tics de langage, d'expressions jargonnantes, ils articuleraient mal. Ils ne sauraient pas s'exprimer, ils ne sauraient pas être clairs. Ce cliché est encore plus présent quand nous évoquons, en France, l'image des jeunes « de banlieue ».

La manière de s'exprimer face aux autres reflète le parcours d'un individu, son époque, ses déterminismes mais aussi la façon dont il les a dépassés, dont il s'est construit, nourri. Un individu qui emploie un niveau de langue inapproprié face à son auditoire court le risque de ne pas être compris, voire déconsidéré. C'est d'ailleurs ce qui m'est arrivé devant mon enseignante de mathématiques : j'ai employé le niveau familier quand on attendait de moi un niveau courant, voire soutenu.

Pourtant, au fil des années, je me suis rendu compte que mon langage avait évolué. Il s'est transformé, influencé par les différents contextes dans lesquels j'ai baigné : l'héritage culturel, mon entourage familial binational, mon cercle d'amis, mon intérêt pour la lecture. Mais c'est surtout le fait de prendre la parole, au sens physique du terme, qui a fait passer mon langage d'un niveau à un autre. C'est parce qu'à un moment, j'ai osé me lever, j'ai osé ouvrir la bouche, que j'ai progressé. Parce que je l'ai fait et refait, sans m'arrêter à la première hésitation, au premier bafouillage ou à la première sensation de rougissement. C'est ce « sport » qui m'a poussé à rechercher de nouveaux mots et à améliorer mon langage.

C. La prise de parole

La prise de parole, c'est d'abord l'expression d'une personne : un individu décide de se positionner face aux autres pour exprimer un souhait, une idée, une frustration... Pour moi, cela signifie aussi parler, concrètement, devant les autres, à voix haute et dans une unité de lieu – et non pas à l'écrit sur les réseaux sociaux, par exemple. Un jeune qui a la volonté de prendre la parole en présence d'un groupe va être forcé de s'interroger : « Qu'est-ce que je vais dire et comment vais-je le faire ? », « Vais-je les faire rire ? », « Vais-je les convaincre ? », « Si je les provoque ou si je les offense, ne risquent-ils pas de m'attaquer en retour ? ». Autant de questions que j'ai moi aussi dû me poser, adolescent.

Indépendamment de leur niveau de langue, il y a des individus qui osent parler, et d'autres qui ne le font pas. Mais avant toute chose, il faut franchir une première étape : arriver à se lancer, se présenter, dire ce que l'on pense...

Le premier levier sur lequel travailler, c'est donc bien la confiance en soi. La capacité à prendre la parole dépend de la manière dont un enfant a été écouté à la maison, encouragé en classe, des prises de parole qu'il a entendues chez lui et autour de lui. Un enfant ou un adulte peuvent avoir un niveau de langue considéré comme insuffisant, mais ne sentir aucune gêne à s'exprimer. Un autre disposera d'un vocabulaire riche, d'une syntaxe précise, d'un fond solide, mais, débordé par ses inhibitions, il se montrera incapable de s'en servir. Avant même de se pencher sur la manière de parler, la première étape, c'est bien de pousser tous les individus, quels que soient leur âge et leur parcours, à s'affirmer.

Prendre la parole, c'est exister.

II. ÉLOQUENCE OU RHÉTORIQUE ? DES NOTIONS À DISTINGUER

On a parfois tendance à confondre l'éloquence et la rhétorique. À mon sens, ces deux mots ne signifient pourtant pas la même chose.

A. L'éloquence

L'éloquence est à la mode. Derrière cette notion, on entend plusieurs choses : la capacité à bien prendre la parole, mais aussi la capacité à démontrer, séduire, émouvoir un auditoire, une combinaison nécessaire pour parvenir à convaincre une assemblée. Tout orateur, en général, cherche à se montrer « éloquent ».

1. LA CONGRUENCE POUR ATTEINDRE L'ÉLOQUENCE

La polysémie du mot « éloquence » prête à confusion. Pour ma part, je milite pour une définition exogène de l'éloquence : ce terme ne devrait définir que la conséquence d'un usage particulièrement harmonieux de la parole. L'éloquence découle d'une prise de parole alignée avec la personnalité et les convictions profondes de l'orateur, qu'il démontre à coups d'arguments. Par « éloquence », je désigne la mise en mots et en rythme d'un raisonnement qui se déroule naturellement pour éveiller des émotions chez l'auditeur. La parole se fait alors le miroir de la personne, comme un regard sincère devient le reflet de l'âme. L'éloquence, c'est l'état de grâce d'un discours qui transperce les personnes qui l'écoutent. Seul un auditoire en constitue le baromètre. Très éloignée d'une science, l'éloquence ne se résume pas non plus à une série de règles qu'il suffirait de pratiquer pour convaincre à tous les coups. C'est une symbiose, une note, un instant où l'auditoire et l'orateur vibrent en même temps, et il arrive fréquemment que des orateurs généralement éloquents ne parviennent pas, un jour donné, à convaincre leur auditoire. C'est la raison pour laquelle donner des « cours d'éloquence » est, à mon avis, un non-sens.

Pour être éloquent, il faut « sonner juste » et pour y parvenir, il faut d'abord apprendre à se connaître. Chaque individu doit mettre en place une cohérence entre ce qu'il ressent, ce qu'il pense et ce qu'il affirme. Cette logique, c'est « la congruence ». C'est d'ailleurs tout l'objet de la pédagogie exposée dans ce livre : pratiquer la prise de parole pour prendre l'habitude de nous questionner, de nous rencontrer, de comprendre nos sentiments, que nous partagerons, le plus sincèrement possible, par les mots. Lorsque ce mécanisme devient une habitude, non seulement on gagne en confiance en soi, car on parvient à s'affirmer auprès des autres, mais on apprend surtout à se connaître[3].

Avec l'expérience, je dirais que les discours les plus « éloquents » que j'ai eu à entendre au cours de nos formations sont ceux qui ont été prononcés de la manière la plus authentique. Lorsque la personne qui parle ne triche pas, l'effet sur le public est immédiat, quels que soient son niveau de langue, son milieu social ou son âge.

---

3 Voir la partie « Être en congruence, p. 102.

L'éloquence ne se décrète pas. Si on recourt « techniquement » à des effets de manches ou des artifices rhétoriques pour convaincre, elle disparaît aussitôt.

Pour être éloquent, un discours doit être habité. Lorsque tel est le cas, les arguments et les exemples s'alignent parfaitement dans la démonstration de l'orateur.

Au contraire, lorsqu'un beau discours ne reflète pas authentiquement la pensée de celui qui parle, ce n'est pas de l'éloquence. La frontière entre les deux types de discours est fine mais elle est perceptible. C'est alors de la « triche », du « jeu », tout au mieux de la « comédie », le plaisir de séduire ou de manipuler un auditoire. Si pour certains il peut tout de même s'agir d'éloquence, pour ma part je préfère réserver ce terme noble, non pas à l'art de tromper un auditoire, mais plutôt à celui de s'ouvrir à lui. C'est, en tout cas, la philosophie de la pédagogie « Porter sa voix ».

On fait d'ailleurs souvent ce procès aux discours politiques : ils « manipuleraient » le public à des fins personnelles, une accusation qui a fait une mauvaise publicité à l'éloquence. Car l'éloquence n'est pas seulement un enjeu individuel, c'est aussi un enjeu dans la vie en société.

2. L'ÉLOQUENCE EN POLITIQUE

Nous l'avons vu, l'idée que l'on se fait de l'éloquence est née en Grèce, en même temps que l'activité citoyenne au sein des cités antiques. Des agoras grecques aux parlements contemporains, la politique se fonde sur le débat oratoire et l'adhésion par le vote à des idées ou à une vision d'avenir. Par définition, la politique est l'art de la projection et du récit (et des promesses), qu'il faudra par la suite convertir en actions.

L'oralité est ainsi chevillée à la profession d'hommes et de femmes politiques. Plus que dans tout autre métier, un politique éloquent peut concourir à des élections sous les meilleurs auspices. Et c'est là que le bât blesse.

Si le politicien, au sens péjoratif du terme, cherche à gagner ou conserver le pouvoir par tous les moyens, par opposition, l'homme et la femme d'État militent et agissent pour améliorer leur pays. Or, c'est parmi ces derniers qui, au cours de l'Histoire, ont dû engager leur personne et leurs convictions, que l'on retrouve la fleur de l'éloquence politique. Farouchement opposé à signer un armistice avec Hitler, Winston Churchill prononça, en mai 1940, un discours d'investiture affirmant qu'il n'avait que « du sang et des larmes[4] » à offrir à la population britannique. Il annonçait ainsi sa vision : une résistance acharnée à l'Allemagne nazie. À l'arrivée de Churchill au pouvoir, le parlement ne voulait pas dans sa majorité, d'une nouvelle guerre. Dans ses premiers discours, le Premier ministre britannique n'a eu de cesse de préparer l'opinion sur la nécessité de ne pas se soumettre à l'ennemi. À la longue, la population a fini par le soutenir. L'Histoire, elle, lui donnera raison.

En revanche, au cours des trente dernières années, l'émergence de la « politique-spectacle » a vu les médias s'inviter de plus en plus dans la vie publique, à tel point que convaincre les électeurs passe désormais moins par les sessions parlementaires que par les *talk-shows*, ces débats à la télévision ou à la radio entre politiques et chroniqueurs. À des discours longs, minutieux et académiques[5], ont succédé des débats télévisés, généralement cadenassés dans un temps court. Les membres du gouvernement y répètent souvent des « phrases toutes faites », voire des expressions populaires – lorsqu'il ne s'agit pas de faire de la « langue de bois » –, et l'opposition

---

4 Winston Churchill, « *Du sang, de la sueur et des larmes* », *discours du 13 mai 1940*, Paris, Points, collection « Les grands discours », 2009.

5 Par exemple, les discours d'André Malraux pour l'entrée de Jean Moulin au Panthéon (consultables en ligne) ou de Robert Badinter sur la peine de mort (voir R. Badinter, *Contre la peine de mort*, Fayard, 2006).

de rétorquer par des « petites phrases » et des *punchlines* pour discréditer ses interlocuteurs et marquer l'esprit des spectateurs.

En parallèle, la politique s'est également invitée sur les plateaux de divertissement. Les candidats, les dirigeants sont incités à faire du *storytelling* – à raconter des éléments de leur vie personnelle – pour se rapprocher de leurs électeurs, voire à se livrer à de véritables « performances ». Ainsi, Barack Obama, en pleine campagne présidentielle américaine de 2007, esquissa quelques pas de danse dans l'émission populaire aux États-Unis de l'animatrice Ellen DeGeneres. Ce qui devient alors important en politique, ce n'est plus ce qu'un candidat a à nous dire, ni même comment il le dit, mais l'image qu'il renvoie et les traits de caractère que révèlent ses prises de parole.

Le format court des émissions et la concurrence des contenus Internet obligent la parole politique à rester concise si elle veut capter l'attention du public, au détriment d'explications parfois nécessaires. Pour contrer ce phénomène, on assiste heureusement depuis quelques années au retour d'émissions politiques au long format, en *prime time*, même en dehors des périodes électorales, permettant de mieux comprendre les idées des hommes et des femmes qui nous gouvernent. D'elles-mêmes, les personnalités politiques utilisent aussi les réseaux sociaux, pour s'adresser directement aux internautes.

Elles prennent alors le temps d'exposer leurs propos, à l'instar du Premier ministre Édouard Philippe qui a pris l'habitude, en 2018, de répondre aux questions de ses *followers,* pendant trente minutes, via un « Facebook Live ». C'est un format intéressant qui permet aussi bien à l'homme politique de « faire de la com' » que d'expliquer plus en détail ses réformes.

Alors, l'éloquence aurait-elle déserté le champ de la politique ? En tout cas, elle s'y fait de plus en plus rare. La forme tend à prévaloir sur le fond et la prise de parole de nos dirigeants vire plus à l'exercice de communication qu'au discours sincère et visionnaire. L'éloquence peut réapparaître en période de campagne électorale, pendant lesquelles les candidats doivent protéger leur vision, mais elle est encore souvent ternie par la volonté de convaincre coûte que coûte.

3. L'ÉLOQUENCE DANS LES TRIBUNAUX

S'il y a bien un lieu où la parole est encore reine, c'est dans les prétoires des palais de justice. Dans les instances pénales, plus précisément. Contrairement aux affaires de droit civil, où l'engorgement des tribunaux oblige les juges à réduire le temps des audiences et à se prononcer davantage en fonction des conclusions écrites des parties, les plaidoiries jouent un rôle essentiel lorsqu'il est question de délits et de crimes.

En effet, au cours de ces procès où l'intérêt général et des vies humaines ont pu être menacés, la place du débat contradictoire entre les parties n'est pas centrale. Elle est vitale. Lorsque « la parole est à la défense », d'un côté la vie d'un homme accusé est en jeu, de l'autre il y a la souffrance ou le deuil des victimes. Par essence, les plaidoiries ont une dimension existentielle, parce que ce sont des trajectoires humaines qui vont être scrutées. Pour les comprendre, il est indispensable de prendre le temps d'interroger les perceptions, les sentiments, voire les névroses des personnes en cause. Et ce travail passe nécessairement par l'oral.

Pour nourrir ma curiosité d'étudiant en droit, je me souviens avoir assisté à un procès pour meurtre en cour d'assises. Au cours d'un voyage d'affaires écourté à l'étranger, l'accusé était rentré chez lui aux aurores, pour faire une surprise à sa conjointe. Il avait alors découvert son frère dans le lit conjugal. Dans un accès de colère, il s'en était pris à lui et l'avait étranglé. Il était ce jour-là jugé pour l'avoir tué. Plusieurs tragédies se rejouaient dans ce procès : la mort d'un frère, lui aussi mari et père, la trahison d'une épouse, la déchirure d'une famille... Les prises de parole des témoins, des avocats et de l'accusé étaient toutes plus éloquentes les unes que les autres, car elles venaient du cœur. J'ai été, cependant, littéralement bluffé par l'avocat de l'accusé. Sa défense est parvenue à réveiller chez moi un sentiment d'empathie qui, je l'avoue, me donnait envie de prendre fait et cause pour son client. Ou tout du moins, qui me faisait espérer que sa peine serait la plus légère possible. La démonstration de l'avocat déroulait un raisonnement logique, nous incitant à nous mettre à la place de l'accusé. Il nous faisait ressentir l'amour que cet homme portait à sa femme, montrant tout ce qu'il faisait pour elle, preuves à l'appui. Il invitait les jurés qui avaient un frère ou une sœur à imaginer les sentiments de ce mari trompé, en les regardant droit dans les yeux. Il marquait des silences pour bien laisser le temps à chaque argument de résonner dans l'esprit de l'auditoire. Il invoquait des articles du Code pénal et des jurisprudences qui semblaient lui donner raison. J'étais suspendu à ses lèvres. Le fond et la forme se rejoignaient parfaitement dans ce discours, éloquent à tout point de vue.

Lorsque l'accusé a pris la parole à son tour, il a mis du temps à se libérer. Timide de nature, il n'était pas à l'aise pour répondre aux questions des parties civiles ou des magistrats. Il était gagné par le remords et par des crises de larmes à répétition. Sa parole s'est déliée lorsque son avocat l'a invité à exprimer l'amour qu'il ressentait pour sa femme, son frère et même ses neveux. Sa parole était fluide, on ne peut plus sincère, illustrée et habitée. On pouvait désormais bien comprendre le chamboulement qui avait déclenché sa démence et l'avait poussé à commettre l'irréparable. Son intervention a sonné comme un coup de grâce achevant l'accusation, et Il a été condamné à la peine de prison minimale pour de tels faits. Une condamnation qui lui offrait la possibilité de refaire sa vie, en dépit des circonstances.

J'ai été bouleversé par cette audience. Après son intervention, j'aurais donné le bon Dieu sans confession à l'accusé. Ses propos sonnaient juste. Ils semblaient authentiques et spontanés. Ils étaient pertinents. Je n'aurais pas pu dire qui, de l'accusé ou de son avocat, m'avait le plus convaincu. Sans doute était-ce la combinaison des deux interventions, pourtant dans des registres diamétralement différents : une éloquence maîtrisée, celle de l'avocat, qui savait parfaitement comment emmener son auditoire, et une éloquence brute, celle de l'accusé.

4. ÉLOQUENCE ET PRISE DE PAROLE

J'en suis venu à la conclusion que si l'éloquence est la parole qui convainc et provoque de la sympathie pour l'orateur, il n'y a pas une éloquence, mais *des* éloquences. Il en existe autant qu'il existe d'individus, de personnalités et de convictions. En définitive, elle est à la portée de tous. Si elle se cache parfois dans les discours de personnes inexpérimentées, sans même qu'elles en soient conscientes, c'est bien la pratique régulière de la prise de parole qui permet de la révéler et de la développer.

B. La rhétorique

Comme nous le disions plus haut, il ne faut pas confondre l'éloquence avec la rhétorique. Ce dernier mot provient du grec *rhêtorikê*, qui se traduit de deux manières : d'une part, « l'art oratoire », au sens propre « l'art de bien parler », idée qu'on peut confondre avec la notion d'éloquence ; d'autre part, « la technique employée pour parler » et notamment pour persuader et convaincre au moyen du langage. Cette seconde approche introduit l'idée qu'il y a des méthodes propres à chaque type de discours. C'est la définition que je privilégie, car elle induit qu'il existe des techniques pour organiser une prise de parole et qu'il est possible d'apprendre à les maîtriser.

La rhétorique, c'est donc l'art de structurer un minimum son propos au sein d'un discours pour optimiser les chances qu'il soit éloquent.

••• Le philosophe Aristote a écrit un traité, nommé *La Rhétorique*, sur l'art de bien parler. Il y énumère trois types de discours devant suivre une trame spécifique, que l'orateur doit respecter s'il veut convaincre : le discours politique (dit « délibératif »), le discours judiciaire et le discours laudatif (dit « épidictique ») pour célébrer ou blâmer un objet (une œuvre d'art notamment) ou les mœurs d'une personne.

Par extension, il existe autant de structures et de codes rhétoriques que de types de discours, et cela s'étend aux domaines de la littérature, de la vente, du rap, de la négociation, du management, du *stand-up*, de la publicité…

Mais pour différentes que soient toutes ces formes de rhétorique, il existe un « noyau technique » au sein de cette discipline, un certain nombre de principes et de notions immuables qu'il faut avoir en tête lorsque l'on rédige un discours et qu'on le prononce face aux autres[6]. Avant de prendre la parole, il faut ordonner son propos si l'on veut éviter les écueils d'une parole trop improvisée et brouillonne, qui ne reflèterait pas vraiment nos pensées. C'est d'ailleurs cette peur de se tromper, de faire « fausse route » qui dissuade de prendre la parole. L'enseignement de la rhétorique

---

6 Voir Michel Meyer (dir.), *Histoire de la rhétorique des Grecs à nos jours*, Le Livre de Poche, coll. « Biblio essais ». Voir aussi la partie IV, p. 304.

permet de nous rassurer, parce qu'il invite à se poser des questions élémentaires avant toute élocution. La discipline rhétorique fait de l'oralité le véhicule de notre pensée, mais elle induit au préalable un travail d'écriture et d'organisation de la réflexion. Cette phase me semble d'ailleurs fondamentale pour le rhéteur. Elle offre un temps, indispensable, d'introspection et de tri des arguments.

La rhétorique, c'est également l'enseignement des figures de style qui viennent imager un argumentaire. Anaphore, allégorie, anadiplose, métaphore, chiasme, euphémisme… Autant d'outils à la disposition de l'orateur pour donner du relief à sa démonstration.

Le terme « rhétorique » renvoie également aux techniques propres à la gestuelle et à l'oralité dans le cadre du discours : le regard, le mouvement des mains, le placement de la voix, l'occupation de l'espace… Lorsqu'il s'agit de convaincre ou de prendre la parole, notre corps tout entier est convoqué.

C'est la raison pour laquelle la rhétorique est enseignée dans nos formations, aussi bien à travers un cours de rhétorique à proprement parler que dans nos cours de slam et de poésie. En effet, utiliser des figures de style et savoir scander son texte sont des outils supplémentaires à disposition de l'orateur pour porter au mieux son propos.

J'ai pu remarquer au fil des années que, dans les concours Eloquentia, les candidats ayant suivi nos formations arrivaient généralement plus loin que les autres parce que, grâce à la rhétorique, ils avaient développé des réflexes méthodologiques pour dérouler leurs idées. Il y a cependant un travers dans lequel il ne faut pas tomber : s'enfermer dans des codes rutilants, en employant des tournures de style pompeuses qui dénaturent les prises de parole. Les techniques rhétoriques doivent impérativement être au service de l'argumentation et correspondre à la personnalité de l'orateur, sinon elles deviennent artificielles.

III. « PAROLE » ET PRISES DE PAROLE

Avec la sortie d'*À voix haute* au cinéma, j'ai découvert ce que l'on appelle communément « la promo ». L'engouement suscité par le film nous a valu, aux personnages du documentaire et à moi-même, d'être invités dans de nombreux médias, notamment dans des émissions de télévision et de radio, à des heures de très grande écoute. Je me souviens d'une en particulier, « Boomerang » sur France Inter, animée par Augustin Trapenard et intitulée pour l'occasion « Parole de Stéphane de Freitas ». J'étais déjà nerveux à l'idée de passer dans un programme que j'écoutais moi-même tous les matins, et où les invités avaient le temps d'aborder des questions de fond. J'avais donc préparé quelques éléments de langage pour présenter ma vision de la prise de parole. Je souhaitais sortir de l'image poussiéreuse que l'on se fait d'elle et qui l'enferme dans une seule forme de discours classique.

L'émission débute. Le journaliste introduit notre entretien en présentant la rhétorique dans son sens traditionnel : celle des dis-cours politiques, celle qui persuade, celle qui consiste à capter un auditoire par notre corporalité, le timbre de notre voix, notre gestuelle… Autant de caractéristiques qui suscitent dans l'opinion contemporaine une curiosité pour l'éloquence – et des fantasmes sur elle. Pourtant, d'après moi, la définition de la rhétorique varie selon l'usage que l'on souhaite faire de sa parole. Avant même de parler d'éloquence, de rhétorique ou de l'art de convaincre, la prise de parole est fondamentale à la construction personnelle d'un individu. À mes yeux, voilà le véritable point de départ. L'apprentissage de la prise de parole, c'est d'abord une rencontre avec soi, une découverte de sa propre congruence. Justement, l'oc-casion m'est donnée de l'expliquer devant un million d'auditeurs ! Magnifique ! L'entretien commence, le journaliste me demande :
— Qu'est-ce qui fait un bon orateur pour vous ?

– Alors euh, y a, y a, y a... il y a différentes écoles euh en tout cas celle que... à Eloquentia...

Me voilà pris dans un bégaiement interminable. Un comble, lorsque l'on est là pour défendre la prise de parole. Je suis pris de court. En réalité, je ne me doutais pas que l'on aborderait le nœud de la question aussi vite. Je finis par reprendre le fil de mon propos et j'expose mon opinion sur le sujet, même si je reste perturbé par ce mauvais départ. Cependant, une fois l'émission terminée, des dizaines de personnes me contactent : des enseignants, des chefs d'établissements scolaires, des directeurs de ressources humaines, des chefs d'entreprise... Jamais je n'ai reçu autant de messages de soutien ou de sollicitations à la suite d'une interview, tous médias confondus.

Paradoxalement, cet entretien, jonché de fautes de rhétorique, a pourtant encouragé des dizaines d'enseignants de collège et de lycée à s'intéresser à mon travail. Dans la foulée, nous avons distribué des kits d'initiation à notre pédagogie[7] auprès d'une centaine d'établissements scolaires préoccupés par l'apprentissage du savoir-être chez les jeunes. Cette anecdote m'a conforté dans mes convictions : la sincérité est la meilleure amie de l'éloquence. Comme le disait Blaise Pascal[8], « la vraie éloquence n'a que faire de l'éloquence ».

Avec cet épisode, j'ai compris que la prise de parole ne se limitait pas à un discours parfait sur le plan rhétorique. Pour moi, elle ne se limite même pas à un « discours » au sens traditionnel du terme. Un comédien sur une scène de théâtre, un humoriste qui fait du *stand-up*, un rappeur, un slameur s'expriment aussi à voix haute et peuvent être éloquents, s'ils sont sincères. Qu'il s'agisse de théâtre, de rap ou de plaidoyers, l'important, c'est bien de réussir à libérer sa parole.

---

7 Ces kits contiennent une brève présentation de la pédagogie et une série d'exercices.
8 Blaise Pascal, *Pensées* [1670], Gallimard, 2004.

En réalité, il n'existe que deux grandes catégories de prise de parole : le discours, une parole que l'on porte seul face à un auditoire venu nous écouter (ce que l'on retrouve aussi dans le slam ou le *stand-up*...) et le dialogue, où l'on s'attend non seulement à une écoute mais aussi à un échange, pour discuter le propos. Les interactions sont complètement différentes et les deux situations ne font pas appel aux mêmes qualités. Dans un dialogue, on est davantage dans un ping-pong, une interaction, une écoute des avis de l'autre. C'est une confrontation des perceptions, des connaissances et des points de vue.

Dialogue et discours sont des prises de parole, différentes, que l'on retrouve au sein de nos programmes. Dans mon projet pédagogique, l'un n'empêche pas l'autre, au contraire, l'un nourrit l'autre. Le dialogue est une caractéristique de la formation, le discours est le propre des concours que nous organisons.

Dans notre pédagogie, nous travaillons la prise de parole sous toutes ses formes et tous ses formats. Il est aussi important pour nous d'apprendre à échanger que d'apprendre à discourir.

IV. LES ENJEUX DE LA PRISE DE PAROLE ÉDUCATIVE

Avec la résurgence de l'intérêt pour la pratique oratoire, on assiste actuellement à la multiplication de formations à la rhétorique. Souvent elles concernent « l'art de bien discourir ». En réalité, il pourrait exister autant de formations à la rhétorique que de finalités visées par la prise de parole. Qu'il s'agisse d'apprendre à « pitcher » pour des entrepreneurs, de « se former à plaider » pour des avocats, de mener un entretien d'embauche ou de réussir un oral d'examen, les formations à la rhétorique sont protéiformes, même si elles possèdent un socle commun. Il s'agit là de formations très fonctionnelles, avec un but pratique immédiat (réussir un oral d'examen, trouver un emploi…).

Cependant, c'est du point de vue de l'éducation émotionnelle que la prise de parole a un vrai rôle, de l'enfance à l'âge adulte. C'est ce que j'appelle « la prise de parole éducative », à savoir l'enseignement de la prise de parole et de son écoute. Apprises conjointement, elles développent l'intelligence émotionnelle et sociale de l'être humain. Ainsi, lorsqu'elle est insérée dans un projet éducatif, la prise de parole ne doit pas être réduite à des cours de techniques rhétoriques. L'ambition de cet enseignement doit aller bien au-delà car, pour parvenir à formuler une opinion et respecter celle de son interlocuteur, il faut accomplir un cheminement, avec soi mais aussi avec les autres.

Contrairement aux techniques rhétoriques, qui peuvent se travailler individuellement, la prise de parole éducative ne peut se faire sans la présence d'un groupe. Il s'agit même d'une condition *sine qua non*. Telle est la spécificité des formations Eloquentia et Locutia : le groupe joue un rôle fondamental dans l'apprentissage de la prise de parole de chaque participant. Dans nos formations, le collectif fonctionne comme un miroir qui pousse l'individu à se questionner sur ses opinions et ses émotions ; en s'ouvrant aux autres, il se révèle d'abord à lui-même[9]. Le groupe, s'il partage des valeurs de bienveillance, s'avère alors un appui incomparable : à l'école, pour développer l'intelligence émotionnelle de l'enfant, à l'âge adulte et en milieu professionnel, pour insuffler un esprit collaboratif qui permet aux employés de s'épanouir.

---

9 Voir aussi p. 90.

2
LA PRISE
DE PAROLE
ÉDUCATIVE

La prise de parole éducative, comme son nom l'indique, a pour objet la construction personnelle de l'être humain par la pratique oratoire (discours, débats, dialogues). Nous aborderons ici la genèse de ce postulat pédagogique, son impact sur le savoir-être de ceux qui la pratiquent, et le développement de leur intelligence émotionnelle dans la vie quotidienne. Ma conviction, c'est que la prise de parole éducative est appelée à faire partie intégrante des enseignements scolaires.

I. LA PAROLE, UN JEU D'ENFANT ?

Quelle est l'origine de la parole ? Que se passe-t-il dans le cerveau d'un bébé pour qu'il se mette à parler ? Quel est le cheminement entre les premiers sons et les premiers mots ?

Le langage est indissociable de l'interaction sociale. L'enfant apprend à parler avec les autres, et grâce aux autres. Quand, vers quatre mois, il pousse des cris à destination de l'adulte, il attend une réponse de sa part. Vers cinq mois, il imite l'intonation des personnes de son entourage. Vers six mois, un enfant babille, répète des syllabes, comme « papa » ou « mama ». Vers sept ou huit mois, il comprend ses premiers mots, en fonction du contexte dans lequel ils sont prononcés. Ainsi, il comprendra facilement « au revoir », par exemple. Vers dix-huit mois, il produit une cinquantaine de mots mais en déchiffre trois fois plus, et à trois ans, il peut apprendre plusieurs centaines de mots par jour ! À six ans, il connaît 10 000 mots. Mais ces résultats sont étroitement liés à son environnement culturel. Seuls 12 % des premiers mots seraient communs à tous les enfants français, les autres résultant des apports de leur entourage socioculturel[10].

« De la naissance à cinq ans, 700 à 1 000 nouvelles connexions se créent chaque seconde dans le cerveau[11] » de l'enfant, explique la pédagogue Céline Alvarez dans *Les Lois naturelles de l'enfant*. Comme elle le précise sur son site, tout ce que nous faisons avec un enfant représente une connexion. Il suffit donc à l'enfant d'être en lien avec le monde pour que ses synapses se développent. Ainsi, en matière de compétences langagières, le nourrisson est capable d'entendre tous les sons dans toutes les langues du monde jusqu'à

---

10 Pour l'acquisition du langage chez l'enfant, voir Jean-François Marmion, « Le langage sur le bout de la langue », *Sciences humaines*, octobre 2015, « L'enfant et le langage ».

11 Céline Alvarez, *Les Lois naturelles de l'enfant*, Paris, Les Arènes, 2016. Voir aussi www.celinealvarez.org/17-videos-pour-demarrer.

neuf mois, au douzième mois il ne réagit plus qu'aux sons des langues auxquelles il a été habitué.

En grandissant, par le mécanisme de l'élagage synaptique, il devient expert de ce qu'il aura le plus souvent rencontré au cours de ses premières années : ce sont les connexions les plus souvent utilisées qui vont se renforcer.

Sur un plan psychologique, c'est à partir des mots de sa mère qu'un enfant établit la relation à son père. Françoise Dolto rappelle que le fondement de la famille repose sur le langage. C'est bien en entendant le discours de sa mère, qui désigne le père aux yeux de son fils ou de sa fille par des phrases telles que « écoute ton père », que l'enfant se réfère à lui. La famille, selon Dolto, est donc un postulat fondé sur la parole du parent. Le rapport d'un enfant aux siens se construit par le langage[12].

Hormis en cas de handicaps, le langage est une pratique universelle. Les connexions neuronales qui permettent la maîtrise de la langue se développent tout au long de la vie, à condition que les interactions sociales demeurent. Il n'est jamais trop tard pour inverser la tendance, s'ouvrir aux autres, prendre la parole, dialoguer et écouter pour apprendre et se comprendre.

Si on replace ces observations du point de vue des interactions avec l'enfant par la parole, plus on dialogue avec nos enfants en les habituant à s'exprimer, plus on stimule leur ouverture au monde. C'est certainement le meilleur moyen de préparer des générations moins violentes dans leur rapport à autrui, capables d'empathie et d'acceptation de la différence.

---

12 Voir Françoise Dolto, *Tout est langage* [1987], Paris, Gallimard, coll. « Françoise Dolto », 1995.

II. LA PAROLE ET LE SAVOIR-ÊTRE

La capacité à prendre la parole dépend beaucoup du contexte dans lequel l'enfant grandit. Les espaces de dialogue se cantonnent souvent au cercle familial et amical.

« Il faut que les enfants puissent s'exprimer, c'est-à-dire qu'on les laisse parler, qu'on les écoute et qu'on leur réponde ! Des règles conversationnelles sont établies et doivent être respectées (ne pas se couper la parole), y compris par l'adulte », explique la professeure de psychologie de l'enfant Agnès Florin[13]. Autrement dit, la bienveillance, l'écoute et l'encouragement sont nécessaires à la progression des enfants. Mais s'ils ne peuvent pas du tout prendre la parole chez eux, parce qu'ils ont un parent qui les inhibe par exemple, le feront-ils d'emblée à l'extérieur s'ils n'y sont pas invités ? Et cela d'autant plus que la société et l'école leur font parfois comprendre que s'exprimer à voix haute est encore perçu comme impoli, turbulent, irrespectueux de l'autorité de l'enseignant.

Pourtant, l'approche de la prise de parole au sein du système éducatif évolue. Plus généralement, les problématiques de décrochage scolaire et les difficultés d'enseigner à une jeune génération qui pourra, toute sa vie, accéder au savoir en posant la question à Google nous obligent à remettre en question les contenus enseignés à l'école et la manière de les transmettre. Dans ce contexte, le savoir-être, tout autant que le savoir, est devenu un enjeu essentiel pour l'éducation des futures générations. Et dans notre vision de la prise de parole éducative, c'est bien de cela qu'il s'agit.

---

13 « Questions à Agnès Florin », dans *Sciences humaines*, « L'enfant et le langage », octobre 2015.

A. Dialogue, savoir-être et intelligence émotionnelle

1. LE DIALOGUE
POUR S'ADAPTER AUX MUTATIONS DE LA SOCIÉTÉ

L'école nous apprend à lire, à écrire et à compter. Elle nous transmet des connaissances élémentaires : l'histoire, la géographie, les langues… Toutes ces « humanités » constituent les bases de notre savoir. La rhétorique et la prise de parole n'y figurent pas.

Or, les réseaux sociaux permettent à notre génération du *selfie* de s'exprimer sans toujours prendre le temps de s'écouter, ou tout du moins de se comprendre. La culture du clash envahit le Web et l'on s'insulte volontiers par commentaires interposés, dès que des personnes ne partagent pas notre avis.

Chez soi, au bureau ou au restaurant, les écrans sont devenus nos meilleurs amis et peuvent nous pousser à couper la communication avec nos entourages proches. La cyberdépendance est devenue un problème sociétal qui enferme de nombreuses personnes dans une « Ultra Moderne Solitude », comme le chantait Alain Souchon.

Le temps des chaînes de télévision contrôlées par l'État est bien révolu. Via Internet, tous les propos sont vérifiables, contestables, attaquables… Mais quel bouleversement ! Des peurs ont émergé et le dialogue de crise fait le lit d'une crise du dialogue. Elle se traduit par des violences verbales (discriminations, insultes, repli communautaire, racisme…) que l'on retrouve dans les établissements scolaires ou au travail. L'heure est plus que jamais venue de regarder cette réalité en face, de ne pas blâmer le progrès et de donner à tous les outils psychosociaux pour se comprendre, s'exprimer, exister et vivre au mieux dans cette société du « désaccord permanent ».

À mon sens, notre salut passe avant tout par une compréhension claire du tournant auquel nous assistons dans l'histoire de l'humanité. La crise environnementale globale lie le destin des hommes entre eux. Les comportements pollueurs des grandes industries mondiales ont un impact sur des populations aux quatre coins du monde. Les guerres au Moyen-Orient provoquent des flux migratoires de populations que doivent gérer les pays occidentaux.

Les échanges humains, culturels et économiques nous font désormais prendre conscience que nos vies sont toutes liées les unes aux autres. Nous voyons ainsi l'émergence d'une « conscience planétaire », selon les termes d'Edgar Morin[14]. Chacun d'entre nous est invité à prendre ses responsabilités, à « faire sa part », comme nous y enjoint Pierre Rabhi[15], pour préserver la planète de la menace environnementale, mais aussi des guerres et des tensions qui nous enlisent collectivement.

Le monde de demain est appelé à être coconstruit et cela passera inévitablement par le dialogue.

L'enjeu de réapprendre à dialoguer dans un monde à voix multiples se joue tout autant à l'échelle d'une nation, où un individu peut avoir des attaches culturelles et ethniques diverses. Deux individus, par exemple, peuvent être issus de la même catégorie sociale et être totalement en désaccord sur des questions politiques ou religieuses.

---

14 Edgar Morin, *Enseigner à vivre. Manifeste pour changer l'éducation*, Actes Sud-Play Bac Éditions, 2014.

15 Selon la légende amérindienne racontée par Pierre Rabhi, il y eut un jour un immense incendie de forêt. Tous les animaux, atterrés, observaient impuissants le désastre. Seul le petit colibri s'activait, allant chercher quelques gouttes avec son bec pour les jeter sur le feu. Après un moment, le tatou, agacé par cette agitation dérisoire, lui dit : « Colibri ! Tu n'es pas fou ? Ce n'est pas avec ces gouttes d'eau que tu vas éteindre le feu ! » Et le colibri lui répondit : « Je le sais, mais je fais ma part. »

Comment faire alors pour que ces multiples identités, qui sont souvent sources de division, puissent coexister[16] ?

Au cours des cinq dernières années, j'ai souvent été convié dans les établissements scolaires pour aborder la question de la liberté d'expression, notamment à la suite des attentats de *Charlie Hebdo*. On m'a demandé de réfléchir à des solutions pédagogiques luttant contre les théories complotistes ou contre la radicalisation des jeunes. Je comprends la tentation de réfléchir dans l'urgence à des solutions pour ces problématiques. Malheureusement, je ne crois pas un seul instant qu'il puisse exister un remède miracle à ces problèmes dans le temps court. Il faut surtout changer notre manière de concevoir le dialogue de société.

À mon sens, la racine de ces maux réside dans la crispation de ce dialogue. Dans une époque où le repli sur soi s'est aggravé, les conflits liés à une méconnaissance de l'appartenance culturelle de nos concitoyens se sont multipliés. C'est la raison pour laquelle la prise de parole éducative, enseignée dès le plus jeune âge, est la première étape pour répondre à ces problèmes. Car elle enseigne l'affirmation de soi dans le respect profond des opinions d'autrui.

Au début de nos formations, nous observons par exemple, dans les groupes d'adolescents, beaucoup d'automatismes de langage qui ressemblent à des mécanismes de repli. Si un jeune se sent heurté par un propos, plutôt que de chercher à comprendre son interlocuteur, à saisir les fondements de sa réflexion, il lui répond souvent : « Mais tu racontes n'importe quoi, toi » ou « T'es un fou ! ». Des réponses qui ferment la discussion. Je leur propose de les remplacer par des expressions plus neutres, qui respectent l'autre, comme « Je ne suis pas d'accord avec toi », ou « Ça, c'est

---

16 J'évoque ce problème dans une conférence Ted, « S'entendre dans un monde à voix multiples », consultable librement sur YouTube : www.youtube.com/watch?v=KMVetzyUMUA.

ton point de vue ». La deuxième étape consiste à remplacer tout jugement de valeur par le questionnement constructif d'autrui : « Explique-moi pourquoi tu penses cela » ou « Lorsque tu dis ça, qu'est-ce que cela signifie ? ». Cet enseignement doit débuter dès les classes élémentaires, pour qu'à l'âge adulte, les points de vue extrémistes s'estompent et pour permettre des dialogues constructifs.

2. LE SAVOIR-ÊTRE ET L'INTELLIGENCE ÉMOTIONNELLE

a. Qu'est-ce que le savoir-être ?

Qu'entendons-nous par le terme « savoir-être » ? Si l'on définit le « savoir » par la connaissance, le « savoir-faire » par la compétence, le « savoir-être » serait la pleine conscience de soi et des autres. Il s'agirait, d'une part, de la capacité émotionnelle d'un individu à se comprendre lui-même et, d'autre part, de sa faculté d'adapter son comportement à une situation donnée et à ceux qui l'entourent.

Prenons l'école. Celle-ci est une microsociété qui dispose d'un règlement intérieur clairement établi et de règles tacites : on n'insulte pas son professeur, par exemple. Mais le programme ne se charge pas d'enseigner aux élèves à faire société, à être avec les autres. Comment passer une année scolaire avec quelqu'un qui ne pense pas comme vous ? Comment assumer une conviction qui n'est pas celle du groupe ? Comment se comporter avec un « caïd » qui vous bouleverse, vous terrorise, vous dérange ? Les enseignants sont confrontés en permanence aux émotions des enfants, à leurs ego, leurs frustrations, leurs colères. Pourtant, ces préoccupations sont laissées aux cercles familiaux. On entend d'ailleurs souvent que l'école « ne peut pas tout », que les professeurs ne peuvent pas se substituer aux parents. Cela est vrai, mais faire de la place à la compréhension et à la gestion de nos émotions n'est-il pas essentiel pour préparer l'élève à la vie en société ? Cette responsabilité ne peut pas être endossée uniquement par les enseignants, le système éducatif dans son ensemble doit leur donner les moyens de pouvoir le faire.

b. Développer notre intelligence émotionnelle et sociale

Je crois, pour ma part, indispensable de développer notre intelligence émotionnelle. Les psychologues John Mayer et Peter Salovey sont les premiers à avoir théorisé l'intelligence émotionnelle comme « l'habileté à percevoir et à exprimer les émotions, à les intégrer pour faciliter la pensée, à comprendre et à raisonner avec les émotions, ainsi qu'à réguler les émotions chez soi et chez les autres[17] ».

L'intelligence émotionnelle, c'est donc notre capacité à identifier, comprendre et formuler nos émotions. Et il n'y a pas d'âge pour commencer cet apprentissage. La définition de Mayer et Salovey est intéressante, car elle met l'accent sur la nécessité, non seulement de comprendre les émotions, mais aussi de parvenir à les « réguler chez soi et chez les autres ». Sur le plan individuel, nous pourrions communément appeler cela « faire preuve de maîtrise de soi ». À l'égard d'autrui, l'intelligence émotionnelle consisterait aussi à faire preuve d'empathie.

••• Dans *Une idée folle,* film documentaire qui suit le quotidien de neuf écoles alternatives françaises, la réalisatrice Judith Grumbach montre des élèves de maternelle qui, quand ils se sentent en colère, vont se saisir d'un crocodile en peluche pour incarner la sensation qui monte en eux. Le crocodile représente notre cerveau

---

17 John Mayer et Peter Salovey, « What is emotional intelligence ? », in P. Salovey et D. J. Sluyter (éd.), *Emotional development and emotional intelligence: Educational implications,* New York, Harper Collins, 1997. Voir aussi Daniel Goleman, *L'Intelligence émotionnelle,* Paris, Robert Laffont, 1997.

reptilien, le siège de nos instincts. « J'ai mon crocodile qui veut sortir », avertit l'enfant. Les élèves expriment par ce moyen leurs émotions négatives et les font littéralement sortir d'eux-mêmes, en les dédramatisant et en prévenant aussi les autres de ce qui se passe en eux. Le groupe sait donc que la colère était présente *a priori*, alors que si ce même enfant s'était disputé avec un camarade pour purger son malaise, les émotions se seraient mélangées, jusqu'à ce qu'on ne puisse plus en retrouver la source. En apprenant aux enfants à reconnaître leurs émotions et à susciter l'empathie de leurs camarades, ce mécanisme leur permet d'emblée de désamorcer des conflits potentiels[18].

L'intelligence émotionnelle permet également de développer une intelligence sociale. Autrement dit, en manifestant de l'empathie et en ne fonctionnant plus de manière autocentrée, l'individu se met naturellement à observer son environnement social. Il devient capable de comprendre les contextes interpersonnels qui peuvent influer sur ses émotions ou sur celles des autres. À la lecture de tous ces éléments, il est à même de prendre des bonnes décisions ou de tenir des propos à la juste mesure de la situation[19].

Mais si l'intelligence émotionnelle est fondamentale, c'est parce qu'elle conditionne beaucoup la réussite de l'enfant. La thèse du psychologue Daniel Goleman, dans *L'Intelligence émotionnelle*, publiée en 1995, le certifie[20]. L'estime de soi, l'empathie, la paix intérieure, la compréhension et l'expression de nos émotions

18 Judith Grumbach, *Une idée folle*, 2017. Voir le site uneideefolle-lefilm.com.
19 Voir Howard Gardner, *Les Formes d'intelligence*, Paris, Odile Jacob, 1997.
20 Daniel Goleman, *L'Intelligence émotionnelle*, édition citée.

stimulent notre cerveau droit. Ce processus améliore notre plasticité cérébrale, chaque stimulus créant de nouvelles connexions et nous rendant plus performants. D'après Goleman, notre quotient intellectuel inné ne joue dans notre réussite qu'à hauteur de 20 % : l'intelligence émotionnelle serait responsable du reste.

Mais au-delà de la simple recherche d'efficacité et de performance, l'appréhension de notre intelligence émotionnelle nous permet avant tout de savoir vivre ensemble.

Comme le savoir, cette forme d'intelligence n'est pas innée. Elle peut s'acquérir grâce à une « éducation des émotions », et des voix s'élèvent de plus en plus pour installer cet enseignement dans les parcours éducatifs[21]. L'ONG Ashoka, qui milite pour cette évolution, a répertorié ce qu'elle appelle des *changemakers schools,* des écoles du changement, qui tendent à valoriser l'apprentissage du savoir autant que celui du savoir-être chez les élèves.

c. Les compétences psychosociales

En 1993, l'Organisation mondiale de la santé (OMS) a elle-même reconnu l'importance de l'éducation au savoir-être pour la santé mentale. Elle qualifie les aptitudes qui composent le savoir-être de « compétences psychosociales ». Pour l'institution, « les compétences psychosociales sont la capacité d'une personne à répondre avec efficacité aux exigences et aux épreuves de la vie quotidienne. C'est l'aptitude d'une personne à maintenir un état de bien-être mental, en adaptant un comportement approprié et positif, à l'occasion des relations entretenues avec les autres, sa propre culture et son environnement. Les compétences psychosociales ont un rôle important à jouer dans la promotion de la santé dans son sens le plus large, en termes de bien-être physique, mental et social. » L'organisme propose une liste de dix compétences psychosociales, souvent classées par binômes :

---

21 Voir Michel Claeys Bouuaert, *L'Éducation émotionnelle de la maternelle au lycée*, Gap, Le Souffle d'Or.

– savoir résoudre les problèmes, savoir prendre des décisions ;
– avoir une pensée créative, avoir une pensée critique ;
– savoir communiquer efficacement, être habile dans ses relations interpersonnelles ;
– avoir conscience de soi, avoir de l'empathie pour les autres ;
– savoir gérer son stress, savoir gérer ses émotions[22].

C'est la raison pour laquelle la prise de parole éducative, qui vise à développer ces capacités, se popularise dans les formations professionnelles. Ces compétences sociales, nécessaires dans nos vies quotidiennes, requièrent d'être développées à l'école car, contrairement au cadre familial, c'est bien dans le milieu scolaire qu'on peut faire l'apprentissage de la vie en groupe.

B. Les « compétences sociales » dans les programmes de l'Éducation nationale

En France, l'Éducation nationale s'est emparée de la question du savoir-être. En dehors des matières traditionnelles, le Code de l'éducation fait clairement figurer « la formation de la personne et du citoyen » parmi les objectifs de formation initiale des enfants[23]. Cette formation, d'après le décret d'application du code, « vise un apprentissage de la vie en société, de l'action collective et de la citoyenneté, par une formation morale et civique respectueuse des choix personnels et des responsabilités individuelles[24] ».

De même, en 2006, en plus des évaluations trimestrielles

---

22 Rapport de l'OMS, « Life skills education for children and adolescents in schools », 1994.
23 Article L 122-1 du Code de l'éducation.
24 Article D122-1 du Code de l'éducation.

classiques, on a instauré le « livret personnel de compétences[25] » qui prévoyait que « les compétences sociales et civiques de l'enfant » (respect mutuel et acceptation des différences, respect des valeurs de la vie collective…) ou encore « l'autonomie et l'initiative des élèves » puissent être évaluées à la sortie du CE1, du CM2 et de la 3ᵉ. Les rédacteurs de ces directives reconnaissent d'ailleurs que jusqu'en 2006 ces deux compétences « ne [faisaient] pas encore l'objet d'une attention suffisante au sein de l'institution scolaire[26] ».

Toutes ces réformes partaient d'une bonne intention : pousser l'école à former l'enfant à la vie en société. Mais les compétences sociales sont abstraites, difficiles à évaluer. Les enseignants, de leur côté, ne sont pas formés à l'éducation émotionnelle. Ni les horaires, ni les programmes ne sont réellement pensés pour mettre en place cet enseignement. Pour toutes ces raisons, quand le « livret personnel de compétences » a été simplifié en 2015 dans un « livret scolaire unique[27] », les compétences sociales ont disparu. Elles ont été diluées dans une nouvelle définition de « la formation de la personne et du citoyen » qui consiste à « savoir formuler ses opinions et respecter celles d'autrui, avoir conscience de la justice et du droit ». L'évaluation de « l'autonomie et l'esprit d'initiative » de l'enfant a disparu du radar. Ces notions de savoir-être sont pourtant significatives pour comprendre le niveau de confiance en soi de l'enfant.

Cependant, l'intention de cette réforme reste bonne, à mon sens. En effet, elle recentre les compétences sociales sur la capacité à « formuler ses opinions et à respecter celles d'autrui ». La prise de parole, dans cette perspective, est donc indispensable. Cette nécessité explicite de la prise de parole éducative rejoint le postulat pédagogique de cet ouvrage.

---

25 Décret n° 2006-830 du 11 juillet 2006.
26 Annexe au décret n° 2006-830 du 11 juillet 2006.
27 Décret n° 2015-1929 du 31 décembre 2015.

III. LA PRISE DE PAROLE DANS LE SYSTÈME ÉDUCATIF

Un enfant d'école élémentaire ou de collège passe autant de temps actif dans sa classe, avec ses camarades et ses enseignants, que dans sa famille. L'école est un lieu de rencontre et d'altérité, où, la plupart du temps, les origines culturelles et sociales se mélangent. C'est le lieu idéal pour la pratique du dialogue, dès le plus jeune âge. Si nous reprenons l'exemple d'un jeune qui ne pourrait pas s'exprimer à table, à cause d'un parent trop autoritaire, l'école pourrait contrebalancer cette réalité-là, instaurer chez l'élève les conditions d'une confiance, lui donner la force de se lancer.

Dans le système éducatif traditionnel, la prise de parole a effectivement une place centrale. Il n'y a aujourd'hui en France pas un seul établissement scolaire où les enseignants ne transmettent leur savoir par des cours qu'ils animent à « l'oral », et ce d'une manière unilatérale : l'enseignant, seul, parle et les élèves prennent des notes. Même si la numérisation du savoir vient concurrencer la tradition orale des cours (MOOC, tutoriels, cours en ligne…), la parole reste le principal canal de transmission du savoir pour les professeurs. Mais qu'en est-il de l'apprentissage de l'oral chez les élèves ? La parole est-elle enseignée de manière à développer leur savoir-être ?

A. L'oral à l'école

D'un point de vue terminologique, l'expression « la prise de parole » est peu employée dans l'univers scolaire : on lui préfère « l'oral ». C'est que la prise de parole, pendant longtemps, n'a pas été favorisée en tant que telle. Si à l'école maternelle, les enseignants travaillent essentiellement à l'oral, cela change à partir de l'école primaire, où le silence est souvent exigé.

C'est étonnant quand on y pense. Alors qu'on cherche pendant toute la petite enfance à faire parler les enfants, à développer leurs relations aux autres, à leur faire acquérir un vocabulaire fourni, on leur demande, à partir du CP, de commencer à se taire. La prise de parole n'est plus naturelle. L'élève doit parler uniquement à la demande du professeur. Parler quand on n'y est pas invité serait un signe de dispersion, de manque de concentration et de non-respect du maître et du groupe. La prise de parole de l'élève est donc longtemps restée de l'ordre de la simple récitation.

Heureusement, les changements de programmes ont mis en avant l'oralité à la demande de plus en plus d'enseignants. À partir de 2005, et plus encore en 2015, « l'expression orale » est intégrée parmi les « compétences » que l'on demande aux élèves de maîtriser à la sortie du collège. C'est à tous les professeurs de participer à l'enseignement de l'oral, évalué par des épreuves au brevet et au baccalauréat. Au cours des vingt dernières années, l'Éducation nationale a progressivement mis en avant l'importance de la prise de parole.

••• Les compétences « Comprendre et s'exprimer à l'oral » du CM1 à la 3e :

Cycle 3 (CM1, CM2, 6e) :
– Écouter pour comprendre un message oral, un propos, un discours, un texte lu.
– Parler en prenant en compte son auditoire.
– Participer à des échanges dans des situations diversifiées.
– Adopter une attitude critique par rapport au langage produit.

Cycle 4 (5e, 4e, 3e) :
– Comprendre et interpréter des messages et des discours oraux complexes.

> – S'exprimer de façon maîtrisée en s'adressant à un auditoire.
> – Participer de façon constructive à des échanges oraux.
> – Exploiter les ressources expressives et créatives de la parole.

1. LA PLACE DE L'ORAL DANS LES MÉTHODES D'ENSEIGNEMENT

L'oral sert d'abord aux enseignants comme méthode pour transmettre des connaissances dans leurs disciplines. Les cours sont dispensés « à l'oral » avec l'aide de supports écrits (exercices, leçons, manuels…), mais toutes les disciplines ne sont pas égales face à l'oralité. Il apparaîtrait plus simple de la favoriser en cours d'histoire, d'EPS ou encore de français que dans des matières scientifiques. Il est possible en histoire d'organiser un débat, une discussion autour d'un thème, d'un chapitre : laisser cinq minutes aux élèves pour échanger entre eux sur ce qu'ils savent de l'Antiquité, de l'Égypte, de la Seconde Guerre mondiale, puis partir de leurs « représentations », les premières idées qu'ils se font d'un sujet qu'ils croient connaître. Dans des matières où l'emploi de l'oral est moins évident, en mathématiques par exemple, les enseignants peuvent demander aux élèves de résoudre un problème en petits groupes. Chaque groupe doit ensuite passer à l'oral devant le reste de la classe et lui expliquer le raisonnement, les règles mathématiques à mobiliser, les pièges éventuels dans lesquels ils ont failli tomber… Cette oralité ressemble à l'exercice traditionnel de l'exposé, que nous avons tous pratiqué, en tant qu'élèves, du primaire à la terminale.

Évidemment, la place de l'oral en cours varie aussi en fonction du rapport personnel qu'entretient un enseignant avec celui-ci. Donner la parole, librement, aux élèves peut être vu comme un outil pédagogique, mais aussi comme une menace pour la bonne tenue du cours. Dans les classes où nous intervenons, quand les professeurs n'ont pas d'approche participative de leurs exercices ou de leur enseignement, ils se plaignent souvent des bavardages ambiants. Les problèmes liés à la turbulence et à la discipline en cours sont beaucoup plus complexes, mais on observe de manière empirique que des enseignants, notamment dans les réseaux d'éducation prioritaire (REP), emploient spontanément des méthodes participatives et parviennent ainsi à obtenir l'adhésion de leurs élèves pour leur transmettre des connaissances. Pour ma part, je plaide pour avoir recours à des méthodes de prise de parole éducative même pour l'enseignement des matières traditionnelles[28], au moins à intervalles réguliers.

2. L'AISANCE À L'ORAL

Bien que la prise de parole ne soit pas enseignée à proprement parler dans le système éducatif, « l'aisance à l'oral » n'en demeure pas moins une qualité évaluée et notée. Ainsi l'Éducation nationale demande aux enseignants de noter, dans les bilans annuels des élèves, leur niveau de langage oral en français.

Notons qu'il peut être paradoxal de noter l'oral des élèves sans leur donner d'outils pour apprendre à formuler leurs points de vue face aux autres. Beaucoup de paramètres entrent en compte lorsqu'il est question de « participer à l'oral » pour un enfant. Des facteurs émotionnels (timidité, honte, stress…) et sociaux (langue maternelle étrangère, moqueries de la classe…), voire des handicaps comme le bégaiement, sont autant de caractéristiques qui font qu'à l'oral, nous ne sommes pas tous sur la même ligne de départ.

Surmonter ces difficultés passe par une pratique régulière. Cependant, aucun temps spécifique, aucun enseignement n'est consacré à l'expression orale en tant que telle. Cela est d'autant

---

28 Voir la partie « Enseigner la prise de parole éducative », p. 80.

plus dommageable que les oraux se généralisent dans les épreuves scolaires et universitaires.

3. L' « ÉPREUVE » ORALE

L'expression orale occupe aussi une place particulière dans nos parcours éducatifs puisque notre scolarité, du collège à l'université, est jalonnée par des oraux. Au brevet, avec l'histoire des arts ou les nouveaux enseignements pratiques interdisciplinaires (EPI), pour certaines matières au baccalauréat ainsi que dans l'enseignement supérieur, nous passons ou nous avons tous passé des épreuves orales. De plus, en 2021, un « Grand oral », adossé à l'une des matières principales choisies par l'élève en terminale, va désormais occuper une place prépondérante au baccalauréat : il représentera environ 15 % de la note finale à l'examen.

> « Évidemment, avec la réforme du bac, on pense à la suite. »

MATHIEU BIDAL, PRINCIPAL DU COLLÈGE SAINT-DIDIER À VILLIERS-LE-BEL (95)

Ce principal a fait appel à Eloquentia pour mettre en place une formation à la prise de parole dans son collège : « Évidemment, avec la réforme du bac, on pense à la suite. Nous avons réfléchi aux niveaux de classe pour lesquels la formation serait la plus intéressante. Avec les élèves de cinquième, on peut suivre les progrès sur les deux années suivantes. Ce qui nous a convaincus, c'est à la fois de constater le besoin de travailler l'oral et le manque flagrant de techniques à notre disposition.

Même sur des formations de courte durée, les intervenants nous ont appris beaucoup de choses sur nos élèves. Certains qu'on imaginait inhibés dans ce genre d'exercices ne l'ont pas été du tout, d'autres se sont vraiment dévoilés. »

La spécificité de ces examens oraux, c'est qu'il s'agit avant tout de contrôle de connaissances. Autrement dit, ce sont des épreuves qui portent sur un sujet technique ou un thème relatif à une matière, tiré au sort ou choisi par les candidats. Cela a le mérite de poser des bases d'évaluation objectives à ces épreuves. Toutefois, toute prise de parole obéit à des règles de rhétorique. Et celles-ci peuvent être décisives dans un entretien consistant en une série de questions-réponses, ou lorsque l'on demande à un candidat de faire preuve d'esprit critique en s'appropriant le sujet, voire lorsqu'il s'agit d'improviser une réponse.

Justement, le futur « Grand oral » du baccalauréat devrait faire appel à de telles compétences. On va non seulement contrôler les connaissances du candidat, mais aussi son esprit critique et sa faculté d'analyse, sa capacité à formuler une opinion et à argumenter.

••• Le rapport Mathiot, annonciateur de la réforme du Baccalauréat avec le Grand oral, en janvier 2018, cite Jean Zay, ministre de l'Éducation nationale sous le Front populaire, pour expliquer la philosophie de ce changement : « L'écolier apprend à lire, à écrire, à compter, à raisonner, non à parler. Or c'est en parlant que bien souvent il devra exercer sa profession ; c'est en parlant, en tout cas, qu'il lui faudra presque toujours défendre ses intérêts, soutenir sa pensée, convaincre ses interlocuteurs. Trop souvent les

> meilleurs sujets de nos lycées en sortent enrichis de connaissances, mais inhabiles à en tirer une argumentation verbale, incapables quelquefois de faire prévaloir les ressources de leur intelligence. Ils seront dans la vie la proie de quelque bavard, expert au langage courant. Ils rédigeront parfaitement à tête reposée ; mais ils improviseront mal[29]. »

Toutefois, parvenir aux objectifs que Jean Zay décrit doit résulter d'un cheminement émotionnel et humain. Une « tête bien remplie » ne saura pas nécessairement être éloquente. Dans son ambition, une telle réforme n'en demeure pas moins nécessaire. Elle rejoint le postulat de cet ouvrage. Mais comme le reconnaît lui-même le rapport Mathiot, il s'agit là « d'une évolution forte » avec « des contraintes organisationnelles, qu'induit la mise en place d'un tel exercice ». Plusieurs interrogations se posent désormais : comment parvenir à enseigner des facultés rhétoriques et cognitives, d'une part ? Et comment former les enseignants à la prise de parole éducative dans les classes, d'autre part ? Ce sont les mêmes questions, au demeurant, que je me suis posées avant de concevoir nos formations en 2013.

4. LE MODÈLE ANGLO-SAXON

Le fait de prendre la parole en public est une des plus grandes peurs des Français. Dans une interview au journal *Le Parisien* en janvier 2013, le psychiatre Frédéric Fanget estime qu'au moins 60 % d'entre eux appréhendent cet exercice. Les raisons de cette crainte varient : anxiété de performance, crainte de ne pas être à la hauteur pour soi, peur du jugement des autres[30].

---

29 Jean Zay, *Souvenirs et solitude* [1943], Paris, Belin, 2011.
30 Ségolène Barbé, « Psycho : pourquoi j'ai peur de parler en public », *Le Parisien*, 18 janvier 2013.

Ce chiffre montre bien que prendre la parole ne fait pas partie de notre culture. Cette attitude s'explique en partie par ce que nous avons dit plus haut : plus on avance dans le système éducatif, moins la parole y est libre. C'est le contraire dans les pays nordiques et dans les pays anglo-saxons qui ont depuis longtemps la culture du *talk show*.

En matière d'éducation à la prise de parole, nous sommes en retard sur nos voisins anglo-saxons, où la tradition du débat à l'école est beaucoup plus institutionnalisée que chez nous. Le *public debating* et le *public speaking* sont des matières très courantes au Royaume-Uni.

●●● Outre Manche, l'enseignement du débat est une institution. L'English Speaking Union, une association qui milite pour sa pratique dès le plus jeune âge, pour permettre aux citoyens de forger et d'exprimer leurs idées, existe depuis 1918 ! L'ESU met en place des programmes à l'école élémentaire, à l'université et dans le cadre de la formation professionnelle, mais elle organise aussi une compétition internationale de débat. Depuis 1980, ce sont ainsi 600 000 jeunes, issus de 50 pays, qui se sont réunis à Londres pour participer à un gigantesque concours de débat, réparti sur une semaine.

Tous les matins, dans de nombreuses écoles britanniques, les élèves doivent s'exprimer sur un thème tiré au sort, devant la classe. Cela s'appelle le *show and tell*. Dans certains établissements, ces exercices commencent dès l'âge de cinq ans. Pour l'Irlandaise Siobhan Keenan Fitzgerald, qui a écrit des livres d'exercices de mise en pratique et a même produit une conférence Ted sur le sujet[31], la prise de parole est bénéfique dès l'école maternelle. C'est une pionnière et je partage son point de vue sur l'importance d'instaurer le plus tôt possible à l'école l'habitude de s'emparer de la parole pour exprimer un désir ou encore, un état d'âme.

B. Enseigner la prise de parole éducative

Deux conditions fondamentales doivent être réunies pour pratiquer la prise de parole éducative. La première, c'est la présence d'un groupe minimum d'élèves[32]. Le collectif agit ici en soutien de l'individu qui est encouragé à prendre la parole et qui ne se sent jugé à aucun moment, quoi qu'il dise et quelle que soit son opinion. Les autres membres du groupe reçoivent la parole de l'élève, enseignants inclus, et peuvent lui poser des questions en retour. C'est le principe de l'écoute active.

La deuxième grande règle consiste à faire adhérer le groupe à un cadre de valeurs afin que tout le monde s'y sente à sa place et prenne la parole librement[33]. C'est là tout l'enjeu et la difficulté pour l'enseignant.

On peut pratiquer la prise de parole éducative dans deux cas de figure. On peut soit employer des techniques qui en relèvent (débats, exercices d'expression…) pour l'apprentissage des matières scolaires ou académiques, soit l'enseigner à proprement parler. La prise de parole éducative n'a pas de cadre figé, mais ce qui est sûr, en revanche, c'est qu'elle requiert un nombre d'heures minimum.

---

31 Cette conférence est consultable librement sur YouTube à l'adresse www.youtube.com/watch?v=StzWIIgIRZY.
32 Voir partie III, « Créer une dynamique collaborative », p. 106.
33 Pour la définition de ces valeurs et comment les mettre en place, voir p. 112.

Au sein du système éducatif, trouver ces plages horaires pourrait ne pas être un problème insurmontable. Lorsque les établissements scolaires nous sollicitent, nous intervenons souvent sur le temps dédié à la « vie de classe » même si, généralement, les professeurs mettent aussi quelques-unes de leurs propres heures de cours à notre disposition pour nos interventions.

1. LA PRISE DE PAROLE ÉDUCATIVE COMME MÉTHODE D'ENSEIGNEMENT

Les méthodes de prise de parole éducative peuvent être utilisées dans l'enseignement traditionnel pour apprendre les matières classiques.

Dans les écoles ouvertes de Maria Montessori, par exemple, les élèves s'expriment beaucoup. Ils prennent la parole et sont encouragés à le faire, tout comme dans les écoles Steiner ou Freinet. Pour toutes ces pédagogies, la parole joue un rôle central : c'est le matériau pédagogique de base pour développer l'expression des enfants. Dans ces approches, l'enseignant se met fréquemment à l'écoute des jeunes en les questionnant ainsi les élèves s'écoutent et se nourrissent mutuellement de leurs points de vue. Ils développent alors une intelligence collective au service de chaque individu. Dans ce cadre, la classe n'est plus un lieu de compétition. Quand un élève prend la parole, les autres ne représentent plus une menace, ils ne sont plus pourvoyeurs de jugements ou de moqueries, mais un véritable soutien pour faire avancer leur camarade et, par ricochets, la classe tout entière. Dans cette conception de l'enseignement, le rapport cognitif à soi-même et aux autres est renversé.

De plus, face aux problématiques de décrochage scolaire dans certains établissements et à l'augmentation des troubles de la concentration chez les élèves, beaucoup d'enseignants tentent déjà de faire vivre leur matière différemment. À l'instar du professeur de lettres incarné par Robin Williams dans *Le Cercle des poètes disparus*, qui pousse ses élèves à s'approprier le savoir en partant de leur propre point de vue et de leur ressenti, de nombreux professeurs créent des cercles de parole ou encore des débats pour discuter de faits historiques ou sociaux. Cette approche participative, si elle ne peut remplacer les cours magistraux, a le mérite d'impliquer les élèves par la parole et s'avère être une manière efficace d'imprimer les connaissances. Un certain nombre d'exercices de ce genre peuvent être empruntés à la prise de parole éducative, afin de stimuler des connaissances en lettres, en langues étrangères, en français, en histoire, en géographie, en droit, en sciences politiques...

Au fil des années, je me suis rendu compte que dans les établissements où nous intervenions (REP[34] ou non), les élèves étaient de moins en moins friands des cours magistraux pour apprendre les enseignements traditionnels. Partout, le constat est souvent le même et partagé avec les enseignants : la faculté à capter l'attention des jeunes est devenue de plus en plus difficile et s'est dégradée au cours des vingt dernières années. Pourtant, lors de mes interventions de prise de parole éducative, rares sont les élèves qui n'ont pas envie d'y participer. Avec certains enseignants, nous avons même élaboré des simulations de COP[35], pour apprendre à des collégiens les rudiments du réchauffement climatique. En enseignement moral et civique (EMC), nous avons pu simuler le discours de la première présidente de la République française et de ses premières réformes pour l'égalité des sexes au niveau de l'emploi, des salaires et des violences sexistes. Autant de débats et de discussions exaltantes où les enfants ont eux-mêmes été à la recherche de connaissance et ont fini par être demandeurs de cours magistraux pour « jouer » aux simulations que nous leur proposions.

---

34 REP : Réseau d'éducation prioritaire. Réseau d'établissements où l'action éducative est renforcée afin de lutter contre l'échec scolaire.
35 COP : Conférence des parties. Conférence mondiale sur le climat qui réunit les pays signataires du traité du premier sommet de la Terre sur les changements climatiques (Rio 1992).

Fort de ce succès, je me suis demandé pourquoi les jeunes semblaient si enclins aux cours participatifs et collaboratifs. Il me semble que les générations milléniales[36] savent que toute leur vie, elles auront le savoir dans leur poche, à portée de clic. Les smartphones sont des calculettes et des bibliothèques ambulantes qui leur permettront toujours de transporter le savoir de l'humanité avec eux, pour peu qu'ils sachent faire une recherche sur Google. Dès lors, c'est le sens tout entier de l'école qui est remis en question, inconsciemment pour les plus jeunes. Combien de fois ai-je pu entendre « à quoi ça sert Monsieur d'apprendre les divisions puisque j'ai une calculette sur mon smartphone ? », « C'est pas grave de faire des fautes, Monsieur, de toute façon Word il corrige automatiquement les fautes. », « Monsieur, quand je veux écrire en anglais, je vais sur Google Translate et voilà. » Évidemment ces outils ne remplacent pas l'assimilation du savoir et les enfants en ont bien conscience. Toutefois, ce qu'ils signalent à travers l'existence de ces outils, c'est la recherche d'un intérêt pratique des connaissances qu'ils acquièrent. C'est le désir de mettre rapidement en perspective et le contexte dans lequel ces connaissances vont leur être utiles. D'où cet intérêt pour les exercices pratiques qui composent la prise de parole éducative.

Les jeunes sont habitués à suivre des vidéos « tutos[37] » sur YouTube pour apprendre à utiliser un logiciel, à faire des recettes de cuisine, à réparer leurs consoles de jeux vidéo et leurs smartphones. Cet enseignement collaboratif et partagé est désormais une composante majeure dans leur éducation et leur rapport au monde. Cet ADN de l'enseignement participatif commence à se répandre dans le système éducatif traditionnel. J'ai la conviction que la prise de parole éducative peut apporter des jeux et des exercices pour faire vivre les matières classiques enseignées à l'école.

---

36 « Milléniales » : expression pour désigner les enfants nés après les années 2000 et ayant grandi avec la culture de l'écran et de l'Internet.
37 « Tuto » pour « tutorielles »

Les cours magistraux sont une conduite directive et unilatérale de l'heure de cours qui reste indispensable.

Mais il est fondamental d'instaurer plus d'oralité à l'école. Je suis intervenu ainsi que nombre de nos formateurs dans des établissements scolaires dits « difficiles » où les relations entre les enseignants et les élèves s'étaient tendues au fil des mois. Ce manque de lien avait fini par braquer des élèves souvent réprimandés par un enseignant tenu de leur faire suivre le programme scolaire. Un cercle vicieux avait parfois tendance à se mettre en place entre un enseignant formé surtout à transmettre des connaissances mais pas forcément formé à comprendre les nœuds sociologiques qui se jouent parfois dans une classe ou dans des quartiers où les tensions sociales sont omniprésentes et influent sur les jeunes et la culture scolaire.

Dans ce contexte où l'autorité peut être remise en question, l'enseignant incarne parfois une posture tutélaire qui rebute. À ce titre, donner la parole aux élèves est le meilleur moyen de comprendre leur rapport au monde et leurs aspirations et ainsi de mettre les enseignements traditionnels dans cette perspective. Si certains aspirent à être avocat au collège et au lycée, rien de tel que de faire une simulation de procès pour leur faire comprendre l'importance des libertés fondamentales enseignées en histoire ou en EMC pour se défendre. L'enseignant qui accorde ainsi une place prépondérante à la parole de ses élèves – par exemple en demandant leur humeur du jour au début de chaque cours, en faisant régulièrement des cas pratiques pour appliquer des connaissances – gagnera plus naturellement la considération des élèves. En leur proposant des activités où leur autonomie de pensée et leur esprit critique sont mis en avant, ils seront d'autant plus à l'écoute lorsque le professeur devra faire un cours magistral. Les élèves accepteront aussi plus facilement son autorité et le cadre de valeurs que l'enseignant souhaite imposer dans sa classe.

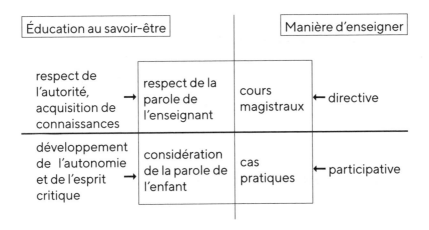

2. LA PRISE DE PAROLE ÉDUCATIVE, UNE MATIÈRE À PART ENTIÈRE

Mais la prise de parole éducative est d'abord un enseignement à part entière, composé de différentes activités qui ont toutes un lien avec l'expression orale. Le théâtre, la rhétorique, la respiration, la gestion du corps, le slam sont autant de matières que l'on peut pratiquer dans ce cadre. Ensemble, elles permettent de stimuler des facultés cognitives et d'apporter des connaissances en culture générale, développant l'intelligence émotionnelle et sociale de ceux qui pratiquent ces activités.

Au-delà des questions de développement personnel, on peut notamment avoir recours à la prise de parole pour défaire des « nœuds » humains au sein d'un groupe, par exemple des tensions entre certains élèves, les frustrations des uns, l'agitation des autres, la jalousie, les malentendus. Mais elle sert aussi à développer l'esprit de coopération, à croiser des perceptions sur des faits historiques, voire à aborder des questions d'actualité sujettes à polémique.

Telle était tout du moins ma volonté, lorsqu'en 2013 j'ai souhaité mettre en place une formation à la prise de parole à l'université de

Saint-Denis. Pas simplement une formation à la rhétorique ou au théâtre, mais avant tout un parcours humain, une aventure où l'on s'exprimerait pour s'ouvrir aux autres, où l'on bénéficierait de leur écoute pour se découvrir soi-même. Bien sûr, le contenu de la pédagogie n'a eu de cesse d'évoluer, et va continuer de le faire, enrichi au fil des années par les remontées du terrain.

••• **Plaidoyer pour la prise de parole éducative au cours des heures de vie de classe.**

L'heure de vie de classe est inscrite dans les emplois du temps des élèves, de la 6e à la 3e. Ces heures, au nombre minimum de dix par an, sont le plus souvent organisées par le professeur principal de la classe et « visent à permettre un dialogue permanent entre les élèves de la classe, entre les élèves et les enseignants ou d'autres membres de la communauté scolaire, sur toute question liée à la vie de la classe, à la vie scolaire ou tout autre sujet intéressant les élèves[38] ». Dans la plupart des cas, ces heures sont consacrées à l'orientation des élèves. Cependant, elles seraient *a priori* un terreau fertile pour la prise de parole éducative.

En pratique, les heures de vie de classe ne sont pas systématiquement assurées chaque semaine. D'abord parce qu'elles ne sont pas obligatoires, mais aussi parce que, lorsqu'elles sont dispensées par l'enseignant de son plein gré, elles ne sont pas rémunérées. En effet, bien que la plupart des enseignants s'en acquittent toujours, les heures de vie de classe n'entrent pas dans les « missions liées au service d'enseignement[39] ».

[38] I, B-1 circulaire n° 2015-057 du 29-4-2015 en application des décrets n° 2014-940 et n° 2014-941 du 20 août 2014.

[39] Article L921-1 du Code de l'éducation et I, B-1 circulaire n° 2015-057 du 29-4-2015 en application des décrets n°s 2014-940 et 2014-941 du 20 août 2014.

La vie de classe constitue pourtant un véritable potentiel pour la prise de parole éducative. Philosophiquement, elle est en tout cas un dispositif cohérent pour accueillir des ateliers de rhétorique, d'expression scénique, de technique vocale, pour échanger, dialoguer ou se révéler à ses camarades, car il faut impérativement comprendre la vie d'un groupe pour faire de la classe un environnement d'apprentissage.

3. LA NÉCESSITÉ DE FORMER LES ENSEIGNANTS

Nous l'avons vu, les réformes vont donc dans le bon sens, toutefois un paradoxe demeure. Comment demander à des enseignants de former des enfants à la prise de parole si eux-mêmes ne l'ont pas été ? Cette discipline ne figure pas à proprement parler dans les masters universitaires qui forment aux métiers de l'enseignement, de l'éducation et de la formation. Les concours de l'enseignement (CRPE, CAPES et agrégation) comportent des épreuves orales, mais il s'agit d'oraux classiques qui servent à évaluer la maîtrise de la discipline par le futur enseignant. Jamais on ne transmet aux professeurs des techniques sur l'oralité qu'ils pourraient ensuite transmettre à leurs élèves. Il est désormais indispensable de pallier cela.

Tel est l'objectif de la pédagogie « Porter sa voix » lorsque nous intervenons en milieu scolaire. C'est d'ailleurs dans ce contexte que j'ai pu rencontrer des enseignants de collège ou de lycée, qui se sentaient parfois désemparés pour enseigner la prise de parole aux élèves, bien que la plupart d'entre eux ont déjà conscience de la nécessité à faire de la place à plus d'oralité pour enseigner dans des classes « difficiles ».

Si nous étions déjà très sollicités avant la réforme de 2015, qui a mis l'accent sur l'enseignement de l'expression orale, les demandes de formation d'élèves et d'enseignants ont afflué depuis. En cinq ans, depuis leur création, les formations Eloquentia ont essaimé dans plus de cent établissements scolaires. Plus de 2 500 jeunes ont suivi nos parcours ; Eloquentia est devenue la principale structure de formation à la prise de parole en France et je suis encore stupéfait de voir l'engouement grandissant de notre génération pour cette pratique. Il en va de même des sollicitations dans le monde professionnel, où le bien-être au travail, les problématiques de communication interpersonnelle et de collaboration ont longtemps été sous-estimées.

« Je voulais leur enseigner quelque chose pour lequel je n'avais ni méthode, ni outils. »

**ASMAE DAVENEL,
PROFESSEUR D'HISTOIRE-GÉOGRAPHIE AU COLLÈGE
SAINT-DIDIER À VILLIERS-LE-BEL (95)**

Asmae Davenel a vu Eloquentia intervenir auprès de ses élèves de 5ᵉ. « Dès qu'il s'agit de passages à l'oral, les élèves rencontrent beaucoup de difficultés, non seulement pour s'exprimer mais aussi tout simplement pour se positionner devant le groupe. On sent chez eux une attitude un peu gauche, ils sont mal à l'aise quand ils sont sur l'estrade, devant leurs camarades. Cela me semblait très important à

travailler en classe, mais à mon niveau, je ne savais p
comment l'amener. En tant qu'enseignants, nous ne
disposons pas de techniques à proprement parler, mais
plutôt de simple bon sens... La plupart de mes élèves, quand
ils passent en exposé, s'adressent à moi et non pas à leurs
camarades. Alors, je tente de corriger, je leur dis d'éviter de
mettre les mains dans les poches, de regarder leur auditoire,
etc. Ce ne sont que de simples recommandations à un
moment donné, mais on espère que les autres élèves en
profiteront. Cependant, quand ils passent à leur tour, ils
refont exactement les mêmes erreurs...

En tant qu'enseignants, nous sommes face à des classes en
permanence, nous donnons nos cours à l'oral mais pourtant
nous sommes peu en mesure de transmettre cette pratique
à nos élèves. J'étais persuadée qu'il fallait travailler cet axe,
mais je me suis retrouvée face à une impasse : je voulais leur
enseigner quelque chose pour lequel je n'avais ni méthode,
ni outils. » Ces difficultés des élèves et des enseignants sont
la raison pour laquelle Eloquentia est intervenue dans ce
collège.

PARTIE

III

PORTER SA VOIX
EN GROUPE

1

LE POSTULAT PÉDAGOGIQUE DE « PORTER SA VOIX »

Convaincu par la nécessité de développer la prise de parole éducative au sein du système académique, il me fallait convertir ce constat en une formation : les programmes Eloquentia et Locutia, respectivement destinés aux jeunes et aux professionnels.

La prise de parole peut être travaillée individuellement. Les élèves de nos formations, d'ailleurs, sont nécessairement confrontés à une phase de travail personnel, qu'il s'agisse de structurer une présentation ou de rédiger un discours[1]. Pourtant le programme

---

1   C'est pourquoi cette partie III sur la formation en groupe se complète d'une partie IV, consacrée à la prise de parole travaillée individuellement. Voir p. 304.

repose d'abord sur le collectif. Aussi, dans ces pages, je me propose de présenter de façon très concrète des méthodes pour travailler la prise de parole éducative en groupe.

Cette partie s'adresse donc à des personnes – parents, éducateurs, enseignants... – désireuses d'animer des ateliers de prise de parole. Mais certains exercices peuvent aussi être pratiqués individuellement, chez soi.

I. UNE PÉDAGOGIE ORGANIQUE ET ÉVOLUTIVE

A. Former un groupe

La prise de parole éducative permet à l'individu de se sentir plus à l'aise à l'oral et, par la même occasion, de s'affirmer. Elle vise également à développer l'intelligence sociale et émotionnelle des participants dans leurs rapports aux autres. Par conséquent, il s'agit nécessairement d'un travail à réaliser à plusieurs, si possible dans un groupe de 12 à 18 personnes. L'objectif est aussi de se former EN groupe à former UN groupe.

Naturellement, les salles de classe des écoles et des universités sont idéales pour pratiquer cette formation, mais en cinq ans d'expérience, j'ai pu constater que celle-là était tout autant plébiscitée au sein d'entreprises, pour renforcer l'esprit d'équipe des employés, que pour travailler l'intelligence émotionnelle des détenus en milieu carcéral. Il n'y a pas d'âge pour développer notre rapport aux autres.

Cependant, commencer cette formation dès l'enfance est souhaitable. En effet, c'est au cours de la construction de l'enfant que l'éducation au savoir-être peut avoir un impact déterminant sur sa confiance en lui et sur son rapport au monde. Ce n'est pas par hasard si on recommande aux parents de nouveau-nés de leur parler dès leurs premiers mois d'existence, pour les « éveiller au monde ». La prise de parole a un rôle essentiel à jouer dans l'épanouissement de l'enfant, si elle intervient avant que ses croyances ne se figent ou que des peurs ne l'empêchent de s'ouvrir aux autres. De plus, l'aspect ludique que peut revêtir la prise de parole éducative permet de provoquer des transformations émotionnelles par le jeu, ce qui est généralement apprécié des jeunes.

Au fond, ce qui fonde cette intention de travailler la prise de parole en groupe, c'est la « reliance » avec autrui. Ce terme désigne l'acte de relier les autres, de se relier avec eux ou avec soi-même, comme l'explique le sociologue Marcel Bolle de Bal[2].

En 2012, il m'a fallu définir le postulat pédagogique de ce qui allait devenir la première formation Eloquentia, à l'université de Saint-Denis. Pour convaincre la présidente de la faculté, Mme Tartakowsky, d'héberger mon projet au sein de son établissement, j'ai passé plusieurs mois à élaborer et à lui exposer le déroulé de la future formation. J'ai obtenu de l'université la possibilité d'y mener une expérimentation d'un an.

Lors de la première année, il n'était question de travailler sur la confiance en soi des jeunes qu'au travers de trois matières : la rhétorique, l'expression scénique ainsi qu'une matière dédiée à aider les jeunes à formuler leurs aspirations professionnelles et à travailler des prises de parole allant dans ce sens (entretien d'embauche, pitch entrepreneurial, porter un projet artistique…). Constatant que les étudiants avaient souvent des difficultés à gérer leur stress pendant leurs prises de parole, des cours de respiration et de placement de la voix ont été instaurés l'année suivante. Quant aux modules de slam et de poésie, ils sont venus compléter la formation à la demande de certains étudiants, qui voulaient porter des formes de discours plus artistiques.

---

2   Marcel Bolle de Bal, « Reliance, déliance, liance : émergence de trois notions sociologiques », revue *Sociétés*, n°80, 2003/2.

B. Un cadre et une pédagogie organiques

La pédagogie « Porter sa voix » est organique et évolutive. Depuis ses premières mises en application, le programme a grandi, s'est nourri du terrain, des retours de ceux qui l'ont fait vivre et de leurs besoins.

D'ailleurs, je ne me suis jamais senti très à l'aise avec la notion de « pédagogie », un terme auquel je n'ai jamais pu échapper lorsque j'expliquais en quoi consistaient nos formations. S'il est vrai que sa définition renvoie à une « méthode d'enseignement[3] », ce n'est pas son acception dogmatique et rigide qu'il faut retenir ici. Mon postulat est un cadre pédagogique avec des objectifs et des axes de travail bien définis, mais dans lequel chaque animateur apporte aussi sa sensibilité afin de le faire vivre. Il y a finalement autant de « pédagogies » que de formateurs et de classes mais cela vaut déjà pour chaque enseignant au sein de l'éducation nationale.

En effet, aucun groupe ne se ressemble. Les trajectoires des élèves qui le composent, les nœuds qui empêchent ces derniers de se libérer pleinement sont différents d'une année à l'autre, d'une région à l'autre, d'un milieu social à l'autre.

Ainsi, « Porter sa voix » ne pose qu'un simple cadre pour une pédagogie organique, qu'il convient d'interpréter et d'adapter avec des exercices en fonction du public concerné. Il ne s'agit certainement pas d'une « méthode miracle » qu'il faut appliquer mécaniquement. Pour que la prise de parole éducative puisse être transformatrice, il reviendra à chaque formateur d'en comprendre les principes et les axes de travail, pour les adapter à la vie de son groupe et aux besoins personnels de ses élèves.

---

3 PÉDAGOGIE, [n. f.] : science de l'éducation des enfants, et *par ext.* de la formation intellectuelle des adultes. […] *Spécialt* Méthode d'enseignement. (*Le Petit Robert*, 2018)

II. LES OBJECTIFS DE LA PÉDAGOGIE « PORTER SA VOIX »

La prise de parole en groupe a deux objectifs. D'abord, au niveau individuel, la prise de parole vise à développer le savoir-être de chaque individu pour qu'il puisse se rencontrer lui-même et gagner confiance en lui. Le second objectif se joue au niveau collectif : la pédagogie a pour but de créer une dynamique de partage, en faisant du groupe une source d'enseignement et un appui pour l'expression de soi.

A. Au niveau individuel

1. DÉVELOPPER LA CONFIANCE EN SOI

Un individu qui a besoin d'encouragements entend souvent cette phrase : « Il faut que tu aies confiance en toi ! » Remarquez comme la manière dont on utilise le terme « confiance en soi » relève d'un enthousiasme presque trop exacerbé pour être honnête. Souvent évoquée dans une phrase à l'impératif, la « confiance en soi » devient vite une injonction : en tant qu'individu, il *faut* faire preuve de cette qualité, elle devient *indispensable* pour être épanoui, pour réussir, pour être soi dans la société. « Aie confiance, ça va bien se passer ! », entend-on également. C'est une formule qu'on souhaiterait magique, mais il ne suffit malheureusement pas de l'invoquer pour en voir les effets. Pour motiver une personne en manque d'assurance, on a coutume de lui enjoindre de « prendre » confiance en elle, comme si la confiance se trouvait là, spontanément, comme s'il suffisait de se baisser pour la ramasser et pour la faire sienne. Or, il s'agit bien de l'apprendre. Non pas *prendre* confiance en soi, mais *apprendre* la confiance en soi.

Paradoxalement, la société accepte peu que nous soyons constamment en train de bâtir cette confiance et de la réajuster tout au long de notre vie. Elle nous demande de la posséder naturellement, sans admettre qu'un cheminement soit nécessaire – avec des erreurs, des essais – pour y accéder.

●●● De la même façon qu'on souhaite voir les individus prendre confiance en eux, on leur pardonne peu un excès de confiance. Ainsi, prendre la confiance est une pure expression de quartier. « Il a pris la confiance ! », c'est ce que certains jeunes peuvent dire d'un autre qui aura péché par l'affirmation de son ego. Ce qui montre bien à quel point la confiance est quelque chose que chacun convoite pour soi, en acceptant mal que d'autres y parviennent mieux ou plus vite que nous ! La phrase « il a pris la confiance » dénonce le fait que celui qui s'est exprimé est allé trop loin, a dit ce qu'il pensait sans s'imposer de limites. Cette expression peut être vécue par l'interlocuteur comme un manque de respect. D'où l'importance fondamentale de travailler dès le plus jeune âge sur la gestion de nos ego.

Notre école ne favorise pas toujours l'apprentissage de cette confiance. Dans l'ancien système scolaire, les élèves étaient tenus dans une position passive, cloîtrés dans leur rôle d'apprenants, peu incités à se mettre en avant. Ce rapport vertical à l'enseignant, cette position d'« absorbant » du savoir fragilisait la confiance en soi des enfants. En ne leur permettant pas de s'exprimer comment leur demander d'avoir spontanément confiance en ce qu'ils sont ou pensent ?

C'est justement à ce niveau-là que la prise de parole est un baromètre intéressant pour mesurer l'assurance d'un individu. Car, si j'ai confiance en ce que je pense, ou tout du moins si j'ai un discours à l'esprit et que je sais qu'il reflète réellement le fond de ma pensée, alors je me sens capable d'ouvrir la bouche et de porter mon propos aux oreilles de tous. De m'assumer. D'être pleinement moi.

Toutefois, cela ne signifie pas qu'un individu à l'aise à l'oral aura nécessairement confiance en lui. C'est un cas de figure plus rare, mais il arrive de voir des participants à nos formations, jeunes ou adultes, très à l'aise au début pour jouer la comédie ou amuser la galerie qui, une fois dans la formation, se recroquevillent lorsqu'il faut aborder des sujets intimes ou personnels. Par leur aisance apparente, ils compensent en réalité un manque de confiance en eux. Ainsi sont-ils capables de reprendre des discours ou de jouer des rôles, voire d'animer des débats d'idées, mais extrêmement intimidés quand il s'agit de partager des convictions politiques, de décrire un souvenir, douloureux ou heureux, de se projeter dans dix ans.

De même, je constate fréquemment que les participants immigrés, qui parlent français avec un fort accent, se sentent plus facilement jugés. Ils se font naturellement plus discrets lors des premières séances. D'une part, ils craignent les moqueries, d'autre part, l'absence de vocabulaire ne leur permet pas d'exposer leur pensée comme ils le souhaiteraient. D'ailleurs lorsqu'il m'arrive moi-même d'animer des formations en anglais à l'étranger, je suis régulièrement stressé avant, voire pendant les séances. La peur de ne pas être compris, de gaffer, d'être à bout de mots, remettent en question ma légitimité : comment faire du développement personnel par la prise de parole sans maîtriser la langue des élèves à cent pour cent ?

Le rapport entre la confiance en soi et la prise de parole est évident et complexe à la fois.

Si la confiance en soi se travaille tout au long de la vie, il existe cependant de grandes disparités entre les individus. Certains naissent avec une aisance naturelle que d'autres n'ont pas. L'éducation, la famille jouent aussi un grand rôle dans la construction de la confiance, et la place du dialogue à la maison a un impact déterminant dans le développement personnel de l'enfant. Comment mes parents m'ont-ils appris à recevoir le « non », la frustration ? Comment les conflits sont-ils gérés dans le cercle familial ? À table, à la maison, comment se parle-t-on, avec mes parents ou mes frères et sœurs ? Suis-je entendu, et quelle place est-ce que je prends si on ne me la laisse pas ? Cette oralité-là est fondamentale dans l'apprentissage de la confiance. Cependant, pratiquer la prise de parole éducative à l'école permet de « déprogrammer » ces mauvaises habitudes qui se sont installées avec le temps dans le cercle familial.

••• Une étude qualitative réalisée à l'issue de la formation[4] à Saint-Denis a invité 30 jeunes à s'auto-évaluer sur un ensemble de compétences avant et après la formation de 60 heures, en se donnant une note sur 20 points.
Grâce à la formation, ceux-ci estiment avoir gagné 2,86 points (+ 14,3 %) de confiance en eux.
L'amélioration est encore plus flagrante à Nanterre. Sur les mêmes critères, les étudiants estiment avoir gagné 3,58 points (+ 18,6 %) de confiance en eux.
En moyenne, les étudiants ayant suivi la formation Eloquentia dans les universités de Saint-Denis et Nanterre estiment avoir gagné en 2018, en se donnant une note sur 20 points :
– 3,22 points de confiance en soi (+ 16,12 %) ;

4   Voir en annexe, p. 418.

> – 5,28 points de capacité à connaître les codes et techniques de prise de parole en entretien d'embauche (+ 26,4 %) ;
> – 3,76 points sur leur capacité à transmettre leurs émotions (+ 18,8 %).

2. OSER PRENDRE LA PAROLE

Le lien entre oser prendre la parole et l'affirmation de soi est évident. Finalement, avant de demander la parole dans un groupe, on se pose tous plus ou moins consciemment les mêmes questions :

– Est-ce que ce que je pense est vrai, ou me correspond bien ?

– Est-ce que je vais bien l'exprimer, avec le bon ton et de la bonne manière ?

– Est-ce que je suis légitime pour en parler devant les personnes présentes ?

C'est notre faculté à répondre positivement à ces trois interrogations qui détermine notre capacité à prendre la parole.

Un individu formé à la prise de parole éducative aura pris l'habitude de rassembler des connaissances et de construire un argumentaire probant. Il sera plus à l'aise pour le présenter aux autres, sans se questionner outre mesure sur sa légitimité, dès lors qu'il est « en congruence[5] » avec ce qu'il dit. En fonction de cela, il décidera, ou non, de s'exprimer. En son âme et conscience.

Mais pour une personne manquant de confiance, ou un jeune peu expérimenté, les choses sont bien plus compliquées. Dans l'esprit de cet individu, ces trois questions, sur la véracité de son propos, de sa formulation, et de sa légitimité à l'exprimer dans le contexte donné, vont se bousculer. Il se demandera : « Est-ce que je dois garder en moi ou dire à voix haute ce qui surgit dans mon esprit ? »

---

5   Voir la partie « Être en congruence », p. 102.

Or, si un individu ne parvient pas à dépasser ses hésitations, une mécanique pernicieuse s'installe. Ses incertitudes deviennent permanentes et, à force de douter de ses paroles, il finit justement par douter de lui. Car entre la confiance en soi et l'estime de soi, il n'y a qu'un pas. De ce doute, deux conséquences majeures découlent.

La première, c'est que l'individu risque de rester enfermé dans ses questionnements en suspens. Il compensera cette insécurité comme il le pourra, généralement au moyen des idées reçues par son seul référentiel parental, éducatif ou culturel. Le risque est clair : soit il restera dans une zone de doute, soit il ne questionnera jamais ses certitudes, ses croyances, ses erreurs, ses idées reçues. Si on ne crée pas des zones d'expression pour l'individu, on permet à ses doutes existentiels de s'enraciner.

La seconde, c'est que l'individu parviendra difficilement à se faire entendre, au sens propre comme au sens figuré. Notre capacité à comprendre nos émotions, à les expliquer et à les formuler par la parole suit un cheminement cognitif précis. Or, ce cheminement, on le retrouve à l'identique chez un entrepreneur qui souhaite faire financer une idée par des investisseurs, chez un artiste qui cherche à partager sa vision dans un film ou une chanson, chez un manager qui aspire à être suivi par ses équipes…

Autrement dit, apprendre à « dire les choses », c'est aussi forger l'estime de soi dont nous avons besoin pour nous exprimer tout au long de nos vies, pour nous aligner avec nos aspirations et les concrétiser. Il y va de notre épanouissement personnel.

> « Aujourd'hui, quand je prends la parole, je me dis : "je peux le faire." »

LUC BARBÉZAT, LAURÉAT 2018 DU CONCOURS ELOQUENTIA SAINT-DENIS (93)

« Ce que j'ai adoré dans la formation Eloquentia, c'est ce sentiment de fraternité entre les membres du groupe. Je me levais, je prenais la parole, je n'avais pas peur de faire une mauvaise blague ou un argument qui ne fonctionnait pas. Ce n'était pas grave, personne n'allait se moquer de moi. Tout était possible. Personne n'était sûr de ses talents d'orateur, mais la scène était devenue un espace confortable. J'avais déjà un goût pour la parole, mais cette pluralité, c'était une vraie bouffée d'air. Eloquentia m'a conforté dans la joie que je prenais à être sur scène. Aujourd'hui, quand je prends la parole, je me dis : "je peux le faire." »

3. ÊTRE EN CONGRUENCE

Depuis la création de nos formations, les participants et les personnes qui s'intéressent à notre travail me posent souvent les mêmes questions : « Comment devient-on éloquent ? », « Quelles sont les techniques pour convaincre ? », « Quelles sont les ficelles pour impressionner un auditoire ? ». Je leur réponds à chaque fois la même chose : il existe, certes, des outils rhétoriques, mais ils sont inefficaces si nous ne sommes pas en « congruence » dans nos prises de parole.

J'ai longtemps cherché un terme pour exprimer le sentiment que l'on éprouve lorsque l'on s'assume tel que l'on est ! J'ai alors découvert la notion de congruence. Comme je le disais plus haut, la « congruence », c'est la cohérence entre ce qu'on ressent, ce qu'on pense et ce qu'on affirme. Cette notion désigne la prise de conscience de soi, le réel, l'authentique, le vrai que l'on ressent au fond de nous et que l'on peut partager ouvertement avec les autres. C'est justement lorsque nos sentiments, nos pensées et nos mots sont alignés de la sorte que l'on se montre le plus convaincant, que nos prises de parole deviennent éloquentes.

La notion de congruence est un des concepts-clés de mon postulat pédagogique. En effet, elle se trouve au croisement de l'intelligence émotionnelle et de la parole. Elle ne peut être atteinte que si nous maîtrisons nos peurs, nos émotions ou nos idées reçues, en parvenant à nous en détacher pour nous exprimer en pleine conscience.

Sur ce point, les travaux du psychothérapeute américain Carl Rogers m'ont énormément influencé. Pour Rogers, disposer d'un espace où prendre la parole et se sentir écouté n'est pas anodin et c'est au thérapeute de laisser son patient diriger la discussion. D'après lui, il ne faut surtout pas chercher à être directif ou lui donner des conseils[6]. L'aidant, par l'écoute, apporte une considération à la personne névrosée qui revalorise son estime d'elle-même. Lorsque cet échange est de qualité, il peut amener par le dialogue le patient à se libérer de tensions psychologiques ou de croyances qui l'empêchaient de vivre. C'est la liberté d'être soi-même, de faire des expériences, et devenir non seulement celui que je suis en ce moment même, mais aussi celui que j'ai envie d'être. Voilà

---

6   Carl Rogers, *Client-Centered Therapy: Its Current Practice, Implications and Theory*, Boston, Houghton Mifflin et London, Constable, 1951.

ce qu'est, aussi, la congruence. Pour y parvenir, Rogers conseille ainsi au thérapeute d'amener son patient lui-même à analyser la cohérence entre ce qu'il ressent, ce qu'il pense, ce qu'il dit et comment il agit. C'est en lui posant des questions et en le faisant parler que l'individu aboutit à un état de congruence et qu'il va traduire cela par des actions concrètes dans sa vie.

C'est la raison pour laquelle l'introspection est un des axes de travail fondamentaux de nos formations[7]. La prise de parole se prête volontiers à une interrogation sur soi. En effet, avant d'écrire un discours ou de faire un plaidoyer, l'orateur a le temps de se poser des questions personnelles sur ce qu'il pense foncièrement d'un sujet, sur ce qu'il souhaite provoquer comme réaction auprès de son auditoire (de l'admiration ? de la peur ? des rires ? du soutien ?) ou encore sur les raisons qui le poussent à prendre la parole (une obligation ? une tradition ? son ego ?). Ces questions sont loin d'être anodines. Elles aident à mieux se comprendre. Lorsque l'on parvient à y répondre de la manière la plus authentique possible, il y a fort à parier que la congruence du discours prononcé aura un impact sur l'auditoire, que l'on partage ou non l'avis de l'orateur.

En règle générale, les premiers discours des participants sont toujours influencés par des codes instinctifs, dont ils n'ont pas forcément conscience. Par exemple, lors des premières séances de formation, j'ai pu voir des professionnels ou des étudiants s'exprimer de manière très alambiquée, avec un vocabulaire châtié, pour compenser des complexes ou des blessures narcissiques (par nécessité de faire bonne figure, par tradition parentale, par volonté d'appartenir à une catégorie sociale élevée…).

À l'inverse, il nous arrive fréquemment de voir des jeunes dans des collèges ou des lycées qui s'efforcent de parler comme des « banlieusards » et cultivent ces codes, sans quoi leur virilité serait

---

7   Voir « L'introspection », p. 125.

en jeu. S'ils abandonnent ce langage, ils craignent que l'on puisse, dès lors, se moquer d'eux ou leur manquer de respect.

À la longue, ces manières d'être et de dire s'enracinent, deviennent naturelles, nous font emprunter d'autres personnalités qui nous empêchent de nous aligner réellement avec nous-mêmes. C'est aussi là que se jouent notre bien-être et notre équilibre psychologique. La compréhension de soi, par la prise de parole éducative, peut permettre d'identifier ces mauvais réflexes.

> « Les élèves disent aussi qu'ils ont aujourd'hui plus confiance en eux. »

RAPHAËL, PROFESSEUR D'EPS AU COLLÈGE SAINT-DIDIER DE VILLIERS-LE-BEL (95)

Au collège Saint-Didier de Viliers-le-Bel (95), la formation Eloquentia a été mise en place avec tous les élèves de cinquième. « Dès les conseils de classe de février, alors que la formation n'était pas finie, les effets positifs se sont vus : les délégués de classe prenaient davantage la parole, et quand ils parlaient, on les entendait », témoigne Raphaël, le professeur coordinateur du projet. « Certains élèves réussissent maintenant à vraiment porter leur voix. Des professeurs ont travaillé sur l'oral juste après la formation Eloquentia, notamment la professeure de français : elle a vu les progrès sur leur manière de se tenir, de s'exprimer. Les élèves disent aussi qu'ils ont aujourd'hui plus confiance en eux. Mais les progrès se mettront surtout en place sur la durée, si les professeurs peuvent réinvestir ce que les élèves ont pu voir dans la formation, et les aider à faire fructifier ces apprentissages. Sur une classe de 25, en tout cas, 23 élèves affirmaient qu'ils étaient prêts à refaire la formation l'année suivante. »

B. Au niveau collectif

1. CRÉER UNE DYNAMIQUE COLLABORATIVE

La prise de parole éducative se fait en groupe, ce qui présente l'avantage d'habituer immédiatement l'orateur au regard des autres. Ainsi, lors des concours Eloquentia, auxquels participent à la fois les jeunes que nous formons et des candidats libres, nous remarquons que les candidats ayant suivi des cours de prise de parole sont, dès le premier tour de la compétition, beaucoup plus libérés face aux regards d'un jury que ceux qui ont préparé leur discours seul. Faire un discours, c'est se dévoiler aux autres. Pour s'y exercer au mieux, rien de tel que de travailler la parole au sein d'un collectif.

Il incombe cependant aux formateurs de parvenir à créer une dynamique collective et bienveillante. Sans elle, aucun élève n'osera réellement se livrer à ses camarades.

Mais une fois que ce cadre est mis en place, les activités de la formation prennent une autre tournure. Nous partageons franchement nos points de vue, des débats s'improvisent, nous nous livrons sans aucune gêne à des exercices de slam ou d'expression scénique et nous écoutons les retours des autres pour progresser. La culture du retour constructif, ou *feedback*, est très ancrée dans nos ateliers. Après chaque exercice, un temps d'échange permet aux jeunes de découvrir le regard et les impressions des autres à propos de leur prestation. Les participants prennent ainsi l'habitude d'écouter les remarques de leurs camarades, et pas seulement celles des animateurs.

Par cette pratique, c'est notre rapport aux autres qui change. Personne ne se juge, au contraire, tout le monde est là pour se tirer vers le haut, en apportant des remarques constructives sur les interventions de chacun, les autres sont là pour nous faire progresser.

Toutefois, lorsque nous intervenons en collège, où certains élèves se connaissent parfois depuis plusieurs années, il peut être difficile d'enclencher ces dynamiques de partage. En effet, une classe est une microsociété, avec des antécédents relationnels positifs (relations amoureuses, longues amitiés…) ou négatifs (rivalités d'ego, bagarres, amitiés brisées…). Ces rapports humains sont moins problématiques lorsqu'il s'agit simplement de prendre des notes en cours que s'il faut véritablement s'ouvrir en parlant aux autres adolescents. Des élèves peuvent d'ailleurs passer toute leur scolarité sans réellement échanger avec leurs camarades. Cette attitude dépend évidemment de la personnalité de chacun ; d'ailleurs, le formateur à la prise de parole ne doit jamais chercher à bousculer la pudeur ou à attenter à la vie privée des participants. Ce qui est nécessaire, en revanche, c'est qu'il soit offert régulièrement aux enfants l'occasion de s'ouvrir aux autres, de s'intéresser à d'autres sensibilités sociales, culturelles ou religieuses.

La prise de parole éducative a un effet de cohésion de groupe indéniable. Notre expérience prouve qu'à la fin des formations (au moins 20 heures de cours), les élèves, qu'ils se connaissent ou pas au préalable, parviennent souvent à tisser des complicités. Tout au moins, ils font preuve de plus d'empathie les uns envers les autres. Lorsque cet enthousiasme gagne le collectif, une énergie positive s'installe et cela rejaillit sur le bien-être de chaque individu. Notre bonheur est lié à notre rapport aux autres. Une étude menée par Robert Waldinger, psychiatre et professeur à Harvard, a permis de suivre pendant 75 ans la trajectoire de 724 hommes issus de milieux sociaux différents. Les conclusions sont sans appel : « Les bonnes relations nous rendent plus heureux. » La preuve, lorsque les personnes se sentent bien « connectées socialement à leur famille, à leurs amis, à leur communauté [...], elles sont physiquement en meilleure santé et vivent plus longtemps » à l'inverse des individus qui « se sentent plus isolés qu'ils ne le souhaiteraient[8] ».

2. ÉVEILLER L'EMPATHIE DES ÉLÈVES

Faculté essentielle de l'intelligence émotionnelle et sociale, l'empathie est la capacité à s'identifier à autrui dans ce qu'il ressent ou dans ce qu'il affirme, et une telle faculté est devenue vitale pour co-construire les sociétés pluriculturelles de demain[9].

L'empathie est la condition de la compréhension mutuelle et de la bienveillance. S'il peut s'agir d'une faculté innée, elle est également liée à notre éducation et à notre environnement social, qui détermine nos rapports aux autres. Différentes expérimentations scolaires ont d'ailleurs fleuri ces dernières années, toutes ayant pour but de développer l'empathie et l'intelligence émotionnelle dès la petite enfance. Ainsi, à l'école Henri-Wallon de Trappes, des élèves ont pris l'habitude d'exprimer leurs émotions et de pratiquer la récitation de poésie en groupe, afin que chaque jour les enfants puissent prendre en compte les sentiments de leurs camarades[10].

---

8 Conférence TED de Robert Waldinger, « Qu'est-ce qui fait une vie réussie ? Leçon de la plus grande étude sur le bonheur », novembre 2015, à partir de l'étude « Harvard Study of Adult Development ».

9 Voir Mary Gordon, *Racines de l'empathie. Changer le monde, un enfant à la fois,* Presses de l'Université Laval, 2015.

10 Expérimentation de Bertrand Jarry et Céline Cagnol, sous la direction d'Omar Zanna. Voir « Apprendre à vivre ensemble. Pour une éducation à l'empathie », http://eduscol.education.fr/experitheque/fiches/fiche12193.pdf. Céline Alvarez, auteure des *Lois naturelles de l'enfant,* les Arènes, 2017, a aussi travaillé sur l'empathie dans sa classe d'Argenteuil.

L'éveil de l'empathie requiert nécessairement de côtoyer les autres, je dirais même de se confronter à autrui. En effet, le sentiment d'empathie ne surgit distinctement que lorsqu'une personne pense différemment ou ressent les choses différemment de nous. C'est en ce sens que le travail en groupe est nécessaire.

Il ne faut pas seulement former à prendre la parole face aux autres pour faire un exposé ou un diaporama à des collaborateurs de travail. Non, la philosophie de la prise de parole éducative consiste, justement, à créer les conditions idéales pour un partage, voire une confrontation, de ses émotions et de ses opinions avec celles d'autrui. À partir du moment où chaque membre du groupe fait preuve de bienveillance, c'est dans la gestion et la compréhension du désaccord que l'on peut développer l'empathie.

Nous le voyons en formation, dans les débats ou les cercles de discussion que nous pouvons organiser à propos du mariage homosexuel, de la légalisation du cannabis ou des problèmes entre un manager et son collaborateur. En remplaçant les jugements par le questionnement, les participants peuvent nouer un dialogue qui les aidera à se comprendre, y compris sur des sujets sur lesquels ils ne partagent pas les mêmes conclusions. Seule la multiplication de ces « confrontations » et de ces désaccords peut permettre d'appréhender la nature humaine dans sa diversité et sa multiplicité d'opinions.

« Ils ont enlevé leur carapace. »

LES ÉLÈVES DU COLLÈGE SAINT-DIDIER À VILLIERS-LE-BEL (95)

Chaina[11] est en classe de cinquième, au collège Saint-Didier à Villiers-le-Bel. Elle a participé, avec sa classe, à une formation de 20 heures, en 2017-2018. Les résultats sur le groupe sont palpables, selon elle : « Je trouve que la formation a apporté beaucoup à ma classe. L'une de mes camarades ne levait jamais la main, et depuis Eloquentia, elle le fait. Les exercices personnels – comme celui qui consistait à expliquer quelle était la personne la plus chère pour nous – ont tissé des liens entre nous. Depuis, on se parle davantage, on ne reste plus simplement avec ceux qu'on connaissait. La formation a fait tomber des masques, les élèves n'ont plus honte d'être eux-mêmes. Parmi les garçons, certains avaient vraiment un cœur de pierre. Ils se moquaient beaucoup les uns des autres. Certains faisaient les fiers, mais pleuraient ensuite en cachette. Avec la formation, ça a changé, on dirait qu'ils ont enlevé leur carapace. »

Sarah[11] et Nour[11] ont, elles aussi, bénéficié du programme. Nour[11], depuis la formation, est moins timide en classe. « Je me sens mieux quand je dois prendre la parole devant les autres. » Sarah[11], aussi, a combattu ses problèmes de stress. « Avant, quand je devais parler, je perdais mes mots. Maintenant, avec les techniques que j'ai apprises, j'ai progressé. J'ai compris qu'il fallait que je m'ancre dans le sol,

---

11 Les prénoms ont été modifiés.

comme un poteau, pour que le stress disparaisse.
Récemment, grâce à ça, j'ai pu lire un texte de Martin Luther King devant tout le monde. »
Elle estime que la formation a aussi eu un impact sur sa classe. « Avant Eloquentia, on ne communiquait pas entre nous. Sur un travail de classe, les filles travaillaient d'un côté, les garçons, d'un autre, sans jamais se mélanger.
Aujourd'hui, c'est en train de changer. »

« Je me suis rendu compte à quel point les autres étaient formidables. »

EDDY MONIOT, LAURÉAT 2015 DU CONCOURS ELOQUENTIA SAINT-DENIS (93)

« Au sein d'Eloquentia, j'ai eu la chance d'apprendre des autres. Quand on rencontre des gens qu'on ne connaît pas, inconsciemment, on les juge. On les met dans une case malgré nous, à cause de leur façon de se tenir ou de s'exprimer.
Pendant la formation Eloquentia, grâce aux formateurs notamment j'ai appris à déconstruire ces croyances et à faire confiance à l'autre.
À travers les échanges, les dialogues, les conversations, je me suis rendu compte à quel point les autres étaient formidables, j'ai appris à m'intéresser à tous. Parce qu'au fond, on est tous Humains, on est ensemble et c'est justement en confrontant nos idées et en se respectant qu'on avance, qu'on construit, qu'on évolue. »

III. LE CADRE DE VALEURS

Il est fondamental de susciter l'adhésion des participants à un cadre de valeurs. Celui-ci doit être accepté explicitement par l'ensemble du groupe au début de la formation. À défaut, l'atelier ne réunira pas les conditions pour créer un climat de confiance indispensable entre les élèves.

Ce cadre est composé de trois valeurs : le respect, l'écoute et la bienveillance. Si ces principes semblent élémentaires, il faut rigoureusement veiller à ce qu'ils soient assimilés afin de susciter la dynamique de groupe nécessaire.

A. Le respect

Le « respect », énoncé en tant que tel, est presque une notion galvaudée tant elle est présente dans nos quotidiens. Nous devons respecter les règles, nos parents, le professeur, les lois, notre supérieur hiérarchique… Bref, le respect est convoqué partout. Mais qu'est-ce que cela signifie concrètement ? À quel niveau doit-il jouer dans un atelier de parole ?

Lors de la première séance, je recommande aux enseignants de demander la permission aux élèves de les tutoyer. Même si cette pratique est communément admise, il s'agit d'une marque de respect qu'ils sauront apprécier. Dans l'hypothèse (rare) où ils refuseraient, le vouvoiement des élèves n'est en aucun cas une barrière pour enseigner.

Je rencontre régulièrement des enseignants de l'Éducation nationale, avec qui je discute de la posture du formateur lorsqu'ils animent une session de prise de parole. Lorsque l'on parle de respect à l'école, l'idée qui nous vient immédiatement, c'est celle de l'élève écoutant silencieusement le cours de l'enseignant, veillant à ne pas s'adresser sans autorisation au professeur. Cette image du respect peut se comprendre, notamment à partir du collège, où les cours traditionnels requièrent plus de concentration et d'écoute pour être assimilés.

Cela dit, dans nos ateliers de prise de parole, l'animateur reste le « maître du jeu » mais il n'est pas en soi dans une posture d'« instituteur »[12]. Il joue surtout un rôle de médiateur qui anime les débats, les exercices et les *feedbacks* constructifs auprès des élèves. C'est la parole des élèves qui doit être mise en avant. En se faisant plus rare, celle de l'enseignant sera même plus écoutée lorsqu'elle intervient.

J'ai d'ailleurs pu observer que, lorsque des enseignants co-animent des séances en établissement scolaire avec nous, leur changement de posture pousse les élèves à échanger différemment avec eux. Le respect de la personne reste le même, mais la nature des discussions bascule vers un dialogue.

Cette posture « horizontale » de l'animateur est importante, car elle prouve aux participants que le formateur n'est pas là pour les juger ou les noter, mais surtout pour faciliter les prises de parole et pour les faire évoluer. Un formateur qui se met au niveau des participants et qui les écoute leur permet de se sentir considérés et respectés dans leur personne.

Le respect doit également se situer entre les participants. Tous les membres de nos formations sont incités à manifester un respect profond des opinions des uns et des autres, qui rejoint le principe de la liberté d'expression. Le groupe doit être prêt à accueillir toutes les idées, à considérer les points de vue de tous les participants, même les plus provocateurs. Si un élève porte des jugements de

---

12 Voir la description de la posture du formateur dans notre pédagogie, p. 255.

valeur contre celui qui pense différemment de lui, le formateur doit lui faire acquérir un réflexe : remplacer ses critiques par des questions, pour mieux comprendre le raisonnement de l'autre.

Ce respect doit être maintenu même devant un propos qui nous surprend ou nous choque. Il faut bien garder à l'esprit que l'opinion d'une personne est le fruit d'une sensibilité intellectuelle influencée par son éducation et ses expériences socioculturelles. Nous pouvons ne pas être d'accord avec un point de vue, mais il n'est pas nécessaire d'agresser en retour celui qui le formule. Une telle attitude revient à manquer de respect au cadre familial de notre interlocuteur, à ses croyances ou à son référentiel culturel. De plus, lorsqu'une personne se sent offensée, elle est tentée de répondre à la violence par la violence, ce qui coupe tout dialogue. Au contraire, l'empathie est essentielle pour parvenir à se comprendre, c'est le fondement même de la communication non violente[13].

••• Dans le film *À voix haute,* on peut voir une séquence où un élève se moque des discours de ses camarades de classe. La formatrice Alexandra Henry enchaîne en demandant aux étudiants : « Est-ce que l'on peut rire de tout ? » Nous étions en janvier 2015, trois semaines après les attentats contre Charlie Hebdo. Les tensions sur la liberté d'expression étaient palpables, *a fortiori* dans une classe où près de la moitié des élèves étaient de confession musulmane. La discussion suscite de l'émotion et s'emballe rapidement. La désinvolture et la violence gratuite du journal sont pointées du doigt par certains, d'autres brandissent la liberté d'expression coûte que coûte. L'animatrice calme

13 Marshall B. Rosenberg, *Les mots sont des fenêtres (ou bien ce sont des murs) : introduction à la communication non violente,* Paris, La Découverte, 1999.

rapidement les esprits et veille à ce que tout le monde puisse parler à tour de rôle. Des voix s'élèvent pour remettre en question l'importance à accorder aux propos provocateurs. Quelle est l'utilité d'y recourir ? En particulier dans une période où le dialogue de société est assez tendu ? Le débat est passionnant et même assez instructif pour nous, observateurs. Le groupe se dirige finalement lui-même vers un consensus : lorsque l'on se sent offensé par des propos clamés sur la place publique, il faut soit travailler sur soi-même pour être touché le moins possible, soit y répondre par les mots et sans violence physique. « Si j'ai pas envie de rire, je ne ris pas. Je vais pas en faire un drame. Si certains en rient, qu'ils en rient. Il faut vivre et laisser vivre », conclut Eddy Moniot.

Cet échange est intéressant à double titre. D'une part, parce qu'il est l'exemple probant que des questions délicates peuvent être discutées en bonne intelligence et dans la nuance. D'autre part, parce que la conclusion de la discussion a rejoint la philosophie de la formation à propos du respect de nos différences.

B. L'écoute

Le formateur et chaque membre du groupe s'engagent à écouter activement ceux qui s'expriment ; activement, c'est-à-dire sans couper la parole et en privilégiant le questionnement pour faire avancer la réflexion. Apprendre à écouter peut être aussi difficile que prendre la parole.

« **En les écoutant,
je me suis rendu compte
que j'avais énormément
à apprendre d'eux.** »

**EDDY MONIOT, LAURÉAT 2015 DU CONCOURS ELOQUENTIA
SAINT-DENIS (93)**

« Le premier jour de la formation, quand on nous a demandé quel était notre rapport avec la parole, j'ai dit d'emblée que pour moi, c'était avant tout un jeu pour faire rire et transmettre des émotions. Puis, l'un après l'autre, mes camarades se sont levés et ont expliqué que pour eux la parole permettait de se défendre, de se battre, de réussir, de changer de vie. En les écoutant, je me suis rendu compte d'une chose. Que j'avais énormément à apprendre d'eux. Et que pour ça, il fallait que j'écoute. Depuis que je suis tout petit, mon père me répète : « Eddy, tu parles beaucoup, c'est bien. Mais écoute un peu plus, parce que sinon, tu n'apprendras jamais. » J'ai pris toute l'ampleur de ce qu'il voulait me dire à travers la formation. »

La prise de parole, c'est l'outil le plus direct, le plus organique, pour questionner l'autre. C'est bien par la parole qu'on dénoue les nœuds. En couple, cette courte phrase : « Il faut qu'on parle », signifie que l'heure est venue d'exprimer des tensions par des mots. Mais encore faut-il savoir écouter son interlocuteur, l'écouter complètement, pour saisir toute la portée de ses propos. Sinon, un risque se profile : faire tourner le débat en rond et dramatiser une situation qui aurait pu se résoudre rapidement. C'est pour cette raison que, parmi les compétences psychosociales dont je parlais plus haut, je veux vraiment insister sur l'écoute active.

1. APPRENDRE L'ÉCOUTE ACTIVE[14]

Entendre, c'est percevoir un son sans forcément l'analyser. Écouter, c'est prêter l'oreille, chercher à comprendre et à retenir le sens, dans toutes ses nuances, d'une prise de parole. Une telle écoute donne sa légitimité à un discours et à celui qui le prononce. L'auditeur estime qu'un propos est digne d'intérêt, et ouvre ses sens et son cerveau pour lui.

Pourtant, les deux termes « écoute » et « active » peuvent sembler presque antinomiques. On associe l'écoute à une attitude silencieuse, figée, et non au mouvement que semble évoquer l'adjectif « active ». Or, si votre interlocuteur vous écoute activement, cela ne signifie pas que votre interlocuteur s'agite, marche ou fait autre chose tandis que vous parlez. C'est tout le contraire. Toute son attention et toute l'acuité de ses sens sont concentrées vers vous, vers votre propos, vers votre manière de l'exprimer, vers vos yeux, vers les gestes de vos mains. Il vous écoute ainsi pleinement, afin de saisir le fil de votre propos, d'en comprendre toutes les subtilités.

L'écoute active peut évoquer l'expression *boire les paroles de quelqu'un*. L'individu s'imprègne des mots, il absorbe et assimile le propos de l'orateur. Pourtant cette expression peut être considérée comme péjorative, signifiant le peu de recul de l'auditeur. Au contraire, l'écoute active est un gage de présence, d'ancrage dans l'instant qui empêche aussi l'auditeur concentré d'être manipulé par un discours bien construit mais creux.

Si notre pédagogie insiste autant sur l'écoute active des participants, c'est parce que la société contemporaine en manque

---

14 Voir aussi l'exercice « Le dialogue de sourds », p. 276.

réellement. Combien de fois répétons-nous à notre partenaire, à un ami ou à nos enfants : « Tu m'écoutes ? », « Est-ce que tu es avec moi, là ? », tandis que l'autre est en train de consulter les réseaux sociaux, de répondre à un SMS, ou de penser à la cigarette qu'il tente de ne pas allumer… Dans nos sociétés où les sollicitations par les images et les sons sont constantes, il faut apprendre à résister aux flux de distraction.

Le cerveau n'est pas fait pour réaliser correctement plusieurs choses en même temps. Les neurologues français Étienne Koechlin et Sylvain Charron de l'Inserm l'ont montré en 2010[15]. Ils ont réalisé des IRM de personnes en train d'accomplir plusieurs choses à la fois : même si plusieurs zones s'activent en même temps, le cerveau ne traite qu'une seule tâche à la fois. Un quart de seconde est nécessaire pour passer d'une activité à l'autre. C'est ce qu'on appelle « le clignement attentionnel ». De la même façon que nous clignons des yeux, notre attention cligne, elle aussi, lorsque nous sommes face à plusieurs tâches à accomplir de manière simultanée. Nous ne pouvons être sûrs de ne pas perdre le fil.

« Le cerveau nous permet de réaliser deux tâches simultanément si leur exécution est devenue automatique et inconsciente, grâce à l'apprentissage répétitif. C'est le cas lorsque nous marchons et discutons en même temps », explique le docteur Baillet, auteur d'un article sur le clignement attentionnel, avec ses collègues Claire Sergent et Stanislas Dehaene, du laboratoire « Psychologie de la perception » de l'université Paris Descartes[16]. « Dès qu'on doit traiter des tâches faisant appel aux mêmes fonctions cérébrales, comme écrire un texto tout en tenant une conversation, le multitâche est impossible, sauf si l'une d'elles est automatique. »

---

15 "Divided representation of concurrent goals in the human frontal lobes", revue *Science*, vol. 328, avril 2010.
16 "Timing of the brain events underlying access to consciousness during the attentional blink", *Nature Neuroscience*, 2005.

Rester concentré consiste à rester émotionnellement centré. C'est garder la maîtrise de soi nécessaire pour faire preuve de discernement lors des interactions avec autrui. Il s'agit de changer notre rapport à l'attention, et pour cela, je crois beaucoup à la « conscience de l'instant présent »[17]. Cette attitude consiste notamment à se détacher des frustrations ou de douleurs nées par le passé et de chasser les angoisses liées aux incertitudes du futur. Développer la conscience du moment présent par la pratique de la respiration abdominale[18] (respirer en soulevant le ventre plutôt que la poitrine, ce qui réduit l'angoisse et relaxe), le yoga, des arts martiaux comme le Qi Gong ou encore la méditation, permet à chacun de rester connecté avec les personnes en présence et de tirer tout ce qu'il peut de cet échange.

Si nous revenons à la prise de parole, pour être sûr de bien écouter un orateur, de bien comprendre ce qu'il exprime, d'en saisir tous les ressorts et toutes les nuances, il faut que l'auditeur soit réellement « tout ouïe ». Plutarque est l'un des pères de l'écoute active. Dans *Comment il faut écouter*, le philosophe grec[19] explique qu'un auditeur a un devoir, une fonction, un rôle à jouer, même s'il écoute un discours dans lequel il n'est pas amené à intervenir. Il parle même d'« obligations respectives » de l'orateur et de l'auditeur. Non par simple respect pour l'orateur, mais bien pour retirer le réel bénéfice du discours qui est porté à nos oreilles, comme Plutarque le dit : « Pour apprécier un discours que nous avons entendu et pour en porter un jugement, nous devons donc aussi nous étudier nous-mêmes, et reconnaître dans quelles dispositions il nous a laissés. Il faut nous rendre un compte exact, et décider dans quelle mesure quelques-unes de nos passions en sont devenues moins violentes, quelques-uns de nos chagrins, plus légers […] Que le jeune homme

---

17 Voir Eckhart Tolle, *Le Pouvoir du moment présent*, Paris, J'ai Lu, 2010.
18 Voir la description de la respiration abdominale, p. 189.
19 Voir aussi p. 24.

soit donc satisfait parce qu'il a trouvé du profit dans les discours. Mais il ne faut pas que le plaisir soit son but quand il écoute ; il ne doit pas croire qu'il lui faille sortir de l'école en chantonnant et tout joyeux. [...] Quand l'on s'est rendu à un festin, on doit manger les mets qui sont servis, et non pas en exiger d'autres, ni se plaindre. L'auditeur qui est venu pour se nourrir de ce qui va être dit, et qui sait que les matières de la leçon ont été déterminées à l'avance, doit écouter silencieusement celui qui prendra la parole. Car les gens qui mettent un orateur sur un texte autre que le sien, qui lui lancent des interrogations, qui formulent à chaque instant des doutes, sont loin de lui ménager un auditoire agréable et de facile composition. Eux-mêmes ne profitent nullement de sa parole ; et ils portent le trouble dans son esprit et dans ses discours. Quand c'est l'orateur qui invite l'auditoire à l'interroger et à formuler des questions, il ne faut se mettre en avant que pour en proposer qui soient utiles et nécessaires. [...] C'est sur les questions où il est le plus habile qu'on l'interrogera. À celui qui s'occupe surtout de morale ne faites pas violence en lui proposant des sujets de physique ou de mathématiques : ce serait l'embarrasser.. »[20]

Plutarque exhorte surtout l'auditeur à se questionner sur ses émotions après le discours. Les effets d'une écoute active durent dans le temps, ils vont au-delà de l'instant présent. C'est la garantie qu'un propos infuse dans l'esprit de celui qui l'entend.

L'auditeur, en pratiquant l'écoute active, ne se montre donc pas simplement poli envers celui qui parle. Il se met dans des conditions idéales pour se rendre potentiellement meilleur, ouvert à lui-même, à l'apprentissage et à la transmission d'un savoir, d'une information, d'une sensation. En même temps, il montre qu'il respecte celui qui parle, dans toute sa dignité. Cette marque de respect permet aussi de créer de la confiance pour celles et ceux qui prennent la parole

---

20 Plutarque, « Comment il faut écouter », *Œuvres morales* [Ier-IIe siècles], trad. Ricard, 1844.

à tour de rôle. En agissant ainsi, il rend tout autant hommage aux capacités morales, intellectuelles et émotionnelles de son interlocuteur, qu'aux siennes propres.

2. LES GRANDS PRINCIPES DE L'ÉCOUTE ACTIVE

Dans une formation à la prise de parole éducative, l'animateur doit lui-même être dans l'écoute active de ses élèves. Mais il est nécessaire qu'il leur en fasse adopter certains principes :
– Ne jamais couper la parole de celui qui s'exprime.
– Montrer de l'intérêt pour l'orateur en le regardant ou en prenant ses paroles en note.
– Chercher à bien comprendre son point de vue en lui posant des questions ou en l'invitant à reformuler ses propos si on les a mal compris.
– Pratiquer la respiration abdominale si une discussion se tend[21].
– En cas de désaccord, poser des questions sur le cheminement de la réflexion de l'interlocuteur.

C. La bienveillance

« Ôtez l'amour et la bienveillance, tout charme disparaît de la vie », disait Ambroise Rendu, ce pédagogue qui fut chargé de l'enseignement et de l'instruction publique par Napoléon Ier. La belle éducation passe par l'amour de la transmission, d'un enseignant envers ses élèves, mais aussi des élèves entre eux. Tout le monde doit être sur cette longueur d'ondes. Dans une salle de classe, cet « amour » porte un nom : la bienveillance.

---

21 Voir la description de la respiration abdominale, p. 189.

La prise de parole éducative s'inspire des théories sur la communication non violente (CNV) du docteur Marshall Rosenberg. D'après lui, la CNV vient « favoriser l'élan du cœur et nous relier à nous-mêmes et aux autres, laissant libre cours à notre bienveillance naturelle[22] ». Ses travaux révèlent que les hommes ont un plaisir naturel dans le don et « aiment recevoir dans un esprit de bienveillance ». Fort de ce constat, il s'interroge sur notre capacité à engendrer des conflits avec les autres et à nous éloigner de notre bienveillance naturelle. « L'homme est bon par nature ; c'est la société qui le corrompt[23] », disait Jean-Jacques Rousseau. C'est également le point de vue de Marshall Rosenberg qui, dès lors, a cherché des solutions pour revenir à cette nature généreuse. Mesurant la responsabilité du langage et des mots dans la création de situations conflictuelles, il en conclut que nous pourrions résoudre beaucoup de nos problèmes interpersonnels en développant des modes de communication qui « viennent du cœur » et qui permettent de se connecter de manière constructive, en empathie, avec les autres. C'est ce qu'il nomme la communication non violente. Il préconise de la mettre en place dans des structures gouvernementales et civiles, pour améliorer le dialogue de société.

Dans la pédagogie « Porter sa voix », le formateur doit être mû par cette bienveillance qui va parler directement aux cœurs des élèves. Elle se traduit dans ses attitudes : par son écoute active, mais aussi par ses encouragements et par ses conseils constructifs, qu'il va personnaliser élève par élève. C'est à ce titre que le formateur doit s'interdire de juger directement les opinions des participants. Il peut commenter la structure d'une élocution, pointer les fragilités d'un argumentaire et des exemples cités, mais il ne peut en aucun cas se montrer condescendant ou condamner une opinion.

---

22 Marshall B. Rosenberg, *Les mots sont des fenêtres (ou bien ce sont des murs) : introduction à la communication non violente*, La Découverte, 2002.

23 Jean-Jacques Rousseau, *Discours sur l'origine et les fondements de l'inégalité parmi les hommes* [1755], Flammarion, 2012.

Les attitudes du formateur sont hautement contagieuses. Il doit donc veiller à toujours être dans une énergie positive pendant les heures de cours. Ainsi, son altruisme va rapidement se transmettre à tous les participants, qui vont naturellement devenir bienveillants les uns envers les autres.

Enfin, comme j'ai pu le remarquer, lorsqu'une erreur flagrante est prononcée dans un discours, elle peut être également corrigée avec beaucoup de bienveillance.

En voici un exemple. Lors d'une finale d'un concours Eloquentia, je me souviens d'une candidate qui devait défendre l'affirmative sur le sujet « Les valeurs importent-elles ? ». Son discours était admirable parce qu'il était habité. Éblouissante, elle explique que c'est parce que sa mère – présente dans la salle – lui a inculqué des valeurs morales de générosité et d'entraide, chères à ses yeux, qu'elle tente chaque jour de la rendre fière. La salle est emportée, suspendue à ses lèvres... Mais voilà que, pour amorcer sa conclusion, et alors qu'elle rend hommage aux valeurs d'amour transmises par les livres religieux dès lors qu'on apprend à bien les lire, elle déclare : « Aux musulmans, qu'on leur rende le Coran, aux chrétiens, qu'on leur rende la Bible, et aux Juifs, qu'on leur rende l'argent. »

Ce cliché emprunté des codes traditionnels du *stand-up*, dans ce contexte précis, s'avère faire un bide total. Parmi les cinq cents personnes présentes dans la salle, se trouve une majorité de jeunes d'origines ethniques diverses. Nous sommes en plein cœur de cette « banlieue » souvent montrée du doigt lorsqu'il est question d'antisémitisme. Et pourtant personne ne rit. Malaise.

En réalité, son discours avait convoqué des valeurs universelles de fraternité, qu'elle défendait sincèrement – parce que c'était réellement sa conviction – et qui unifiaient les cœurs de toutes les personnes présentes dans la salle. De plus, l'auditoire était composé de nombreux élèves ou d'anciens candidats habitués à la bienveillance qui règne dans nos programmes. Quelles que soient nos religions ou nos origines, nous faisions corps avec elle, jusqu'à sa « blague » déplacée. Cette maladresse tombe comme un cheveu sur la soupe. Sans mot dire, dès la fin de son discours, la candidate éclate en pleurs et s'en veut d'avoir « tenté une vanne », surtout dans cet instant solennel qu'elle avait provoqué. Elle qui a fait preuve de subtilité et d'authenticité pendant tout son discours, voilà qu'en voulant prendre le contre-pied flagrant de ce qu'elle pensait, elle a déstabilisé l'assistance. Personne ne comprend si elle est sérieuse ou pas. Un des membres du jury est lui-même de confession juive. Habitué à former et à juger les concours de manière bienveillante, il ne fait aucun commentaire devant la salle au moment du délibéré. Il évite de blesser une candidate déjà consciente que son artifice l'a condamnée. À la fin de la soirée, les membres du jury s'entretiennent en aparté avec la candidate, pour lui exprimer leur surprise. La jeune femme a pu de son côté expliquer sa tentative d'humour, une erreur qu'elle a immédiatement ressentie comme telle.

Ce que je retiens de cette expérience, à l'instar de toutes les personnes présentes, c'est que lorsqu'un discours vient du cœur, notamment pour défendre des valeurs humanistes de bienveillance, il devient le langage de l'amour, et celui-ci a du mal à cohabiter avec le cynisme, la violence ou la moquerie.

IV. LES AXES DE TRAVAIL

Nous l'avons vu précédemment, la prise de parole éducative fait appel à différentes facultés. S'exprimer engage non seulement la réflexion, mais aussi la voix et le corps de l'orateur. Pour Bertrand Périer, formateur en rhétorique au sein d'Eloquentia, la prise de parole peut revêtir la dimension d'un sport de combat contre soi-même[24], qui requiert un engagement total de l'esprit et du corps de

---

24 Voir Bertrand Périer, *La parole est un sport de combat*, Paris, Grasset, 2017.

l'orateur. Dans ce combat, nos formateurs accompagnent les élèves pas à pas, afin d'atteindre notre objectif principal : développer la confiance en soi des participants.

Le but, c'est qu'ils parviennent à s'exprimer tout en restant en congruence, au sein d'un groupe bienveillant, enrichi par les connaissances de chacun et qui permet à tous ses membres de développer leur esprit critique. Pour parvenir à ce résultat, il s'agit de développer, au sein des cinq matières qui composent le programme, des axes de travail.

Ces axes s'élèvent au nombre de six : l'introspection, l'esprit critique, la structuration du propos, la mobilisation des connaissances, la créativité, la maîtrise du corps et de la voix.

A. L'introspection

« Connais-toi toi-même », disait Socrate en reprenant la devise inscrite sur le fronton du temple de Delphes, maxime dont il a fait un fondement de sa philosophie humaniste. L'orateur doit appliquer le même principe. Car un atelier de prise de parole est une agora où toutes les personnalités sont invitées à se dévoiler. La prise de parole matérialise l'affirmation de soi face aux autres, sans s'y limiter : c'est pourquoi l'introspection est particulièrement travaillée, aussi bien quand il s'agit de construire son discours que d'écouter celui des autres. L'harmonie du collectif passe, en effet, par la maîtrise et la compréhension de soi-même.

1. COMPRENDRE NOS ÉMOTIONS ET NOS IDÉES

Avant de prendre la parole, il faut être conscient de nos émotions et de nos idées à l'instant où l'on s'exprime. Cette phase d'introspection débute dès la préparation d'une prise de parole, avant même d'écrire un discours.

125

Régulièrement, dans nos formations à la prise de parole, nous invitons les jeunes à réfléchir sur une cause qui leur tient à cœur. Plusieurs participantes choisissent de s'exprimer sur la misogynie ou les discriminations sexistes dont elles ont été les victimes[25]. On s'aperçoit alors que beaucoup d'idées se bousculent en elles. Sur le fond, elles peuvent avoir l'envie de partager leur blessure, de crier à la révolte, d'en appeler à une prise de conscience, voire les trois à la fois. Sur la forme, il peut être question de colère, de solennité ou d'humour. Ces choix se font souvent instinctivement, sans être conscientisés.

Pourtant, c'est à cet instant même que notre nature se révèle. C'est là que commence la prise de conscience de nous-mêmes et de notre regard sur le monde. Pourquoi, quand on me pose telle question, suis-je animé par de la colère ? Pourquoi, à propos d'un autre sujet, ai-je envie de faire rire l'auditoire ? Toutes les réponses à ces questions dévoilent une partie de notre personnalité et de nos idées profondes.

Au fil des ateliers, les élèves prennent naturellement conscience de ce qui les anime, et cette découverte de soi participe à leur épanouissement. L'animateur peut également provoquer cette réflexion, en demandant à l'élève ce qu'il a pu ressentir pendant qu'il préparait son intervention et qu'il s'exprimait face à l'auditoire. En révélant ses propres impressions sur son discours, l'orateur vérifie aussi que l'image de lui qu'il a renvoyée était bien en congruence avec les émotions et les idées qui l'habitent.

Enfin, partager ses pulsions premières avec le groupe crée souvent un effet de catharsis, qui provoque un sentiment de soulagement et d'apaisement de l'intervenant. Non seulement prendre la parole sert à comprendre ses émotions, mais aussi à les transformer, à les faire évoluer.

---

25 Voir l'exercice de rhétorique « Les causes », p. 165.

2. SAVOIR S'OBSERVER ET OBSERVER AUTRUI

Comprendre ses émotions, c'est aussi se questionner sur ce que l'on ressent lorsque l'on écoute un camarade prendre la parole. C'est se rendre compte que ses arguments trouvent un écho en nous. Qu'ils suscitent des rires, des larmes. Qu'ils n'éveillent, parfois, que de l'indifférence et du désaccord.

Observer les autres participants, être à l'écoute (active) de leur parole permet d'analyser le comportement et les propos d'un orateur pour en déceler les forces ou les faiblesses, et en tirer des leçons pour soi – il nous arrive d'ailleurs de filmer les discours des participants avec leur propre smartphone pour que, une fois chez eux, ils puissent eux-mêmes s'observer comme s'ils étaient dans la peau du spectateur… Ce temps d'observation permet également la compréhension d'autrui. C'est à ce moment que germe l'empathie : quand on tourne toute son attention vers son collègue ou son voisin de classe, quand on se pose mutuellement des questions pour comprendre ce qu'il a voulu dire.

Pour que ces moments d'introspection puissent exister, les formateurs doivent prévoir un temps de préparation avant les prises de parole des participants (lorsqu'il ne s'agit pas d'exercices d'improvisation), mais aussi un temps de débriefing pour que l'auditoire et les orateurs puissent partager leurs impressions.

3. QUESTIONNER SES ASPIRATIONS

Le travail d'introspection ne se limite pas aux séquences de prises de parole, il passe aussi par la compréhension des engagements sociétaux qui animent l'élève et par sa manière de se projeter dans le futur. « Où seras-tu dans 10 ans ? », « Quel est le rêve que vous comptez réaliser au cours de votre vie ? » Je propose régulièrement ce genre de sujets dans les premières préparations de discours, auprès des jeunes comme des adultes. Ces questions peuvent paraître anodines, mais souvent les participants se rendent compte qu'ils n'y ont pas songé depuis longtemps. Ils ont été encore moins invités à le partager devant les autres.

En cycle universitaire et en entreprise, nous accompagnons également les personnes que nous encadrons dans leur projet professionnel, en deux temps. Tout d'abord, nous les amenons à réfléchir sur leurs compétences et leurs centres d'intérêt pour définir le métier ou l'évolution de carrière auxquels ils prétendront par la suite. Nous recherchons avec eux leurs compétences comportementales, leurs *soft skills*, comme l'esprit d'entreprendre, la créativité, la communication avec les autres, la capacité à résoudre des conflits, la quête de sens dans ce que l'on fait, la capacité de se projeter, l'audace, la gestion de son temps, la confiance en soi… Autant de compétences qu'il est nécessaire d'évaluer avec l'élève pour que ses futures fonctions soient les plus adaptées à sa personnalité. Ensuite, lorsque ces compétences ont été définies, il faut aborder la préparation des prises de parole auxquelles les élèves seront un jour confrontés (préparer un entretien d'embauche, faire une présentation à partir d'un diaporama, faire un discours, un pitch entrepreneurial[26]…).

B. L'esprit critique

Dans une société où les flux d'informations abondent en permanence, nous instruisent ou nous manipulent, nous pouvons être pris de vertiges. Nous sommes « ultra-informés », mais le volume d'informations contradictoires n'a jamais été aussi important. Plus que jamais, il est devenu indispensable de faire preuve de discernement, d'esprit critique.

Sans basculer dans le scepticisme, l'esprit critique consiste à mettre en lumière des erreurs de raisonnement, les arguments

---

26 Voir la matière « L'aspiration personnelle et professionnelle », p. 228.

fallacieux ou des illustrations qui font appel à nos émotions, notamment celles qui font passer un exemple pour une vérité générale. La capacité à s'interroger sur la réalité ou la probabilité de faits allégués, ou encore sur l'interprétation et l'importance qu'on leur accorde, est devenue un enjeu primordial en ce début de XXIe siècle. C'est pourquoi notre pédagogie s'attache tout particulièrement à développer cette capacité chez les jeunes.

Certains des débats que j'organise en formation peuvent concerner des questions civiques élémentaires, telles que la laïcité, les radicalisations xénophobes, la bioéthique, l'islamophobie ou encore la liberté d'expression. Autant de sujets qui divisent l'opinion sur les plateaux de télévision ou sur Internet, sans toujours que les débatteurs prennent le temps d'en comprendre les enjeux en profondeur. Au contraire, notre pédagogie incite les étudiants à défendre leur opinion dans un discours structuré et pertinent. Prendre le temps de construire un argumentaire, c'est se documenter, chercher ses informations à travers différentes sources pour se forger sa propre opinion et, par voie de conséquence, développer son esprit critique. Il faut également faire comprendre à tous les participants qu'ils peuvent changer d'opinion au cours des débats et que cela n'est en rien une faiblesse. Au contraire, la capacité à faire évoluer une opinion, au fil des échanges et des questions que se pose le collectif, est valorisé au cours des ateliers.

Le développement de l'esprit critique passe par la combinaison de deux facultés, sur lesquelles nous travaillons conjointement avec le groupe : l'autonomie de réflexion et l'application de la maïeutique.

1. L'AUTONOMIE DE RÉFLEXION

En matière d'éducation et de développement personnel, l'autonomie est une faculté essentielle. Chez les enfants, il s'agit d'une préoccupation affichée dans les programmes de l'Éducation nationale. L'autonomie consiste à faire preuve d'initiative ; à rechercher, trier, sélectionner des éléments de réponses, voire à organiser son emploi du temps, qui sont autant de compétences nécessaires dans le monde du travail[27]. François Galichet, professeur émérite de philosophie à l'IUFM d'Alsace, expliquait en 2006, dans son rapport « L'accompagnement de l'élève dans une démarche d'autonomie », qu'il existe désormais une exigence d'autonomie prépondérante en matière de recrutement et d'intégration de la vie professionnelle, et cela vaut même pour des emplois non qualifiés[28].

En parallèle de cette autonomie pratique, qui favorise le parcours scolaire ou professionnel, l'autonomie de réflexion recouvre, plus largement, la capacité à réfléchir par soi-même, à construire et à formuler ses propres idées.

Mais avant que l'autonomie ne puisse se traduire dans le comportement, elle prend d'abord la forme d'une gymnastique cognitive, et c'est à ce stade que la prise de parole éducative peut être décisive.

En effet, dans un atelier de prise de parole, aucun élève ne peut se cacher derrière son voisin. Les formateurs veillent d'ailleurs à ce que tous les jeunes participent à la séance, y compris les personnalités les plus timides[29]. En ce sens, il faut impérativement équilibrer les temps de parole entre les élèves, pour permettre à tout le monde, sans exception, de se faire entendre. Chaque participant apprend à penser par lui-même et à affirmer ses propres points de vue devant les autres, en construisant son propre raisonnement. C'est cette mécanique qui, à force, développe la confiance en soi de l'individu et sa capacité d'initiative. L'autonomie de réflexion est structurante. Être naturellement capable de se forger sa propre opinion et de l'exprimer, c'est être capable de prendre des initiatives en société.

---

27 Voir Jean-Pierre Bourreau et Michèle Sanchez, « L'éducation à l'autonomie », *Cahiers pédagogiques*, janvier 2007, n°449, dossier « Qu'est-ce qui fait changer l'école ? ».

28 « L'accompagnement de l'élève dans une démarche d'autonomie », Rapport final du Groupe Recherche Formation 03/05, IUFM d'Alsace, avec François Galichet.

29 Voir « Aider les personnalités introverties », p. 298.

2. L'APPLICATION DE LA MAÏEUTIQUE

La capacité à penser par soi-même est fondamentale pour développer son esprit critique, mais il est également nécessaire de se forger des réflexes de pensée. Dans la Grèce antique, la maïeutique est justement l'art de faire accoucher un esprit ou une vérité[30]. Socrate y avait recours en permanence lorsqu'il dialoguait avec un contradicteur ou lorsqu'il voulait transmettre une connaissance. La maïeutique fonctionne par la succession de questions analogiques, qui découlent les unes des autres. Il existe différentes manières d'avoir recours à la maïeutique. Le procédé consiste à poser des questions faussement naïves à son interlocuteur, à l'écouter et à orienter son interrogatoire pour qu'il se rende compte lui-même de la faiblesse de ses arguments ou des contradictions dans ses raisonnements. À l'inverse, ce mécanisme de questions peut être utilisé pour faire prendre conscience à la personne qu'elle connaît la vérité et qu'elle a la capacité de la trouver elle-même, pour peu qu'elle se pose les bonnes questions.

Voici la reconstitution synthétique d'une discussion que j'ai eue avec un collégien de 4e lors d'un atelier dans lequel j'avais demandé aux élèves de définir ce qu'était le bonheur d'après eux.

Phase 1 - Énoncé et définition du sujet

(Pour entamer la discussion, il faut d'abord définir le sujet. Il peut s'agir d'un sujet posé par le formateur ou d'une affirmation faite par un élève. L'animateur doit avoir une idée de l'orientation vers laquelle il veut diriger les élèves, mais il doit d'abord interroger les participants sur les termes du sujet.)

---

30 Dans le *Ménon* de Platon, Socrate expose sa conception de la maïeutique : nous avons en nous tous le savoir et il s'agit d'en « accoucher ». De même que nous avons un besoin de transmettre la vie, nous avons tout autant besoin de délivrer ce que notre esprit souhaite partager.

Élève. – Il faut être riche pour être heureux !

a. Définition du terme « riche »

Stéphane de Freitas. – Qu'est-ce que tu entends par « riche » ?

É. – Les gens qui ont beaucoup d'argent et qui n'ont pas besoin de travailler.

S. de Freitas. – Est-ce que le travail rend forcément malheureux ?

É. – Oui !

S. de Freitas. – Footballeur professionnel, c'est bien un travail ? Est-ce que cela rend malheureux ?

É. – Non ! Mais ce n'est pas pareil, ça, c'est un sport, c'est comme pour les acteurs, ils sont payés pour s'amuser, eux. Mais ça, c'est des exceptions, c'est rare.

S. de Freitas. – Est-ce qu'à ton avis je suis heureux d'animer ce cours ?

É (hésitant). – Oui, j'ai l'impression.

S. de Freitas. – Tu penses que je suis le seul enseignant comme ça dans le monde ?

É. – Non.

S. de Freitas. – Alors le travail ne rend pas nécessairement malheureux.

b. Définition du terme « heureux »

S. de Freitas. – Et qu'est-ce que c'est pour toi « être heureux » ?

É. – C'est quand je me sens bien, que je suis content et que je n'ai pas de stress.

S. de Freitas. – Et cela t'est-il déjà arrivé ?

É. – Oui.

S. de Freitas. – Tu es riche ?

É. – Non.

S. de Freitas. – Alors on peut être heureux sans être riche ?

É. – Oui, mais c'est plus dur, parce que tu ne peux pas te faire plaisir tout le temps.

Phase 2 - Provoquer la contradiction

(Une fois les termes du sujet bien définis, il faut provoquer l'erreur de l'élève et le pousser à s'en rendre compte par lui-même.)

S. de Freitas. – Tu as dit « il faut » être riche pour être heureux, comme si c'était une obligation, n'est ce pas ?

É. – Non, ce que je voulais dire, c'est que les gens riches sont plus heureux, en tout cas ils ont tout pour l'être, car ils ont moins de stress, ils n'ont pas besoin de se priver, ils peuvent aider leurs proches…

S. de Freitas. – C'est différent de ce que tu as dit. Ce que tu as voulu affirmer, en réalité, c'est que même si des pauvres peuvent être heureux, la richesse amène nécessairement ce bonheur.

É. – Oui ! En tout cas, cela y contribue énormément.

S. de Freitas. – D'accord, je peux comprendre mais à ton avis, est-ce que tous les gens riches sont heureux, sans exception ?

É. – Non, pas nécessairement.

S. de Freitas. – Alors ton affirmation « il faut être riche pour être heureux » ne tient pas.

É. – Oui, c'est vrai.

Phase 3 - Synthèse et ouverture

(C'est la phase au cours de laquelle le formateur va tenter d'orienter le groupe vers ce qui lui semble être la vérité, ou vers la piste de réflexion qu'il souhaitait explorer en choisissant le sujet. À cet instant, l'animateur peut ouvrir ses questions à l'ensemble du groupe, qui va apporter une réflexion servant de synthèse. Il est fondamental que cette synthèse vienne de la bouche des élèves et non pas de l'animateur.)

S. de Freitas. – Mais alors, si la richesse ne fait que contribuer au bonheur et que des pauvres arrivent à être heureux, quels sont les autres chemins pour y parvenir ?

É. – L'amour, la famille, les amis… Eux, ils peuvent nous rendre heureux.

S. de Freitas. – Et est-ce qu'ils peuvent nous rendre malheureux aussi ?

É. – Oui, c'est sûr.

S. de Freitas. – Alors comment fait-on, finalement, pour être heureux ?

É. – En fait, le bonheur, il est partout et nulle part à la fois.

S. de Freitas. – C'est-à-dire ?

É. – On peut pas être heureux en permanence. Dans la vie, même chez les riches, tu vas forcément être heureux à un moment donné, par exemple lorsque tu te maries ou que tu as un enfant, et triste à un autre moment, lors du décès de ton père ou de ton frère. En fait, lorsque tu vis un moment de joie il faut en profiter à fond dans l'instant et, quand tu es triste, il faut serrer les dents.

S. de Freitas. – OK. Et est-ce que si on est malheureux, on doit forcément le subir ?

É. – Il y a forcément des moments de tristesse auxquels tu ne peux pas échapper. Une séparation, un accident de voiture, une maladie… Après, il faut tenter de rester positif, parce que si tu ne l'es pas, tu tombes.

S. de Freitas. – En fait, ce que tu dis, c'est que tu as plus de chance d'être heureux si tu es toujours positif, notamment dans les moments difficiles.

É. – Oui, c'est ça. Après c'est facile à dire, mais à faire…

Certes, la maïeutique est une technique de questionnement qui peut être unilatérale et directive[31], mais il s'agit aussi d'un bon moyen d'animer un débat collectif, de stimuler des connaissances et de développer l'autonomie de réflexion des participants.

---

31 Voir Pierre Parlebas, « Un modèle d'entretien hyperdirectif : la maïeutique de Socrate », *Revue française de pédagogie,* 1980, n°51, et Jean Piaget, *Psychologie et pédagogie,* Paris, Denoël, 1969.

D'ailleurs, par mimétisme, les élèves finissent eux-mêmes par adopter la maïeutique dans leurs débats ou leur discussion.

Au fond, ce que l'on appelle le développement de l'esprit critique, c'est la capacité à penser par nous-mêmes, à trier et sélectionner des informations en fonction de ce qui nous semble juste, au plus profond de nous.

C. Structurer son propos

Toute prise de parole a une structure. Organisée ou chaotique, réfléchie ou improvisée, chaque élocution suit un déroulé qui influe sur l'intelligibilité du discours. La structuration d'une pensée se déroule potentiellement en deux temps : un temps de réflexion et un temps d'écriture.

1. PRENDRE LE TEMPS DE LA RÉFLEXION

Avant de prendre la parole, il y a nécessairement un temps de réflexion qui peut être plus ou moins long, de quelques secondes dans une discussion à plusieurs jours lorsqu'il est question de préparer un discours, un oral ou un entretien. Cette phase d'interrogation doit permettre de se questionner pour dérouler le meilleur argumentaire possible.

Dans les prises de parole « instantanées » (débat, improvisation, témoignage…), ce temps est naturellement mis à mal, même s'il demeure indispensable. On connaît tous la maxime « Tourne sept fois ta langue dans ta bouche avant de parler » qui illustre la nécessité de bien assimiler et structurer ce que l'on souhaite partager avec son interlocuteur.

Il est donc indispensable de développer des réflexes de questionnement pour structurer une prise de parole, *a fortiori* dans le cadre de débats ou de discussions qui se déroulent dans la classe ou, de manière plus générale, dans nos quotidiens, sans réel temps de préparation. Pour moi, avant toute prise de parole dans un débat, il faudrait se poser ces six questions :

    – Quel est mon point de vue instinctif sur la question posée ?

    – Quels sont les arguments sur lesquels je me fonde ?

    – Quelles sont les sources de ces arguments ?

    – Sont-elles des sources fiables ?

    – Ai-je des exemples pour les illustrer ?

    – Ces exemples sont-ils réellement avérés ?

Si, dans nos formations, nous tenons à ce que les élèves ne se coupent pas la parole, c'est aussi parce que ce moment d'écoute leur offre le temps de répondre aux questions ci-dessus. Avec la pratique, cette gymnastique devient naturelle, les prises de parole deviennent plus pertinentes et la qualité des discussions s'améliore également.

2. L'ÉCRITURE

La prise de parole n'exclut pas l'écriture. Loin s'en faut. Elle en est même la meilleure amie. Lorsqu'il est question de préparer un discours, une phase d'écriture est toujours nécessaire. C'est le cas lorsqu'il faut réaliser une présentation, un slam, un sketch…

Or les discours artistiques ou juridiques ont leur propre structure. Il convient de les connaître car, dans un discours, on attend toujours de l'orateur une démonstration convaincante, logique, fluide, créative tout en restant très personnelle. Cette exigence nécessite un travail écrit au préalable.

Certes, il existe des talents qui parviennent à improviser un discours, sans l'avoir écrit auparavant. Une telle prouesse est possible lorsque l'orateur maîtrise son sujet sur le fond, lorsqu'il en connaît vraiment les tenants et les aboutissants. L'orateur s'approprie alors pleinement le discours, ce qui lui donne une authenticité qui touche fréquemment l'auditoire, que l'on soit d'accord ou non avec la thèse défendue.

Cependant, même une parole improvisée doit suivre une structure. Un orateur qui se rend sur scène sans notes a au moins en tête le « squelette » de son discours[32]. Organiser ses propos, c'est clarifier sa pensée. Lorsque les formateurs apprennent aux élèves à construire un plan, à dérouler un argumentaire, ils leur enseignent aussi à structurer leur réflexion.

D. La mobilisation des connaissances

Lorsque l'on pratique la prise de parole éducative, les participants sont obligés de mobiliser des connaissances. En effet, lorsqu'ils doivent prononcer un discours ou un plaidoyer, les élèves doivent trouver des arguments et des exemples pour étayer leur point de vue. Un argumentaire séduit lorsque les raisonnements y sont illustrés par des exemples pertinents et par des références adéquates, qu'elles soient littéraires, politiques ou artistiques. Dans le cadre des concours Eloquentia, les candidats enrichissent leurs discours par des citations d'auteurs, de rappeurs, des statistiques, des faits d'actualités... Écrire un discours, c'est mobiliser des connaissances que l'on possède déjà, mais aussi en rechercher de nouvelles pour les faire siennes.

Le collectif permet également d'acquérir des références. Lorsque l'on écoute le discours des autres, on participe à un débat et le principe d'écoute active oblige tous les élèves à se concentrer sur les arguments de leurs camarades. Cette stimulation collective laisse aux élèves la possibilité de se contredire, de changer d'avis, de rebondir sur l'exemple d'un collègue. La matière devient vivante, d'où l'importance du choix du sujet.

---

32 Voir la partie « La possibilité d'improviser », p. 357.

Le choix des exercices et des thèmes peut être orienté vers les connaissances que le formateur souhaite mobiliser. Par exemple, lorsque l'on fait un travail sur les rimes pour des collégiens ou des lycéens, nous leur présentons également toute une série de figures de style (métaphore, anaphore, litote, pléonasme, euphémisme…). Ils les assimilent alors naturellement, pour composer un poème dont ils veulent être fiers avant de le partager avec le groupe. L'exercice mobilise ainsi des connaissances de français et de littérature.

On peut demander aux élèves de travailler sur des thématiques philosophiques ou des problématiques sociétales : « Est-il absurde de désirer l'impossible ? », « Pour ou contre le port de l'uniforme à l'école ? ». Les techniques de prises de parole peuvent s'étendre à des exposés sur la liberté d'expression, le réchauffement climatique ou encore l'histoire de l'immigration française.

Il revient à l'animateur de définir le choix du sujet qu'il souhaite traiter lorsque l'exercice de prise de parole a pour vocation de mobiliser des connaissances.

●●● Dans l'enseignement supérieur (ESSEC, école 42…) comme au lycée, les premières « classes inversées » fleurissent et ces expérimentations s'avèrent plutôt concluantes[33]. Dans ce dispositif pédagogique, l'étudiant doit apprendre son cours magistral chez lui, l'heure de classe ayant plutôt vocation à faire vivre les connaissances par des discussions, des mini-exposés, des cas pratiques à résoudre et même des jeux de rôle. Le professeur ou le formateur n'est plus là seulement pour donner cours, mais pour accompagner les élèves dans l'assimilation de leurs connaissances.

33 Par exemple, la « classe inversée » a été expérimentée par un enseignant d'économie-droit et de mercatique au lycée Adrien-Zeller de Strasbourg en 2014-2015. L'expérience s'est révélée plutôt positive pour les élèves et le professeur. Le bilan de l'enseignant est disponible sur le site de l'académie de Strasbourg.

Pour ma part, je ne puis que militer pour la prolifération des études de cas et des exposés pour faire vivre des connaissances dans l'enseignement traditionnel. Ces exercices obligent à travailler en groupe, à coopérer, à confronter des points de vue dans le but de réaliser une présentation orale commune. Ce « tâtonnement expérimental », cher à Célestin Freinet, permet aux élèves d'élaborer leurs hypothèses, leurs arguments et leurs exemples.

J'ai pu mesurer toute la portée de la prise de parole éducative pour apprendre à mobiliser des connaissances avec la « COP 21 des collégiens ». En 2014, en vue de l'organisation de la COP 21 en France, plus précisément au Bourget (93), le département de la Seine-Saint-Denis m'a proposé de réfléchir à un projet permettant de sensibiliser des collégiens du département aux enjeux climatiques. C'est alors que me vint l'idée de créer un jeu de rôle grandeur nature, une vraie simulation de négociation à la COP 21. Les élèves s'y verraient attribuer un rôle de président de la République dont le pays aurait plus ou moins intérêt à réduire les émissions de CO_2. Par exemple, les présidents des grandes puissances économiques mondiales (USA, Inde, Chine…) auraient beaucoup moins de marge de manœuvre que ceux du continent africain ou d'Amérique latine pour réduire l'activité de leurs usines. Les formateurs joueraient le rôle de l'ONU et de rapporteurs, pour aider les « pays » à trouver une zone d'accord possible qui puisse faire consensus.

Au cours de l'année scolaire 2014-2015, nous nous sommes ainsi rendus auprès de trois classes de 30 élèves, dans trois collèges du département. Deux associations spécialisées dans les sciences et l'engagement citoyen (Les Petits Débrouillards, Starting-Block) étaient en charge de transmettre aux élèves les rudiments du réchauffement climatique. De notre côté, nous avons conçu le jeu et préparé les enfants aux techniques élémentaires de prise de parole et de négociation.

La simulation finale s'est déroulée au siège de l'UNESCO à Paris. Chaque président ou présidente avait le nom de son pays affiché en face de lui, « comme à la télé ».

Les élèves ont été réellement habités par les débats. Ils se sont évertués à trouver des solutions pour négocier avec leurs homologues, à faire une alliance des États africains pour peser en assemblée plénière, à appeler à la raison leur contradicteur, à demander du soutien à l'ONU pour jouer les intermédiaires... Ils ont acquis une parfaite connaissance des enjeux du réchauffement climatique, des acteurs, des contraintes économiques qu'engendrerait la réduction des émissions de CO_2 pour chaque État, tout en prenant conscience de la complexité de parvenir à un accord dans une assemblée de nations. Face au succès de cette première édition, le département a depuis renouvelé le programme[34].

Cette expérience a achevé de me démontrer que la prise de parole éducative permet non seulement d'acquérir le savoir-faire et le savoir-être, mais il peut s'agir d'un outil pour assimiler le savoir tout court .

E. La créativité

Lors de la première formation à la prise de parole que j'ai mise en place, mon intuition était que le travail de l'oralité devait être transdisciplinaire s'il voulait avoir un impact sur le développement personnel de l'individu. Ayant moi-même combiné la pratique du théâtre et des cours de rhétorique, je ressentais déjà, à l'époque, que ces matières voisines n'en sont pas moins complémentaires. L'une s'attelle à transmettre les « codes » de la rhétorique et les structures du discours, tandis que l'autre laisse libre cours à l'improvisation et à la créativité des rhéteurs. C'est à la demande des élèves que l'année suivante, j'ai souhaité insérer des ateliers de slam et de poésie au programme de la formation, pour les initier à l'apprentissage d'un nouveau style de prise de parole.

---

34 Lien de la vidéo : https://seinesaintdenis.fr/Des-collegiens-de-Seine-Saint-Denis-a-l-Unesco.html.

C'est en échangeant avec les élèves que j'ai compris l'importance de la pratique artistique à l'oral. La forme artistique permet de lever des tabous. Les codes de poésie ou d'expression scénique étant naturellement moins « rigides » que ceux de rhétorique classique ou de préparation aux entretiens d'embauche, les participants peuvent complètement se lâcher, se désinhiber. Lorsque l'on demande aux élèves de s'exprimer pendant vingt minutes exclusivement en mime, ils découvrent de nouvelles facettes de leurs personnalités. Ils interagissent différemment avec les autres. Cette approche par le jeu permet de nouer plus facilement un lien avec les membres du groupe. Les jeunes que nous formons se découvrent une nouvelle sensibilité, de nouveaux instincts.

On remarque aussi que certains candidats sont plus à l'aise en rhétorique qu'en expression scénique ou dans les ateliers de poésie, et *vice versa*. Or, grâce à cette variété de matières, les uns aident les autres sur leurs points faibles, et réciproquement.

Au-delà d'une recherche de variété, la complémentarité entre la structuration du discours et la créativité permet un développement de toutes les compétences de l'élève. D'après les recherches du professeur Roger Sperry, pour lesquelles il obtint le prix Nobel de médecine en 1981, le cerveau est divisé en deux hémisphères qui ont leurs propres spécificités. Sperry a établi que l'hémisphère gauche réagit lorsqu'il est question d'obéir à des règles, à des contraintes matérielles, à des urgences, ou lorsqu'il est nécessaire de faire preuve de stratégie, tandis que l'hémisphère droit s'anime lorsqu'il est question de se faire plaisir, d'être à l'écoute de soi et de ses instincts créatifs, mais aussi d'appréhender des situations de manière globale. Pour le psychiatre Iain McGilchrist, les sociétés et les éducations occidentales ont étouffé l'hémisphère droit du cerveau. Alors que nous possédons deux hémisphères complémentaires, en nous empêchant d'être à l'écoute de nos instincts, nous freinons le développement de notre sensibilité, de notre intuition et donc de notre connaissance de nous-mêmes[35]. L'intelligence émotionnelle et sociale, indispensable au savoir-être, requiert justement le développement de cette intuition[36].

C'est la raison pour laquelle la prise de parole éducative doit varier les registres et les styles d'élocution. L'oralité artistique est complémentaire de la rhétorique classique. Elles ont chacune des codes et des objectifs de développement personnel distincts qui, intégrés dans une même pédagogie, forment un tout harmonieux.

F. La maîtrise du corps et de la voix

Prendre la parole ne se résume pas à trouver des idées et à identifier des émotions. C'est, aussi et surtout, un effort de la voix, des mains, de la posture, de la démarche… S'exprimer en public relève de l'exercice physique.

La voix, tout d'abord, est l'instrument principal de l'orateur. Pour travailler sur la voix, il faut déjà découvrir la sienne. Comment peut-on la faire varier en fonction du discours que l'on porte ? Comment la porter très haut, comment l'employer pour impressionner, réveiller, alerter ? ou au contraire, chuchoter, voire murmurer pour créer un rapprochement avec l'auditoire ? La voix vient, en somme, habiller le discours. C'est pour cela qu'il est si important de la maîtriser. Il ne s'agit pas de la dénaturer : elle doit rester authentique. Pourtant, s'exercer jour après jour à une gymnastique vocale permet de développer une flexibilité dans l'intonation, afin que notre voix reflète le plus justement possible les émotions que l'on veut transmettre.

Bien maîtriser sa voix implique une bonne connaissance de sa respiration. L'air des poumons donne le souffle aux mots. Pourtant,

---

35 Iain McGilchrist, *The Master and His Emissary: The Divided Brain and the Making of the Western World,* Yale University Press, 2009.

36 Voir, sur ce sujet, le documentaire islandais *Innsæi, the Power of Intuition*, de Hrund Gunnsteinsdottir et Kristín Ólafsdóttir.

dans le cadre de prise de parole en public, on néglige trop souvent l'importance de la respiration, notamment de la respiration abdominale[37]. De même, en situation de stress, cette « respiration par le ventre » est le meilleur moyen de retrouver son calme.

Plus que la voix, plus que les poumons, c'est tout le corps qui est engagé dans la prise de parole. Pour être éloquent, la voix, la posture, le regard et la gestuelle doivent être en cohérence avec ce que l'on dit. On ne peut pas exprimer sa colère devant une injustice les bras ballants et le corps mou. De même, dans un discours révélant l'amour qu'on éprouve pour sa famille on s'attend à des gestes doux, à un regard sincère.

Je m'amuse toujours quand je vois la réaction de nos élèves, enfants comme adultes, lorsque nous filmons leurs premiers discours en rhétorique ou dans les ateliers d'expression scénique. Cet exercice est redoutable, car il nous permet de découvrir notre corps tel que les autres le perçoivent. Nos tics de langage, les « eeeeuuuhhhh » que nous utilisons pour combler un vide dans une phrase, la manière dont nous cachons nos bras ou nos mains derrière nous lorsque nous parlons, les regards fuyants, les corps qui se balancent… Les participants découvrent ainsi l'image qu'ils renvoient lorsqu'ils s'expriment. Souvent cet exercice occasionne de la gêne ; parfois il cause même de la honte.

La compréhension de notre langage corporel participe de la compréhension de soi. Le développement d'une bonne posture, d'une gestuelle qui saura convaincre, passe par l'acceptation de son corps. En se déplaçant lors des jeux théâtraux, en sentant l'air circuler dans leurs poumons par des exercices de respiration, en apprenant à appuyer leurs gestes dans nos exercices de rhétorique classique, les élèves de nos formations acquièrent plus de confiance dans leur propre corps. Cela influe sur leur prise de parole, mais aussi sur l'image qu'ils renvoient et sur leur estime de soi.

---

37 Voir « La respiration abdominale », p. 189.

2

LES CINQ MATIÈRES

La pédagogie « Porter sa voix » est un voyage à travers différentes pratiques de la prise de parole. Pour cela, elle est construite sur cinq matières principales : la rhétorique classique, l'expression scénique, la technique vocale et la respiration, le slam et la poésie, l'aspiration personnelle et professionnelle.

La combinaison de ces matières varie en fonction des âges, des objectifs et des axes de travail visés par les animateurs.

I. LA RHÉTORIQUE CLASSIQUE

Dans cette partie, nous aborderons le travail de la rhétorique en groupe mais pour être complète, la formation à la rhétorique doit aussi se préparer individuellement, notamment en travaillant soi-même ses discours (c'est l'objet de la partie IV, « Porter sa voix individuellement », p. 304).

A. Présentation théorique de la matière

Nous l'avons vu, la rhétorique est un terme générique qui englobe aussi bien l'art de bien parler que la technique de persuader, de convaincre, notamment en sachant structurer son discours. Avant de prendre la parole, il faut ordonner son propos si l'on veut éviter les écueils d'une parole improvisée qui ne refléterait pas vraiment nos pensées. C'est d'ailleurs cette peur de se tromper, de faire « fausse route » qui dissuade de prendre la parole. L'enseignement de la rhétorique rassure, parce qu'il permet d'anticiper les questions élémentaires que l'on doit se poser avant toute élocution. La discipline rhétorique fait de l'oralité le véhicule de notre pensée, mais elle induit au préalable un travail d'écriture et d'organisation de la réflexion. Cette phase me semble d'ailleurs fondamentale pour l'orateur. Elle offre un temps, indispensable, d'introspection et de tri des arguments.

La rhétorique, c'est également l'enseignement des figures de style qui viennent imager un argumentaire. Anaphore, allégorie, anadiplose, métaphore, chiasme, euphémisme[38]... Autant d'outils à la disposition de l'orateur pour donner du relief à sa démonstration.

---

38 Des figures de style sont aussi approfondies dans les cours de slam et de poésie.

145

Le terme « rhétorique » renvoie également aux techniques propres à la gestuelle et à l'oralité dans le cadre du discours : le regard, le mouvement des mains, le placement de la voix, l'occupation de l'espace… Lorsqu'il s'agit de convaincre ou de prendre la parole, notre corps tout entier est convoqué.

Il y a cependant un travers dans lequel il ne faut pas tomber : s'enfermer dans des codes rhétoriques en employant des tournures de style pompeuses qui dénaturent les prises de parole. Les techniques rhétoriques doivent impérativement être au service de l'argumentation et correspondre à la personnalité de l'orateur, sinon elles deviennent artificielles. Elles doivent être au service de ce que pense l'orateur.

« La parole vient des tréfonds de soi. »

BERTRAND PÉRIER, FORMATEUR EN RHÉTORIQUE CLASSIQUE POUR ELOQUENTIA

« Quand [Stéphane] a créé Eloquentia, il m'a demandé de venir enseigner le discours classique. J'étais porté par la curiosité.

Je m'y suis rendu la première fois avec beaucoup de certitudes sur les canons à transmettre. Mais je ne sentais pas d'adhésion chez les étudiants. Ce que je faisais avec mes autres élèves ne fonctionnait pas du tout à Saint-Denis. C'était très théorique et abstrait, or, il fallait là que la parole s'incarne, et que j'adapte mes méthodes.

Dans les concours d'éloquence classiques, la parole est souvent corsetée par des exigences formelles, des "canons" qui brident parfois l'expression de la personnalité. Les discours finissent par se ressembler.

D'ailleurs, dans ma vision de l'art oratoire à l'époque, la parole était avant tout la mise en voix d'un discours écrit au préalable, qui constitue la forme classique des concours d'éloquence que j'avais moi-même passés. Mais j'ai compris progressivement que cette vision était un peu réductrice. La parole est plus diverse que ce que je pouvais imaginer. Elle n'est belle que si elle est spontanée.

Avec Eloquentia, j'ai compris que la parole vient des tréfonds de soi, et qu'ensuite seulement, il faut la polir et la rendre efficace. »

En rhétorique classique, on aborde deux types de prise de parole : d'une part, les discours et les plaidoyers, qui sont des travaux individuels de l'élève qu'il partage devant le groupe ; d'autre part, des exercices d'argumentation collectifs.

B. Objectifs visés par la matière

1. COMPRENDRE LES DIFFÉRENTES STRUCTURES DU DISCOURS

La compréhension des structures des discours permet aux élèves d'identifier les différentes trames de prises de parole, qui varient en fonction du contexte et des objectifs recherchés par l'orateur. Au début de nos formations, nous les expliquons aux élèves. Qu'il s'agisse d'un discours politique, judiciaire, artistique, que la finalité recherchée soit de démontrer, de provoquer ou de divertir, le cours de rhétorique classique permet de découvrir des trames d'argumentation possibles.

La plus connue d'entre elles est celle du discours classique[39] qui se déroule en trois temps :

• **L'introduction** : c'est l'entrée en scène, les premiers mots de l'orateur qui vont aller chercher l'attention de l'auditoire ; au sein de l'introduction on procède également à la présentation du sujet (énonciation), pour que l'auditoire puisse comprendre de quoi parle l'orateur ;

• **L'argumentation** : la présentation des idées étayées par des arguments, qui permet de dérouler le raisonnement du discoureur. Ces arguments sont toujours illustrés par un exemple ; au sein de l'argumentation on procède aussi à la réfutation : on cite un ou plusieurs arguments qui viennent prendre le contre-pied de la thèse défendue par l'orateur, puis on les critique. La déconstruction des arguments adverses permet à l'orateur de démontrer le bien-fondé de son raisonnement ;

• **La péroraison ou la conclusion** : c'est la fin du discours, son apothéose, celle qui doit rester dans l'esprit de l'audience.

2. COMPRENDRE LES TECHNIQUES DE L'ARGUMENTAIRE

Dans les ateliers de rhétorique, il faut travailler avec les élèves sur deux axes : leur apprendre à structurer un discours et à s'entraîner à le porter, sur le fond comme sur la forme.

Selon Aristote, dans un discours réussi, on retrouve la combinaison de trois caractéristiques dans la démonstration de l'orateur : le *logos*, l'*ethos* et le *pathos*, et c'est l'association de ces trois valeurs qui permet de rendre un propos convaincant.

Le *logos*, c'est l'appel à des arguments de logique, le recours à des exemples chiffrés, des statistiques, des recherches, toutes les informations et tous les raisonnements qui permettent d'établir la véracité de son propos.

---

39 Voir « La structure classique », p. 315.

L'*ethos* correspond à tous les arguments qui peuvent contribuer à donner de la crédibilité à la prise de parole, c'est le cas par exemple des arguments d'autorité (ex. : « D'après Aristote… »). Ce terme désigne aussi tout ce qui peut être non verbal, comme la réputation de l'orateur, son charisme, son humour, mais aussi son style vestimentaire et son langage corporel. Tous ces éléments participent à créer une crédibilité auprès de la salle.

Le *pathos*, c'est l'émotion. Il s'agit des arguments et des tournures qui ont vocation à faire vibrer le public : la capacité à raconter des histoires qui le touchent, lui fassent peur ou l'émeuvent, qui suscitent en lui amour, révolte, colère ou respect. C'est souvent le cas lorsque l'orateur partage une expérience personnelle (réussite, drame…).

Le *logos* et le *pathos* font plutôt référence au fond du discours, l'*ethos*, à sa forme. L'orateur devra toujours veiller à ce que le *pathos* soit en harmonie avec le langage corporel. Quand on a vocation à toucher le public, à susciter l'empathie de l'auditoire, il faut que le corps raconte la même histoire.

Pour synthétiser, les différents types d'arguments vont permettre de développer ces trois caractéristiques. Le *logos* sera représenté par les arguments de droit, de faits et autres arguments de logique, l'*ethos*, par les arguments d'éthique, le *pathos*, par les arguments qui touchent aux émotions.

Le sujet des arguments peut lui aussi être de nature variée. Il peut s'agir d'une thèse économique, d'une vision politique d'une référence artistique…

3. S'ENTRAÎNER À PORTER UN DISCOURS

S'entraîner à réciter un discours, engager le corps, la voix, l'occupation de l'espace, mais aussi réussir à maîtriser ses silences, sa respiration, son rythme : voilà ce que nous apprenons à travers nos différents exercices aux élèves qui suivent nos formations.

Mais nous leur enseignons aussi à se détacher de leurs notes, à s'approprier leur discours pour être en connexion avec l'auditoire. S'entraîner à porter un discours en groupe consiste bien à se confronter aux autres, apprendre à apprivoiser un auditoire qu'il faut convaincre.

4. DÉVELOPPER UNE CULTURE DE L'ÉCHANGE, DU DIALOGUE ET DU DÉBAT

En marge de la préparation au discours, les ateliers de rhétorique permettent aussi de développer la culture du dialogue et du débat avec les participants. Ainsi, nombre d'exercices que nous donnons dans nos formations, du collège à l'université en passant par l'entreprise, ont vocation à construire des discussions riches, parfois récréatives, souvent instructives, sur des problématiques sociétales ou liées à la vie du groupe. L'apprentissage du débat est un pilier de l'atelier de rhétorique et requiert des exercices spécifiques[40].

C. Exercices

Pour chacune des matières, je vous propose quelques exercices pratiqués dans nos formations.

Avant de commencer les exercices, rappelez-vous qu'ils doivent tous être suivis d'une phase de réactions. Le temps et la qualité de ce débriefing sont primordiaux. L'enjeu de chaque activité, c'est aussi de permettre aux jeunes qui y participent d'exprimer leurs impressions. Ont-ils rencontré des difficultés ? Ont-ils été bousculés ? Ont-ils vécu un vrai moment de découverte et de joie ? Elles permettent aussi au collectif de faire des remarques constructives et de donner des conseils à l'orateur. Les exercices sont l'occasion d'extérioriser ces états d'âme et de les verbaliser devant le groupe.

---

40 Voir la partie « Animer un débat », p. 280.

Prenez donc le temps nécessaire pour cet échange, qui doit fonctionner selon la hiérarchie suivante : d'abord, c'est à l'orateur de partager ses impressions, puis au groupe qui l'a écouté et enfin seulement au formateur. Les remarques peuvent tout aussi bien concerner le fond comme la forme du discours.

> « Instaurer,
> dès la première séance,
> la culture du débriefing
> dans son groupe. »

ROMAIN VAN DEN BRANDE, FORMATEUR POUR ELOQUENTIA

« Un bon formateur parle peu et s'appuie surtout sur l'intelligence collective. Pour cela, il doit instaurer, dès la première séance, la culture du débriefing. Après chaque exercice, celui-ci est indispensable, et doit se faire en trois temps. D'abord, le formateur interroge l'élève qui est passé devant tout le monde pour lui demander comment il a vécu ce moment. Puis il incite le groupe à réagir sur la prestation, dans le respect du cadre de valeurs. Le jugement est banni, au profit des interrogations. Si cela s'y prête, les autres membres peuvent, par exemple, demander à celui qui est passé s'il a conscience que ses propos peuvent être choquants. Le formateur n'intervient qu'à la fin du débriefing, pour récapituler ce qui s'est dit, rajouter des éléments si besoin et donner son retour. Par ce biais-là, le formateur transmet aux participants l'habitude du questionnement mutuel. »

—

LA TÊTE À CLAPS

—

⚙️ **AXE DE TRAVAIL** : la maîtrise du corps et de la voix.

↪️ **OBJECTIF** : faire la chasse aux tics de langage.

👥 **NOMBRE DE PERSONNES** : 1.

🕐 **DURÉE TOTALE** : 3 minutes.

🎚️ **NIVEAU** : à partir de 11 ans.

EXERCICE

ÉTAPE 1 • LE CHOIX DU SUJET

Chaque élève est désigné pour passer au tableau et improviser sur un discours que le formateur lui donne. « Faut-il partir à la conquête de Mars ? », « Pourquoi faut-il en finir avec les 35 heures ? », ou encore « Faut-il imposer les produits financiers ? », sont autant de sujets ouverts qui laissent le champ à l'orateur pour s'exprimer librement.

Pendant que l'animateur explique les règles du jeu à la classe, l'orateur sort de la pièce pour ne pas les entendre.

ÉTAPE 2 • LA PRONONCIATION DU DISCOURS • 3 MINUTES.

Le candidat commence son discours et déroule ses arguments. Dès qu'il prononce un « euuuuuuuh » pour combler un silence ou une hésitation dans son discours, l'auditoire doit taper dans ses mains deux fois. Il faut poursuivre l'exercice jusqu'à ce que l'orateur se rende compte lui-même de son tic de langage. S'il a compris les « claps » de ses camarades, il doit tenir son argumentation improvisée pendant 3 minutes en essayant de diminuer au maximum ses « euh ». S'il dépasse trois claps, l'orateur a perdu.

—
RECOMPOSER
LES TEMPS DU DISCOURS
—

AXES DE TRAVAIL : structurer son propos ; mobiliser des connaissances.

OBJECTIF : reconnaître les temps du discours.

NOMBRE DE PERSONNES : 1.

DURÉE TOTALE : 15 minutes.

NIVEAU : à partir de 11 ans.

Le formateur apporte le texte d'un discours. Les élèves doivent, un par un, reconnaître les différents temps du discours : l'exorde, l'argumentation, la réfutation, la péroraison.

VARIANTES POSSIBLES :
• Le formateur apporte des textes qu'il aura décomposés en amont. Il distribue alors aux élèves ces blocs de textes découpés, parmi lesquels on trouvera un exorde, une argumentation, une réfutation, une péroraison. Aux élèves de les remettre dans l'ordre, pour recomposer le discours et préciser où se trouvent les différents temps.
• Le formateur rédige plusieurs réfutations ou conclusions pour un même texte. Aux élèves de lire attentivement et de déterminer laquelle est la plus adéquate. Le formateur débriete ensuite avec le groupe, sur les raisons pour lesquelles ils ont choisi une proposition plutôt qu'une autre.

EXERCICE

153

—

LE VICE VERSA

—

 AXES DE TRAVAIL : structurer son propos ; l'introspection ; l'esprit critique ; la créativité ; la maîtrise du corps et de la voix ; mobiliser des connaissances.

 OBJECTIFS : développer un argumentaire, convaincre, faire une réfutation.

NOMBRE DE PERSONNES : tous les élèves.

 DURÉE TOTALE : 21 minutes.

 NIVEAU : à partir de 11 ans.

ÉTAPE 1 • PRÉPARATION DES ARGUMENTS • 15 MINUTES

À partir d'un thème donné, sous forme de question fermée (par ex : « Faut-il manger des animaux ? »), les élèves préparent leurs arguments. Ils doivent trouver deux arguments qui permettent de répondre positivement à la question, puis deux arguments pour y répondre négativement.

ÉTAPE 2 • PLAIDOYERS INVERSÉS • 6 MINUTES

Un volontaire se place devant le groupe. Pendant 3 minutes maximum, il présente d'abord ses arguments « pour ». Puis il tourne sur lui-même et défend la thèse inverse, en énonçant ses arguments « contre ».

Il sera probablement plus convaincant quand il présentera les arguments avec lesquels il est d'accord. Il affirmera alors sa posture, son regard, sa façon de porter sa voix. Cet exercice permet à l'élève d'anticiper les prises de position d'autrui. C'est aussi l'occasion pour lui de se familiariser avec l'acceptation d'une autre vision et la pratique de l'empathie.

—
LE DOS À DOS
—

 AXES DE TRAVAIL : l'introspection ; la maîtrise du corps et de la voix ; la créativité ; structurer son propos.

 OBJECTIFS : développer un argumentaire, convaincre en faisant abstraction du langage corporel.

 NOMBRE DE PERSONNES : 2.

 DURÉE TOTALE : 35 minutes.

 NIVEAU : à partir de 11 ans.

EXERCICE

Le formateur choisit le thème du débat qui doit commencer par « pour » ou « contre ». Une moitié défend le « pour », l'autre, le « contre ». Par exemple, « Pour ou contre la gratuité des transports publics ? » Ce jeu peut aussi être excellent pour briser la glace entre les élèves.

ÉTAPE 1 • PRÉPARATION • 15 MINUTES
Pendant 15 minutes maximum, tous les élèves préparent individuellement leurs arguments.

ÉTAPE 2 • DÉBAT DOS À DOS • 10 MINUTES
Dos à dos, deux volontaires défendant des thèses opposées s'assoient chacun sur une chaise, au centre d'un cercle composé par leurs camarades.
Le formateur rappelle le thème et lance le débat.
Les participants ne peuvent donc avoir recours ni à leur corps ni à leur regard pour convaincre. Ils doivent se concentrer sur la pertinence de leurs arguments et sur l'intonation de leur voix. Ils sont obligés de parler fort,

puisqu'ils ne sont pas tournés vers leur interlocuteur et que le chemin de leur voix est ainsi perturbé.

Ils doivent aussi faire abstraction du brouhaha et des réactions de leurs camarades.

Les candidats sont aussi obligés d'adopter une posture d'écoute active pour éventuellement répondre immédiatement aux arguments de leurs contradicteurs, mais sans leur couper la parole.

ÉTAPE 3 • DÉBRIEFING • 10 MINUTES

Dans un premier temps, les deux orateurs font un débriefing entre eux : ils évaluent leurs propres arguments et précisent si leur interlocuteur leur a fait ou non remettre en question leur propre position.

Puis il faut procéder au débriefing avec le groupe. Par lequel des deux orateurs les élèves ont-ils été convaincus ?

Enfin, le formateur peut ensuite débriefer les prestations de chacun, sur le fond et sur la forme.

VARIANTE POSSIBLE :

Si les élèves ont déjà fait plusieurs débats, le formateur peut décider de sauter la phase de préparation et de travailler l'improvisation des orateurs.

EXERCICE

LE DÉBAT MOUVANT

AXES DE TRAVAIL : structurer son propos ; l'introspection ; la maîtrise du corps et de la voix ; mobiliser des connaissances.

OBJECTIFS : développer un argumentaire, convaincre, improviser à partir d'une préparation, écouter son interlocuteur, prendre une position affirmée.

NOMBRE DE PERSONNES : tout le groupe.

DURÉE TOTALE : 35 minutes.

NIVEAU : à partir de 14 ans.

Cet exercice implique tout le groupe. Avec cette activité, le formateur évite que les élèves en position de spectateurs baissent en attention. Le formateur donne un thème de débat. Par exemple : « Faut-il armer les polices municipales ? »
Avant le débat, le formateur explique le principe de ce jeu et précise que les interventions du public sont autorisées.

ÉTAPE 1 ● PRÉPARATION ● 15 MINUTES
Tous les élèves réfléchissent à leurs arguments et les prennent en notes. Ils doivent veiller à la diversité de leurs arguments : économiques, politiques, religieux, culturels, etc.

EXERCICE

ÉTAPE 2 • DISCUSSION MOUVANTE • 10 MINUTES

Les élèves se tiennent debout, face à face. Le reste de la classe se tient sur le côté.

Le principe est le même qu'un débat simple à deux orateurs, sauf que le public est incité à choisir son camp dès que débute la joute.

Lorsqu'un élève se sent convaincu par l'un des deux orateurs, il se déplace derrière lui pour montrer qu'il partage son opinion. Il peut changer d'avis tout au long du débat, si un autre orateur le convainc. Cette attitude garantit l'écoute active du groupe.

Si l'un des orateurs se trouve à court d'arguments, il peut donner la parole à une personne volontaire de son équipe. Celle-ci va lui venir en aide en énonçant ses propres arguments. Ce passage de relais permet de multiplier les prises de parole.

Attention toutefois, un intervenant « joker » ne doit pas prendre la parole plus de 30 secondes. Chaque orateur n'a le droit qu'à trois « jokers ».

ÉTAPE 3 • DÉBRIEFING • 10 MINUTES

Bien organiser une phase de débriefing, très intéressante ici : c'est l'occasion pour le groupe d'expliquer pourquoi un orateur a mobilisé davantage de personnes que les autres. Quels arguments ont fait mouche ?

—
LA POTENCE
—

 AXES DE TRAVAIL : structurer son propos ;
l'introspection ; l'esprit critique ; la créativité ;
la maîtrise du corps et de la voix ; mobiliser
des connaissances.

OBJECTIFS : développer un argumentaire, convaincre.

NOMBRE DE PERSONNES : 4.

DURÉE TOTALE : 40 minutes.

NIVEAU : à partir de 11 ans.

EXERCICE

ÉTAPE 1 • PRÉPARATION • 15 MINUTES

Quatre participants ont été désignés pour jouer le rôle
d'exclus, qui se font expulser de leur établissement scolaire,
de leur faculté ou de leur entreprise, tels des condamnés
à la potence. Leur but sera de convaincre le public qu'ils
méritent de rester dans leur école ou en poste.

Après un temps de préparation de quinze minutes maximum, chacun de ces « candidats » dispose d'une minute
pour convaincre l'assemblée, animateur inclus, qu'ils
doivent être conservés.

Le formateur peut aussi décider de les faire improviser sans
préparer le sujet.

ÉTAPE 2 • PROPOSITION • 15 MINUTES

Les candidats ont une minute maximum pour utiliser tous
les arguments possibles, en jouant sur des arguments de
fait, de logique, d'éthique ou de réputation pour convaincre.

À l'issue des quatre premiers discours, le public élimine un premier candidat. Les candidats restant récidivent avec un nouveau discours jusqu'à ce qu'il n'en reste plus qu'un, après élimination par le reste de la classe.

ÉTAPE 3 • DÉBRIEFING • 10 MINUTES
Au cours du débriefing, le groupe explique pourquoi il a fait le choix de soutenir tel ou tel candidat. Chaque orateur fait également son autocritique par rapport au choix de ses arguments.

EXERCICE

« MOI, PRÉSIDENT »

 AXES DE TRAVAIL : la créativité ; structurer son propos ; mobiliser des connaissances.

 OBJECTIF : formuler des opinions assumées et argumentées.

 NOMBRE DE PERSONNES : 1.

 DURÉE TOTALE : 30 minutes.

 NIVEAU : à partir de 12 ans.

Chaque élève doit préparer un discours pour présenter les trois mesures qu'il voudrait prendre ou les trois inégalités qu'il souhaiterait résorber, s'il était élu président de la République.

ÉTAPE 1 • PRÉPARATION • 20 MINUTES

Les élèves préparent individuellement le texte qu'ils vont présenter ensuite au groupe. Ils réfléchissent à une introduction dans laquelle ils se mettent dans la peau du président. Ils se présentent comme tel, en remerciant le groupe de les avoir élus.

Puis ils annoncent leur plan : ils présentent leurs trois idées qu'ils vont défendre.

Ensuite, ils développent ces trois mesures. Pour chaque idée, ils doivent respecter ces trois temps :
– énonciation de la mesure (l'idée) ;
– explication de la mesure (les arguments) ;
– exemple de la façon dont ils la mettraient en œuvre (les exemples).

ÉTAPE 2 • DISCOURS DES PRÉSIDENTS • 3 À 5 MINUTES PAR ÉLÈVE

Chaque élève présente ensuite son discours au groupe, en détaillant ses mesures.

ÉTAPE 3 • DÉBAT ET DÉBRIEFING • 5 MINUTES

Chaque discours est suivi d'échanges avec la classe. Le groupe peut dire s'il approuve ou non les mesures du « président » et pourquoi.

Si des membres du public émettent des moqueries contre les idées de l'orateur, le formateur doit immédiatement reprendre la parole, pour faire cesser le débat le temps de faire respecter les trois règles d'or (respect, écoute, bienveillance). Une fois les valeurs-clés remises en place, les échanges peuvent reprendre.

Cela nécessite de la pratique pour sentir à quel moment arrêter les échanges : ni trop tôt, ce qui empêcherait le collectif d'exprimer ses idées, ni trop tard, sinon il risquerait de manquer de respect à l'orateur.

VARIANTE POSSIBLE :

Lorsque l'exercice doit être appliqué en milieu professionnel, on peut remplacer le titre « Moi, président » par « Moi, P.D.G », « Moi, directeur commercial... ».

LA SIMULATION DE PROCÈS

—

 AXES DE TRAVAIL : l'introspection ; l'esprit critique ; la créativité ; la maîtrise du corps et de la voix ; structurer son propos ; mobiliser des connaissances.

⊙ **OBJECTIFS :** développer un argumentaire, convaincre.

👥 **NOMBRE DE PERSONNES :** 7.

🕐 **DURÉE TOTALE :** 1 heure 10.

⚬ **NIVEAU :** à partir de 11 ans.

Vous organisez ici une simulation de procès au pénal.

ÉTAPE 1 • PRÉPARATION • 20 MINUTES
Le formateur choisit le contexte :

Il peut être question, par exemple, d'un homicide involontaire.

Un homme qui faisait des travaux sur son balcon du 4e étage a fait tomber un parpaing : celui-ci a tué un passant par inadvertance. Il est donc question du procès de l'homme accusé d'avoir tué ce passant.

Sept personnes se portent volontaires et l'animateur distribue les rôles :
– Le juge
– La victime
– L'accusé
– L'avocat de la défense
– L'avocat de la victime
– Un témoin pour chaque partie

Chaque camp prépare sa défense et les arguments qu'il va défendre. Ils peuvent convoquer des arguments de fait, de droit, des principes de liberté fondamentale, des exemples d'actualité... Chacun doit faire valoir au mieux sa position, défendre son rôle.

ÉTAPE 2 • LE DÉROULÉ DU PROCÈS • 30 MINUTES

Le juge entame le procès par un rappel des faits en cause et répartit les temps de parole. Chaque personne a 2 à 3 minutes de temps de parole, mais le juge peut décider de rallonger ou non le temps imparti. L'ordre de prise de parole se déroule comme suit :
– Le juge (rappel des faits, présentation du cas)
– L'avocat de la victime
– L'avocat de la défense
– Un témoin/soutien de la victime, interrogé par le juge
– Un témoin/soutien de l'accusé, interrogé par le juge
– La victime
– L'accusé
À la fin de toutes les prises de parole, le public vote à main levée pour condamner ou non l'accusé.

ÉTAPE 3 • DÉBRIEFING • 20 MINUTES

Le groupe débriefe avec les intervenants. Les réactions doivent porter aussi bien sur la qualité et la pertinence des arguments que sur la manière dont s'est comporté chaque acteur. Les votants expliquent leur choix.

EXERCICE

—

LES CAUSES

—

 **AXES DE TRAVAIL :** l'introspection ; l'esprit critique ; la créativité ; la maîtrise du corps et de la voix ; mobiliser des connaissances ; structurer son propos.

 **OBJECTIFS :** développer un argumentaire, convaincre.

NOMBRE DE PERSONNES : tout le groupe.

DURÉE TOTALE : variable en fonction du nombre de participants.

NIVEAU : à partir de 11 ans.

EXERCICE

ÉTAPE 1 • PRÉPARATION DU DISCOURS

Les élèves doivent préparer un discours sur ce qui leur tient à cœur ou ce qui les révolte.

Le temps de préparation du discours varie en fonction de la durée attendue de celui-ci par le formateur. Sa durée maximum ne doit pas dépasser les 10 minutes par candidat.

Pour 3 minutes de discours (l'équivalent de 3 pages), il faut environ 1 heure de préparation. C'est la raison pour laquelle, dans ce cas de figure, je recommande aux animateurs de laisser aux élèves le soin de préparer leur discours chez eux. Il s'agira d'un temps d'introspection, de recherche d'arguments et d'exemples qualitatifs.

Ils auront, le cas échéant, également la possibilité d'apprendre leur discours pour se détacher de leurs notes. Plus ce temps de préparation sera long, plus les discours seront de qualité.

Pour cet exercice, je recommande aux élèves d'adopter la structure classique du discours[41] ou la structure constat/besoin/solution[42].

ÉTAPE 2 • LE DISCOURS
Le jour J chaque élève prend la parole pour prononcer son discours. Si le candidat dépasse 10 minutes de discours, l'animateur pourra l'interrompre.

ÉTAPE 3 • DÉBRIEFING
Prenez le temps du débriefing avec les élèves : ils évaluent leurs propres prestations, expriment leurs sensations.
Puis procédez au débriefing avec le groupe.
Enfin, le formateur fait ses remarques à son tour.

EXERCICE

---

41 Voir « La structure classique », p. 315.
42 Voir « Le plan constat-besoin-solution », p. 332.

II. L'EXPRESSION SCÉNIQUE

A. Présentation théorique de la matière

Si la rhétorique permet d'organiser le propos sur le fond, l'expression scénique permet de travailler l'expression qui l'accompagne lorsque l'on prend la parole.

Lorsqu'on parle de la forme, il n'est pas seulement question de la gestuelle du discours, aussi abordée dans les cours de rhétorique, mais plutôt de l'appropriation de son corps et l'expression de soi. À l'instar du théâtre qui permet, à travers des rôles et des masques, de se laisser aller à ses émotions (joie, peine, tristesse, colère, passion, etc.), c'est une catharsis que l'on souhaite provoquer dans les ateliers d'expression scénique. L'objet, ici, n'est pas de monter une pièce de théâtre ou de se donner en spectacle, mais surtout de faire des exercices à thème, qui invitent les participants à jouer des rôles, à libérer des émotions – par le geste, le regard, les cris, le chuchotement, etc. – qu'ils ne peuvent pas exprimer au quotidien. Ainsi, ces exercices qui recourent souvent à l'improvisation permettent d'habituer les jeunes à être eux-mêmes et à partager leurs émotions, voire leurs états d'âme avec le groupe.

C'est la raison pour laquelle cette matière ne s'intitule pas « cours de théâtre », mais bien « cours d'expression scénique », car c'est l'expression – par le corps, par les émotions ou la parole – qui est le cœur de cet atelier, et non pas la comédie ou les techniques de l'acteur.

« Aux jeunes de la formation, j'apprends à jouer leur propre rôle. »

ALEXANDRA HENRY, FORMATRICE EN EXPRESSION SCÉNIQUE POUR ELOQUENTIA

« Lorsque Stéphane a mis en place la première formation Eloquentia à l'université de Saint-Denis, il m'a offert d'y enseigner l'expression scénique. J'aimais donner des cours, mais je ne m'attendais pas à ce que cela me permette de vivre une si belle histoire...

Nous avons la chance de travailler avec des jeunes qui viennent de différents cursus. La plupart ne se connaissent pas avant la formation. On part donc sans *a priori*. Chacun est libre de montrer l'image qu'il veut et, généralement, nos étudiants se dévoilent assez vite tels qu'ils sont véritablement.

Un bon orateur, c'est un être humain qui accepte de jouer son propre rôle... Nous jouons tous la comédie. Le théâtre, finalement, c'est la vie. On devient acteur de son existence en vivant en cohérence avec ses valeurs et en étant pleinement soi-même. Les cours d'expression scénique que je donne à Eloquentia permettent d'acquérir des techniques pour pouvoir ensuite être soi, en toute liberté. Pour que chacun découvre ce qui le fait vibrer. Aux jeunes de la formation, j'apprends à jouer leur rôle sans craindre le regard de l'autre, en acceptant leurs failles et leurs émotions pour en faire des forces et éloigner les peurs qui leur imposent des limites. »

Les ateliers d'expression scénique participent à la consolidation du groupe. Ils ont un rôle de « déclencheur » pour la dynamique collective, indispensable pour la prise de parole éducative. Les exercices ayant pour la plupart une dimension ludique, voire récréative, cette approche par le jeu développe des liens entre les participants. Lorsque, par exemple, ils doivent s'exprimer exclusivement par le mime ou par des onomatopées, le caractère a priori absurde de ces situations leur permet de se dévoiler aux autres comme jamais ils n'oseraient le faire dans une situation normale. Les membres du groupe s'habituent ainsi à se découvrir, à ne plus s'autocensurer et à faire preuve d'authenticité dans le cadre des ateliers de la formation. À ce titre, l'expression scénique joue un rôle fondamental pour lever les barrières inhibitrices, et cela bénéficie par la suite à l'ensemble des autres ateliers de la formation.

Sur le plan individuel, l'expression scénique provoque souvent chez les participants la sensation d'avoir exploré de nouvelles facettes de leur personnalité. Certains révèlent des talents d'improvisateur et de comédien inattendus ou, au contraire, des peurs et des timidités inavouées. La bienveillance que doit faire régner le formateur au cours de ces ateliers doit permettre à chaque individu de se sentir en confiance pour se découvrir. Le choix des exercices d'expression scénique, en fonction des personnalités du groupe et de l'instant de la formation, est donc stratégique. Je recommande que les premiers exercices soient simples d'accès parce qu'une approche par le jeu et le divertissement est la meilleure manière d'entraîner toute la classe dans la formation.

B. Objectifs visés par la matière

1. LEVER LA TIMIDITÉ

Lorsqu'on est dans un groupe où beaucoup d'individus sont timides, l'expression scénique est le moyen de permettre à chacun de se libérer. Car avant de faire un discours, il faut d'abord oser. Les exercices d'expression scénique apprennent justement à oser, et même à se permettre le ridicule. Dans les premières séances, le formateur veillera d'ailleurs à ce que les exercices soient bien collectifs et concernent l'ensemble de la classe. Il réalisera des exercices burlesques pour que tous les participants soient « dans le même bateau », dans la même situation de décalage et de ridicule. De la sorte, personne ne pourra se moquer des prestations insolites de ses camarades. Dans ce contexte, la timidité n'a plus lieu d'être.

> « Avec nos regards bienveillants, elle a appris à gérer ses émotions. »

ALEXANDRA HENRY, FORMATRICE EN EXPRESSION SCÉNIQUE POUR ELOQUENTIA

« J'ai eu la chance de voir des transformations impressionnantes chez les étudiants, comme le déclic de Louise. En début de formation, je propose aux jeunes de se placer debout sur le plateau, les pieds plantés dans le sol, les bras le long du corps, et de regarder chaque camarade dans les yeux quelques secondes, en toute sincérité. Cet exercice peut sembler simple, mais il provoque de nombreuses émotions. Louise avait du mal à faire cet exercice. Ses émotions prenaient tout l'espace et la bloquaient. Petit à petit, avec tous les encouragements du groupe et nos regards bienveillants, elle a appris à gérer ses émotions et elle a laissé tomber les barrières qu'elle s'était construites. Quelques semaines plus tard, nous l'avons vue heureuse et fière d'elle dans l'amphi de l'université de Saint-Denis, en quart de finale, face à un public nombreux et conquis. »

2. APPRENDRE À ÊTRE SOI

La spontanéité demandée aux élèves à travers des exercices d'improvisation vise à permettre à chacun d'identifier son propre mode de fonctionnement, ses freins, ses points forts à l'oral. Même si cette découverte se fait à travers des jeux de rôles, l'élève puise dans ses émotions et ses représentations personnelles. Une telle gymnastique l'oblige d'une certaine manière à être authentique. Certains élèves ont parfois tendance, au début des formations, à en faire beaucoup, à cabotiner, à exagérer les personnages qu'ils jouent. Naturellement, avec l'appui du formateur et avec les retours du groupe, le masque tombe progressivement, et l'élève tend vers l'authenticité et vers le fait de « jouer juste ».

En outre, les exercices d'expression scénique ont une dimension artistique et créative. Exprimer ses émotions dans des situations souvent improvisées fait appel à la sensibilité et à l'intuition des participants. C'est justement le développement de cette intuition qui permet de se mettre progressivement à l'écoute de soi.

3. DÉVELOPPER L'IMAGINAIRE

Dans les ateliers d'expression scénique, les participants peuvent être invités à se lancer dans des sketchs ou des jeux de rôles qui s'apparentent à des exercices de théâtre. Le formateur peut leur demander de mimer une émotion, de jouer un rôle de président de la République ou de chef d'entreprise, ou de tout simplement imaginer la personne qu'ils seront dans dix ans. Autant de situations qui stimulent l'imaginaire et la créativité des participants, en les incitant, cependant, à être les plus fidèles à leur personnalité et aux valeurs qui les animent.

C. Exercices[43]

—

LE GESTE ET LE PRÉNOM

—

 AXES DE TRAVAIL : la créativité ; la maîtrise du corps et de la voix.

 OBJECTIF : se présenter aux membres du groupe avec l'expression corporelle.

 NOMBRE DE PERSONNES : tout le groupe.

 DURÉE TOTALE : variable selon le nombre de participants.

 NIVEAU : à partir de 8 ans.

EXERCICE

ÉTAPE 1 • PRÉPARATION
Tous les participants se placent sur le plateau, en formant un grand cercle, le formateur y compris. Les élèves se tiennent chacun à un mètre de distance les uns des autres.

ÉTAPE 2 • LE CERCLE DES PRÉSENTATIONS
Chacun va dire à son tour son prénom et l'accompagner d'un geste. L'exercice consiste à répéter le prénom et le geste des personnes précédentes.

---

43 Exercices proposés avec la contribution d'Alexandra Henry (formatrice en expression scénique).

Lors du premier tour, le formateur invite tous les élèves à bien mémoriser le prénom et le geste qui l'accompagne de tous les participants.

Lors du deuxième tour, l'enseignant invite à ce que chaque candidat fasse son geste et dise son prénom un peu plus rapidement.

Lors du troisième tour, il accélère un peu le rythme.

Enfin, lors du quatrième tour, il demande à ce que tout le monde dise le prénom de l'élève concerné et le geste qui le symbolise.

Il invite alors tout le groupe à reprendre collégialement le nom et le geste de chaque participant. Lors du cinquième tour, lors duquel le formateur accélère le rythme du groupe qui doit désormais, en chœur, reprendre à toute vitesse le geste et le prénom de chaque individu.

En plus de la cohésion du groupe, cet exercice permet d'entraîner la mémoire, de travailler l'observation, la précision du geste et la créativité.

ÉTAPE 3 • DÉBRIEFING

À la fin de l'exercice, il est intéressant de demander à chacun ce que le geste de son camarade de jeu pourrait raconter sur lui. S'il choisit d'associer son prénom à un coup de pied dans le sol, qu'est-ce que cela dit de lui ? Ce symbole exprime énormément de choses sur la personnalité du participant. Le corps parle. Il est le reflet de l'estime de soi.

LA PRÉSENTATION SUPERHÉROS

—

AXES DE TRAVAIL : la créativité ; la maîtrise du corps et de la voix.

OBJECTIF : travailler sur l'estime de soi.

NOMBRE DE PERSONNES : 1.

DURÉE TOTALE : 7 minutes.

NIVEAU : à partir de 6 ans.

ÉTAPE 1 • PRÉPARATION

L'élève se tient devant le groupe. Le but de l'exercice est de se présenter en portant le regard le plus positif possible sur soi. Pour cela, il s'agit de décrire ses qualités en les amplifiant au maximum et en exagérant les gestes qui accompagnent ses mots. Tout devient un exploit.

ÉTAPE 2 • PRÉSENTATION • 5 MINUTES

L'élève a carte blanche pour occuper l'espace, faire un simple discours voire chanter, s'il aime chanter. S'il veut dire qu'il est un bon danseur, il peut même se lancer dans une chorégraphie pour épater la galerie.

En outre, si un élève aime cuisiner, il nous dira qu'il est le chef étoilé le plus reconnu de sa génération. L'objectif n'est pas là d'aller chercher un argument pertinent mais de tout amplifier, à l'extrême, au-delà du sens de ses propos.

EXERCICE

Cette activité permet de libérer les énergies, de lever les barrières, de poser un regard ultra-bienveillant sur soi, dans une société où l'on se dénigre trop souvent, où l'on apprécie parfois trop peu ses compétences.

ÉTAPE 3 • DÉBRIEFING • 2 MINUTES

Le groupe fait un retour au candidat notamment pour lui dire si sa prestation, sa gestuelle, ses expressions du visage, correspondent bien à la valeur ou à la qualité qu'il défendait. Il se peut parfois que l'on ne parvienne pas à comprendre quelle était la qualité défendue par le candidat, auquel cas il faut aussi lui demander s'il s'en est rendu compte et pourquoi il n'y est pas parvenu.

EXERCICE

—

LE JEU DU TRADUCTEUR

—

⚙️ **AXES DE TRAVAIL :** la créativité ; la maîtrise du corps et de la voix.

⊙→ **OBJECTIF :** travailler sur l'expression corporelle.

👥 **NOMBRE DE PERSONNES :** 2.

🕐 **DURÉE TOTALE :** 13 minutes.

⚊ **NIVEAU :** à partir de 8 ans.

ÉTAPE 1 • PRÉPARATION • 2 MINUTES

La classe est disposée en arc de cercle. Deux élèves s'assoient sur deux chaises, l'un à côté de l'autre, face au reste de la classe.

ÉTAPE 2 • LES TRADUCTIONS • 6 MINUTES

L'un des deux élèves se lance dans un discours dans une langue incompréhensible qu'il invente au fur et à mesure. Son voisin traduit chaque phrase en français au groupe. Il doit donc improviser la traduction, tout en restant fidèle à ce qu'il perçoit dans la gestuelle de son binôme. Par exemple, si l'élève qui parle fait de grands gestes qui expriment l'exaspération ou la colère, le traducteur devra produire une phrase respectant ces signes. Chaque prestation dure 3 minutes.

Le traducteur est libre de produire un texte, qui met « des bâtons dans les roues » du binôme, pour pimenter l'exercice et forcer l'orateur à adapter son discours ou à réagir. Par exemple : « Zaroslav est très content de se présenter devant

EXERCICE

177

vous aujourd'hui pour vous faire découvrir le fromage de brebis qu'il produit chez lui, au fin fond de l'Estonie. » Dans ce cas de figure, l'orateur qui est traduit devra ensuite lui aussi adapter sa gestuelle et ses expressions à ce que vient d'improviser son traducteur.

Le traducteur pourra aussi expliquer l'histoire qui le lie à son interlocuteur. Par exemple, « bonjour à tous, je me présente, je m'appelle Melania et je suis venue du Brésil pour rencontrer la personne dont je suis le plus fan au monde, la personne la plus intelligente et admirable que je connaisse, à savoir, Ibrahim (nom de l'élève qui est en train de faire la traduction). »

Il n'est pas nécessaire que le texte traduit soit logique ou ait du sens. L'essentiel est de faire durer l'exercice pendant quelques minutes. Puis faire de nouveau l'exercice, mais en inversant cette fois les rôles.

Ce jeu, qui prête à la dérision, permet de créer du lien entre les élèves. C'est aussi un exercice intéressant du point de vue de la gestuelle, car l'orateur est obligé de trouver les intonations adéquates pour être cohérent avec la traduction.

ÉTAPE 3 • DÉBRIEFING • 5 MINUTES
Le groupe fait un débriefing à chaque binôme qui inverse ensuite les rôles.

—

LE VOYAGE SPATIO-TEMPOREL

—

⚙️ **AXES DE TRAVAIL** : l'introspection ; la maîtrise du corps et de la voix.

→ **OBJECTIF** : exprimer une émotion et une aspiration personnelle.

👥 **NOMBRE DE PERSONNES** : 5.

🕐 **DURÉE TOTALE** : 10 minutes.

🎚️ **NIVEAU** : à partir de 11 ans.

ÉTAPE 1 • PRÉPARATION

5 élèves se mettent en rang à un mètre de distance les uns des autres, face à la classe.

ÉTAPE 2 • LE VOYAGE DANS LE TEMPS • 5 MINUTES

Le formateur demande aux élèves de mimer et de figer une position pour illustrer qui ils étaient lorsqu'ils étaient enfants.

Instantanément, chacun des élèves prend une posture sans la modifier. Un élève peut lever les bras au ciel pour montrer son insouciance de l'époque, un autre peut figurer une course pour symboliser son hyperactivité.

Au bout de 30 secondes, lorsque l'ensemble des élèves du groupe a pu s'imprégner du mime de chaque élève, l'enseignant leur demande de mimer une posture pour symboliser la personne qu'ils sont aujourd'hui. Un regard

EXERCICE

tourné vers le ciel pour l'ambition, des bras ballants et un regard vide pour exprimer qu'ils se sentent perdus, etc.
Le formateur termine l'exercice en leur demandant qui ils seront dans 20 ans.

ÉTAPE 3 • DÉBRIEFING • 5 MINUTES
Dans la phase de débriefing, les élèves du groupe doivent dire d'après eux qu'elle est l'expression que chacun des élèves a exprimée lors de chaque période. Lorsqu'ils trouvent, le candidat qui faisait le mime doit le dire.
Il se peut qu'il y ait des décalages entre ce que l'élève souhaite exprimer et ce que le groupe a cru percevoir.

EXERCICE

—

LA DISCUSSION EN FRUITS ET LÉGUMES

—

 AXES DE TRAVAIL : la créativité ; la maîtrise du corps et de la voix.

 OBJECTIF : travailler sur des intentions sans l'aide des mots.

 NOMBRE DE PERSONNES : 1 à 2 personnes.

 DURÉE TOTALE : 10 minutes.

 NIVEAU : à partir de 11 ans.

ÉTAPE 1 • PRÉPARATION • 2 MINUTES

Un élève se met face à ses camarades. L'exercice peut également être fait en binôme sous la forme d'une discussion à propos d'un sujet choisi par le formateur. Le sujet donné est uniquement révélé aux élèves qui passent, c'est au groupe qui les regarde de le deviner. Par exemple, un couple qui se dispute, un patron qui licencie son salarié, un parent qui réprimande son enfant, une déclaration d'amour...

Mise en situation : un coach entre dans les vestiaires pendant la mi-temps d'un match. La confrontation se passe mal, il n'est pas content de ses joueurs et l'exprime pour remotiver son équipe.

ÉTAPE 2 • LE LANGAGE EN FRUITS ET LÉGUMES • 3 MINUTES

Les élèves n'ont pas le droit de s'exprimer dans une langue courante et sont obligés de citer le nom d'un fruit ou d'un légume à chaque mot qu'ils prononcent.

Ils n'ont le droit à aucun autre mot que « pomme, patate, kiwi, banane... » pour s'exprimer, pas même de « euh », ni de pronoms personnels. Ils doivent donc prêter attention au rythme vocal, à la mélodie de leur discours, à la sonorité des mots qu'ils choisissent, aux intonations, aux gestes, aux traits de leur visage, pour faire passer leurs messages.

ÉTAPE 3 • DÉBRIEFING • 5 MINUTES

Les élèves de la classe doivent tenter de comprendre quel était le sujet discuté en fruits et légumes et ce que les participants ont essayé d'exprimer pendant leur passage.

EXERCICE

—

LES CHAISES MUSICALES

—

⚙️ **AXE DE TRAVAIL** : la créativité.

→ **OBJECTIF** : travailler l'improvisation.

👪 **NOMBRE DE PERSONNES** : 5 à 8 personnes.

🕐 **DURÉE TOTALE** : 5 minutes par groupe.

🎚️ **NIVEAU** : à partir de 8 ans.

ÉTAPE 1 • PRÉPARATION

Cette activité tire son origine du jeu des chaises musicales classique. L'ensemble de groupe se tient debout dans la pièce. Des chaises sont disposées en cercle. Il y a une chaise en moins par rapport au nombre de participants.

ÉTAPE 2 • JEU

Les participants tournent autour des chaises et un élève, désigné par l'animateur, improvise une histoire sur un sujet libre qui commence nécessairement par « Il était une fois ». Lorsque l'animateur le souhaite, il tape dans ses mains et l'ensemble des participants essaye de s'asseoir le plus vite possible sur une chaise libre. L'élève qui n'aura pas su s'asseoir doit alors tout de suite improviser la suite de l'histoire, et ainsi de suite.

EXERCICE

III. LA TECHNIQUE VOCALE ET LA RESPIRATION

A. Présentation théorique de la matière

Avant de prendre la parole, il faut comprendre l'organe qui nous le permet : notre voix. Peu d'élèves ont déjà eu l'occasion d'analyser la leur, d'en connaître la puissance ou la couleur. Ils ne savent pas s'ils sont en mesure de la pousser facilement vers les graves et les aigus ou si cela représente un véritable défi. Les exercices que nous mettons en place permettent aux jeunes que nous formons de faire face à leur propre voix, de l'apprivoiser. De cette façon, ils pourront en exploiter toutes les capacités quand ils seront dans une situation de prise de parole, et en faire le vecteur de leur authenticité.

Qui dit technique vocale, dit aussi gestion du souffle et de la respiration. Apprendre à respirer avant et pendant une présentation orale est déterminant. Quelqu'un qui est « à bout de souffle » lors d'un discours ne sera pas audible par un public. « Porter sa voix » est une gymnastique qui implique tout notre corps.

Mais le souffle, c'est aussi notre façon de distribuer les pauses et les silences : autant de balises qui vont justement aérer le texte, pour le faire parvenir de la manière la plus fluide et la plus directe à notre interlocuteur.

« C'est un superpouvoir que nous avons tous. »

PIERRE DERYCKE, FORMATEUR EN TECHNIQUE VOCALE POUR ELOQUENTIA

« Le premier objectif concret de mon enseignement au sein de la formation Eloquentia est d'amener l'élève à faire bon usage de sa voix, de manière qu'elle soit placée, riche, tenue longtemps et sans effort. Les exercices pratiqués visent à produire des sensations respiratoires et vocales nouvelles, créant des phénomènes sonores nouveaux pour l'élève. Il découvre petit à petit sa voix d'implication. C'est la voix qui est utilisée pour aller chercher l'autre, celle qui permettra de partir à la conquête de l'attention du public. Je la compare à une main invisible qui vient taper sur l'épaule de l'autre. Pour moi, c'est un superpouvoir que nous avons tous. Grâce à elle, nous pouvons réussir à atteindre l'auditeur, même dans un amphithéâtre empli d'étudiants.

Certaines des personnes que nous formons connaissent déjà cette voix, d'autres ne l'ont jamais expérimentée. Il s'agit donc d'amener l'élève à réaliser ses potentiels vocaux pour accroître sa puissance d'expression. Libérée, la voix est alors capable de contrastes et d'inflexions infinies. Non seulement support du discours, la matière vocale devient en elle-même le relais et l'amplificateur des affects de l'orateur, c'est l'organe de l'expression des passions par excellence. »

B. Objectifs visés par la matière

1. RESPIRER LORS D'UNE PRISE DE PAROLE

L'air, c'est le carburant de la voix. Les poumons en sont le moteur. Ainsi, il faut apprendre à oxygéner l'appareil vocal pour porter un discours en public.

Au cours d'une prise de parole, le corps doit être « en posture », bien ancré au sol, les pieds alignés avec les épaules et le dos bien droit, de telle manière à former une colonne d'air où l'oxygène circule aisément entre la bouche, le nez, les poumons et le ventre.

Les élèves sont formés aux différentes manières de respirer pendant un discours : de manière saccadée s'il faut accélérer le débit de la parole, ou plus lentement lorsqu'ils peuvent prendre le temps d'articuler le discours. La plupart du temps, on l'observe notamment au cours des premiers ateliers, beaucoup de candidats ont le défaut de parler vite, en mâchant leurs mots et sans prendre le temps de respirer. C'est la raison pour laquelle nous leur apprenons la ponctuation du discours.

Selon ce principe, lorsqu'on prononce un discours, une virgule équivaut à une seconde de pause et un point équivaut à deux secondes de pause. Ces arrêts permettent aux élèves de reprendre leur respiration lorsqu'ils s'expriment. Il s'agit du rythme de base du discours qui peut, par moments, ralentir ou s'accélérer en fonction des besoins du discours.

« Le corps est une poche d'air qui se vide et se remplit sans entraves. »

PIERRE DERYCKE, FORMATEUR EN TECHNIQUE VOCALE POUR ELOQUENTIA

« Inévitablement, le travail vocal passe par celui de la respiration et de la posture, un ensemble qui donnera finalement forme au corps de l'orateur. Ce dernier s'organise pour actionner les "mécanismes de l'échange". Il bascule alors en "circuit ouvert" : le corps est une poche d'air qui se vide et se remplit sans entraves, la voix vibre sur ce mouvement de flux et de reflux. L'orateur, yeux grands ouverts sur l'auditoire adapte sa voix pour qu'elle sonne dans l'espace. Tous ses capteurs sont en marche pour vérifier la bonne réception de ses messages. Il a beau être seul à monologuer depuis la scène, il est en fait en pleine interaction avec chaque personne de l'assemblée ! »

2. PROJETER SA VOIX

Par ce terme, je désigne le fait de diriger la voix vers un interlocuteur, de manière à être entendu clairement, même par une personne assise tout au fond d'une salle. La projection varie en fonction du timbre de voix de l'orateur, de l'acoustique et de la taille de la pièce. Les participants doivent toujours visualiser la personne qui est au dernier rang de la salle dans laquelle ils sont amenés à s'exprimer : la personne doit parfaitement entendre leur voix. Ils doivent ainsi prendre le réflexe de projeter leur voix, comme si la pièce était traversée par une montagne et qu'il fallait se faire entendre au-delà.

C'est une véritable gymnastique vocale, dont les objectifs sont plus faciles à atteindre dans une salle de classe que dans une pièce plus vaste. Lorsque les orateurs se trouvent dans des amphithéâtres et doivent s'exprimer sans micros, il est parfois difficile de savoir trouver le bon volume de voix. C'est la raison pour laquelle je recommande de toujours faire une répétition dans la salle où l'on doit s'exprimer, à l'aide de trois camarades : un au premier rang, un au milieu de la salle et un autre au dernier rang. Le bon volume est trouvé quand les trois entendent parfaitement le discours[44].

3. GÉRER SES ÉMOTIONS PAR LA RESPIRATION

Prendre la parole en public provoque généralement des émotions fortes avant ou après le discours : le stress, l'angoisse, l'anxiété, ou à l'inverse, l'euphorie et l'excitation. Parfois, toutes ces émotions se mélangent. Pourtant l'orateur doit parvenir à les maîtriser, car elles peuvent le paralyser ou lui faire perdre le fil de son propos. Il est indispensable que l'orateur soit dans l'instant présent, pour être en connexion avec son auditoire, afin que ce dernier le ressente pleinement.

---

44 Pour tester le volume de la voix, on peut aussi faire l'exercice « Faire sonner l'instrument », p. 201.

La respiration est essentielle dans la maîtrise de ces émotions. Nous transmettons à ce titre deux techniques à nos participants : la respiration abdominale et la méditation.

– La respiration abdominale (ou ventrale) : avant un discours, cette technique de respiration permet de retrouver son calme. Cette respiration peut être utilisée comme exercice de relaxation avant de prendre la parole, notamment lorsque l'on commence à transpirer ou que notre rythme cardiaque s'accélère.

1. Bouche fermée, main sur le ventre, inspirez par le nez. Le ventre se gonfle naturellement. Inspirez calmement et gonflez le ventre progressivement

2. Bouche fermée, arrêtez d'inspirer et gardez l'air pendant quelques secondes.

3. Expirez par la bouche. Le ventre se vide, redevient complètement plat.

4. Bouche fermée, restez les poumons vides pendant quelques secondes.

5. Recommencez le procédé jusqu'à ce que les émotions soient retombées.

– La pratique de la méditation[45] : au cours de nos ateliers, lorsque le temps nous le permet, nous initions les participants à une séance de méditation, en leur demandant de s'allonger sur leur table ou sur le sol, puis de s'adonner à la respiration abdominale pendant vingt minutes. Au fur et à mesure, ils ralentissent le rythme de leur respiration. Le formateur leur demande alors de visualiser des scènes de leur vie, des souvenirs, des images mentales positives, sources de joie ou de plaisir.

Peu à peu, les élèves font abstraction de ce qui les entoure. Ils se retrouvent alors dans une bulle, calmes, détendus. Certains finissent même par s'endormir. J'ai constaté que des candidats, lors des concours Eloquentia, ainsi que des managers et des dirigeants en entreprise, utilisaient parfois cette technique pour se détendre avant de prendre la parole, pour se mettre dans les meilleures conditions possibles.

---

45 Voir l'exercice « La méditation », p. 191.

C. Exercices[46]

Dans un premier temps, on peut préparer l'élève pour qu'il prenne conscience de son corps et qu'il appréhende ses émotions (exercice : La méditation), puis l'aider à désinhiber sa voix (exercice : Le Brouhaha).

—

LA MÉDITATION

—

AXES DE TRAVAIL : la maîtrise du corps et de la voix ; l'introspection.

OBJECTIF : trouver la sérénité avant de prendre la parole.

NOMBRE DE PERSONNES : tout le groupe.

DURÉE TOTALE : 30 minutes.

NIVEAU : tout niveau.

ÉTAPE 1 • DISPOSITION DE LA CLASSE • 2 MINUTES

L'enseignant peut demander à tous les participants de s'allonger sur leur table comme sur un lit. Ceux qui le souhaitent peuvent utiliser leur manteau ou un pull en guise de coussin. L'idée est que tout le monde se sente à l'aise. Ceux qui le désirent peuvent directement s'allonger au sol. Les élèves doivent se tenir quelque peu à distance les uns

EXERCICE

---

46 Exercices proposés avec la contribution de Pierre Derycke (formateur en technique vocale).

des autres pour ne pas avoir à se toucher pendant la méditation.

ÉTAPE 2 • LA MÉDITATION • 28 MINUTES
La méditation se déroule en 4 temps :

▶ **La respiration abdominale** – 7 minutes
Le formateur demande à tous les élèves de fermer les yeux et de se détendre comme s'ils allaient s'endormir. Ensuite, il leur demande de placer leur main sur le ventre et de constater l'apparition de la respiration abdominale[47]. Il leur demande de ralentir progressivement le rythme de la respiration et de prendre conscience de l'air qu'ils inspirent et qu'ils expirent.

▶ **Le poids du corps** – 7 minutes
Les élèves, toujours en train de respirer par le ventre, sont invités par le formateur à prendre conscience du poids de leur corps. Des pieds, des talons, des mollets, des cuisses, des mains, des biceps, des épaules ou encore du crâne qui sont en contact avec le sol. Il invite à présent les élèves à ralentir encore plus le rythme de leur respiration si bien que la classe se plonge dans un profond silence.

▶ **La pensée positive** – 7 minutes
Le formateur demande à chaque élève de songer à un souvenir d'enfance ou un moment où il a pu ressentir une grande joie dans sa vie. Il leur demande de visualiser cet instant et de se replonger dans cette émotion-là. Pendant deux à trois minutes, le formateur ne dit plus un mot. C'est le moment où il arrive que des participants s'endorment notamment si le cours a lieu de bon matin.

---

47 Voir « La respiration abdominale », p. 189.

▶ **Le réveil** – 7 minutes

Le formateur demande progressivement aux élèves de bouger les extrémités de leurs corps et de revenir à eux. Puis il leur demande de se concentrer sur un son qu'il y a dans la salle ou à l'extérieur. Enfin, il leur demande d'ouvrir les yeux, pour finalement se redresser et s'étirer pour ceux qui le souhaitent.

EXERCICE

—

LE BROUHAHA

—

 AXES DE TRAVAIL : la maîtrise du corps et de la voix ;
l'introspection

 OBJECTIF : faire porter sa voix.

 NOMBRE DE PERSONNES : à partir de 6 personnes.

 DURÉE TOTALE : 3 minutes.

 NIVEAU : à partir de 8 ans.

ÉTAPE 1 • PRÉPARATION

L'animateur désigne des binômes qui vont être amenés à discuter d'un sujet bien défini. Cela peut être parler de l'humeur du jour, une réforme discutée actuellement au parlement ou encore la destination de leurs prochaines vacances. Chaque binôme se met ensuite à l'extrémité de la pièce, dos au mur et face à face.

Un groupe de six élèves, quant à lui, se met au milieu de la place et forme, tel un filet de tennis, une barrière contre les deux orateurs. Ils peuvent lever les bras à souhait pour couper le champ de vision des orateurs mais ils doivent surtout hurler et faire un maximum de bruit pour empêcher aux orateurs de s'entendre.

EXERCICE

ÉTAPE 2 • DISCUSSION

Les orateurs doivent tenter de mener leur discussion malgré le brouhaha ambiant et le bruit des autres binômes qui tentent eux aussi de dialoguer ensemble.

ÉTAPE 3 • DÉBRIEFING

Les orateurs tentent de reconstituer la conversation qu'ils viennent d'avoir et vérifient que cela corresponde bien à leurs échanges.

EXERCICE

Dans un second temps, on apprend à l'élève les techniques vocales respiratoires et posturales de l'orateur.

—

S'ÉCHAUFFER ET TROUVER SON CORPS D'ORATEUR

—

 AXES DE TRAVAIL : la maîtrise du corps et de la voix ; l'introspection

 OBJECTIFS : préparer son corps, son souffle et sa voix pour une prise de parole.

 NOMBRE DE PERSONNES : 1.

 DURÉE TOTALE : 15 minutes.

 NIVEAU : à partir de 11 ans.

ÉTAPE 1 • DÉTENDRE LE HAUT DU CORPS • 3 MINUTES
Décrire lentement des cercles avec les épaules, dans les deux sens, en respirant. Progressivement, accroître l'amplitude du mouvement et sentir la souplesse gagnée.

Détendre le cou en décrivant des demi-cercles avec la tête, en passant d'une épaule à l'autre, sans la basculer en arrière. Respirer profondément.

ÉTAPE 2 • RETROUVER LA RESPIRATION BASSE • 2 MINUTES
Aplanir son dos contre un mur en supprimant la cambrure. Vérifier que le haut du dos est aussi plaqué contre le mur, et décontracter les épaules.

Dans cette position, fermer les yeux et trouver une respiration apaisante, proche de celle du sommeil. Le visage est entièrement détendu et immobile, la bouche s'ouvre légèrement. Le ventre devrait naturellement se synchroniser avec la respiration. Si ce n'est pas le cas, souffler dans une paille imaginaire pendant les expirations puis relâcher la bouche pendant les inspirations.

ÉTAPE 3 • POSER LE SON SUR LE SOUFFLE • 3 MINUTES

En posture contre le mur, maintenir une bande de papier à 20 cm de la bouche. Souffler sur le papier en prononçant la lettre U.

Maintenir une pression d'air régulière de sorte que la bande de papier, repoussée par le souffle, garde autant que possible la même position pendant toute l'émission du son. Varier hauteurs et durées.

EXERCICE

ÉTAPE 4 • RESPIRER EN POSTURE • 3 MINUTES

Hors du mur, ajuster la posture : pieds parallèles et très légèrement écartés, épaules détendues, sommet du crâne tiré vers le ciel et torse ouvert. On doit se sentir non seulement grandi, mais plus vif, plus disponible.

Remonter le sommet du crâne (a). Conséquemment, la nuque va s'allonger (b) et le menton très légèrement rentrer vers le cou (c).

En gardant la posture, imaginer que vos bras sont les leviers d'une pompe. Les monter à l'horizontale en prenant une belle inspiration. Au moment de les rabaisser, sonoriser son souffle en vidant vos poumons de l'air inspiré. Le son émis doit vous évoquer le soulagement, un peu comme lorsqu'on bâille de manière impolie en faisant du bruit.

Le mouvement des bras et de l'air étant parfaitement synchronisé, varier la durée des sons en modifiant le mouvement des bras.

ÉTAPE 5 • AJUSTER LA VOIX • 2 MINUTES
Prononcer les phrases ci-dessous en ajustant le volume sur la hauteur des lettres. Trouver le maximum de contraste.

JE SUIS VENU(E) ICI POUR M'EXPRIMER.

JE SUIS VENU(E) ICI POUR M'EXPRIMER.

JE SUIS VENU(E) ICI POUR M'EXPRIMER.

JE SUIS VENU(E) ICI POUR M'EXPRIMER.

JE SUIS VENU(E) ICI POUR M'EXPRIMER.

JE SUIS VENU(E) ICI POUR

EXERCICE

EXERCICE

M'EXPRIMER.
JE SUIS VENU(E) ICI POUR M'EXPRIMER.

JE SUIS VENU(E) ICI POUR M'EXPRIMER.

JE SUIS VENU(E) ICI POUR M'EXPRIMER.

Attention, au moment de parler fort, il ne faut pas crier. Rester dans ses médiums, c'est-à-dire soutenir la voix sans partir dans les aigus. Si toutes les étapes de l'échauffement ont bien été réalisées, la voix est chauffée et assouplie, le son est plus riche.

Un conseil valable pour tous les exercices : il arrive très souvent que de multiples gestes nerveux apparaissent de la part de l'orateur. Cela peut être une instabilité générale avec piétinements, des « coups de tête » en avant sur des mots-clés, des mains qui s'agitent... Le formateur doit alors inviter l'orateur à reprendre son discours en gardant sa posture de travail. Pendant que l'élève parle, on vient lui tirer doucement les cheveux au sommet du crâne, pour l'aider à se grandir. Ce simple alignement va dégager la colonne d'air et faire sonner la voix : l'expression sera « nettoyée », plus claire et efficace.

FAIRE SONNER L'INSTRUMENT

 AXES DE TRAVAIL : la maîtrise du corps et de la voix.

 OBJECTIFS : faire sonner sa voix ; ajuster son volume sonore à l'audience.

 NOMBRE DE PERSONNES : tout le groupe (idéalement 10 personnes).

 DURÉE TOTALE : 5 minutes par élève.

 NIVEAU : à partir de 11 ans.

Comme le musicien, le bon orateur va faire sonner son instrument – sa voix – dans l'espace où il va parler. En veillant à ajuster l'émission vocale à son environnement, l'orateur se met au service de son audience : il œuvre pour se faire bien entendre. Le public se sent alors considéré et maintient son attention avec facilité.

ÉTAPE 1 • ENTENDRE LES TRAÎNÉES SONORES • 1 MINUTE / ÉLÈVE

Sans monter dans les aigus ni crier, faire prononcer à un élève des « HA ! » très courts. À un certain niveau de volume, le « HA ! » sera suivi d'une « traînée sonore » ou réverbération : le « HA ! » résonne dans l'espace alors que l'élève n'émet plus de son.
Demander à l'élève de prononcer ces « HA ! » en ouvrant grand les yeux, comme s'il cherchait à voir les ondes sonores percuter les murs de la salle.

EXERCICE

ÉTAPE 2 • AJUSTER SA VOIX À L'ESPACE • 4 MINUTES / ÉLÈVE

En gardant pour repère le niveau de volume qui permet au son de résonner, demander à l'élève :
– de 11 à 15 ans (collège) : de réciter un poème ;
– après 15 ans (lycée et faculté) : d'improviser sur un sujet simple.

Sur ce texte connu ou improvisé, l'élève doit parler face au public formé par le reste du groupe.

Chaque fois que l'audience entend une « traînée sonore », elle claque des doigts discrètement. L'exercice est réussi si les « traînées sonores » sont nombreuses et répétées.

Si l'audience ne claque pas des doigts, l'orateur devra mieux ajuster son niveau sonore. Il devra aussi ralentir le rythme et ménager des silences, pendant lesquels sa voix pourra résonner.

Attention, la voix ne doit pas descendre en fin de phrase. Si c'est le cas, on amènera l'élève à fournir un effort tenu, vers une qualité générale homogène, en lui demandant par exemple d'accentuer les dernières syllabes de ses phrases.

EXERCICE

—
L'ARCHER
—

 AXES DE TRAVAIL : la maîtrise du corps et de la voix .

 OBJECTIF : créer des relations précises avec son auditoire, par les intentions de la voix.

 NOMBRE DE PERSONNES : tout le groupe (idéalement 10 personnes).

 DURÉE TOTALE : 5 minutes par élève.

 NIVEAU : tout niveau à partir du collège (11 ans).

ÉTAPE 1 • AJUSTER LA VOIX • 2 MINUTES / ÉLÈVE

Un élève joue le rôle d'un archer. La classe est répartie dans l'espace, dos tourné à l'archer. Ce dernier dirige son regard vers l'un des élèves de dos et l'invective sans prononcer son nom. Les personnes se sentant visées lèvent la main. Comme l'archer qui vise et remonte son arc, inviter l'élève à prendre son temps avant de parler : il doit placer son corps, puis envoyer la bonne énergie vocale selon la distance de sa cible.

Si l'élève, pour atteindre une cible lointaine, se désaxe comme s'il allait crier (nuque cassée et tête en avant), faire intervenir un autre élève qui forcera le premier à rester bien vertical, en maintenant fermement les cheveux du haut de son crâne.

ÉTAPE 2 • CRÉER LES CONNEXIONS • 3 MINUTES / ÉLÈVE

L'archer reste dans un coin de la pièce tandis que les autres élèves, sans quitter leur place d'origine, se retournent. Sur

EXERCICE

un sujet simple (vacances, parcours scolaire, etc.), l'archer prend la parole. Il devra s'adresser précisément à toutes les personnes face à lui.

À chaque connexion, c'est-à-dire chaque fois que l'archer s'adresse à une personne, l'élève ciblé lève le bras discrètement.

Veiller à ce que :

– l'ordre des connexions ne soit pas artificiel (de gauche à droite par exemple) mais libre et organique ;

– qu'il y ait une correspondance entre adresse et propos, une information par connexion, par exemple : « ... et donc je prends le métro [connexion 1] j'étais habillé en bleu [connexion 2] tout le monde me regardait [connexion 3]... »

Faire ralentir le débit de l'élève pour qu'il puisse synchroniser tous les paramètres.

EXERCICE

IV. LE SLAM ET LA POÉSIE

A. Présentation théorique de la matière

Le slam et la poésie sont une approche artistique de la prise de parole. Cette matière permet de s'exprimer en ayant recours à des procédés littéraires (les rimes, les figures de style, le conte...) que l'on n'emploierait pas de manière courante. Elle permet aussi d'engager les participants dans la recherche d'une esthétique, les poussant à imager leur propos de manière créative.

Cela implique d'introduire un certain vocabulaire. Au début de nos cours de slam et poésie, nous rappelons à nos élèves ces termes techniques, utiles pour les jeux d'écriture :
– **un vers :** une ligne en poésie, souvent avec un nombre de syllabes défini.
– **une rime :** la répétition d'un son en fin de vers, sur au moins deux vers.
– **un alexandrin :** un vers de douze syllabes.
– **une strophe :** un ensemble de vers.
– **un quatrain :** une strophe de quatre vers.
– **un tercet :** une strophe de trois vers.
– **un sonnet :** un poème composé de deux quatrains et deux tercets.

Dès nos premières formations à Saint-Denis, le slameur et poète Loubaki Loussalat a enseigné les figures de style aux étudiants. Comme il l'explique lui-même, « les figures de style comptent parmi les procédés les plus puissants de l'emploi du mot. Elles trouvent du sens à s'exprimer principalement dans la rhétorique, la littérature et la poésie. La poésie emploie donc les figures de style et d'autres procédés d'une grande efficacité (les règles de la poésie classique, par exemple). Ces procédés permettent d'agencer les mots pour leur conférer une grande force de conviction et ainsi mettre en exergue l'idée, la thèse que le poème véhicule. Donc, agencer des mots pour servir une idée sera pour nous un but fondamental. Ainsi naît le poème. »

Nous donnons généralement cette liste de figures de style à nos élèves : l'assonance et l'allitération, la personnification, l'animalisation, la réification, la déification, etc. [48]

Pour ne pas confondre l'**assonance** (répétition d'un son voyelle) et l'**allitération** (répétition d'un son consonne), un moyen mnémotechnique consiste à voir que le terme « assonance » finit par une voyelle et « allitération » finit par une consonne.

La **personnification**, c'est le fait d'attribuer des caractéristiques humaines à un objet, un animal, ou tout autre sujet non humain.

L'**animalisation**, c'est le fait d'attribuer des caractéristiques animalières à un humain, un objet ou tout autre sujet qui n'est pas un animal.

La **réification**, c'est le fait d'attribuer les caractéristiques d'une chose à un humain, un animal ou tout autre sujet qui n'est pas une chose. Pour que le concept soit bien clair, nous pouvons parler de « **chosification** » aux élèves.

La **déification**, c'est le fait de donner des caractéristiques divines, surhumaines ou surnaturelles à un humain, un objet, un animal.

L'**anaphore** est la répétition d'un ou plusieurs mots en début de phrase ou de vers. L'**épiphore** est la répétition d'un ou plusieurs mots en fin de phrase ou de vers.

L'**oxymore** consiste à mettre l'un à côté de l'autre des mots qui se contredisent, par exemple « un silence éloquent ».

Toutes ces figures, enseignées dans notre pédagogie, sont mises en pratique, immédiatement, dans l'écriture, et sont réutilisées par les jeunes dans leurs productions. Il n'est pas rare qu'un finaliste

---

48 Voir aussi « Les figures de style », p. 342.

des concours Eloquentia intègre dans son discours des alexandrins ou du slam.

Le travail du slam et de la poésie requiert une phase d'écriture : s'exprimer en alexandrins ou en rimes riches ne se fait pas naturellement. Il s'agit donc d'un temps où les participants stimulent leur créativité, en gardant à l'esprit qu'ils doivent toujours chercher à exprimer leurs idées de la manière la plus juste.

La pratique de la poésie permet aussi un partage d'expériences, de compétences : certains élèves plus à l'aise en slam peuvent aider ceux qui sont plus naturellement habitués à une utilisation classique de la langue.

> « Avec ma matière, les jeunes [...] comprennent qu'ils peuvent faire de l'art, tout de suite. »

LOUBAKI LOUSSALAT,
FORMATEUR EN SLAM ET POÉSIE POUR ELOQUENTIA

« Au sein d'Eloquentia, j'enseigne l'écriture et la déclamation de poésie. Cette matière consiste à "activer le savoir" qu'on possède déjà en poésie et dont on ignore souvent la présence. Cela passe d'abord par une prise de conscience. On aborde de manière ludique la poésie acquise depuis l'enfance. On peut les illustrer avec les contes, les comptines, mais également par la culture populaire : le cinéma, la musique, et le langage du quotidien. Les *Fables* de la Fontaine, les *Contes* des frères Grimm, l'univers de Disney et de Marvel pour ne citer qu'eux, exploitent énormément de mécanismes poétiques. Les chansons qu'on écoute à la radio se chargent de nous habituer aux règles classiques de la poésie. Dans mon cours, il s'agit souvent d'analyser "la poésie du quotidien", que tout le monde connaît déjà d'une manière ou d'une autre. Et pour moi, cela est essentiel à la prise de parole. Je suis convaincu que la poésie a développé les outils les plus sophistiqués de la langue. Et chaque mécanisme poétique peut se révéler d'une efficacité redoutable pour donner de la force à une idée, lui permettant ainsi d'exister, de s'affirmer.

Avec ma matière, les jeunes qui suivent le programme comprennent qu'ils peuvent faire de l'art, tout de suite, sans attendre d'arriver à un niveau élevé. Il suffit de se faire confiance, d'écouter ses propres émotions et sensations. De se saisir d'une idée quand celle-ci nous touche, et de la faire exister. Le faire comme un jeu doit être à la portée de tous. »

B. Objectifs visés par la matière

1. COMPRENDRE LE RÉPERTOIRE DE LA LANGUE

Les exercices vont d'abord permettre aux participants d'identifier les figures de style utilisées au quotidien, et de se rendre compte que nos usages sont riches de cet éventail de techniques poétiques. Certains peuvent avoir un *a priori* sur la poésie : on pourrait croire qu'il s'agit d'un art élitiste, hors de portée des jeunes des classes populaires. En prenant conscience que les figures de style sont déjà présentes dans notre quotidien, cet *a priori* sur la poésie tombe et les élèves se sentent en mesure de s'en saisir pleinement. « Flairer une affaire » (animalisation) ou encore « il est en pleine forme en ce moment, il marche sur l'eau » (déification) sont autant d'expressions populaires que nous employons tous communément.

Une fois ce préjugé balayé, le formateur revient avec les élèves sur un grand nombre de figures de style, sur leur signification et sur la manière de les utiliser au mieux pour servir les discours.

2. DÉVELOPPER LA CRÉATIVITÉ

Les exercices de pratique poétique ont un objectif clair : développer une sorte de gymnastique de la créativité. Par l'usage de contraintes – la recherche des rimes, l'écriture en sonnets, etc. –, le formateur pousse l'élève à repousser ses limites, à voir au-delà d'une présentation linéaire et qui pourrait pécher par manque d'originalité. Il lui donne des instruments pour se démarquer. Cet apprentissage vise aussi à développer un aspect ludique de l'écriture. Les participants apprennent à jouer avec les mots, à les manier avec plaisir pour exprimer des sentiments personnels.

« **Dans ces moments-là, on se dit qu'on fait vraiment de très belles choses ensemble.** »

**LOUBAKI LOUSSALAT,
FORMATEUR EN SLAM ET POÉSIE POUR ELOQUENTIA**

« Certains jeunes se dévoilent complètement grâce à la poésie. Je me souviens de T., une lycéenne loin d'être timide mais qui a littéralement fondu en larmes après avoir déclamé une poésie subtile, qui parlait de l'amitié et de la famille. C'était un message auquel elle tenait énormément, un cri du cœur, en douceur. Elle a contenu ses larmes jusqu'à la fin, puis a quitté la salle en pleurs. Elle avait besoin d'être seule quelques instants. La poésie, c'est fait pour faire bouger les lignes, ses propres lignes, comme celles du groupe. Donc, il est normal que des émotions surgissent, cela signifie que le processus opère. Pour maintenir cet événement dans une forme de normalité, j'ai demandé aux participants d'applaudir T., de manière à ce qu'elle puisse l'entendre de l'extérieur. Cela montrait qu'ils étaient solidaires de leur camarade. Elle est revenue trois minutes plus tard sous l'ovation des autres lycéens. Cette écriture et sa lecture devant le groupe ont ouvert quelque chose en elle. Elle s'était permis de ressentir. Elle a continué ensuite dans cette même démarche. Dans ces moments-là, on se dit qu'on fait vraiment de très belles choses ensemble. »

3. S'ENTRAÎNER À LA DÉCLAMATION

Qui dit slam ou poésie, dit déclamation, cette capacité à porter son texte devant un public, pour que celui-ci prenne pleinement conscience de sa puissance poétique. Les exercices d'« oralisation » des écrits en cours de slam seront aussi l'occasion de travailler sur la mise en voix du texte.

Dans ce cadre, nous utilisons des exercices pratiques comme « Les points cardinaux de la déclamation »[49] qui montrent aux jeunes, de manière très concrète, le travail à mener sur le ton et le débit. Dans tous les exercices d'écriture, les conseils sur la posture, le rythme, la respiration reviennent régulièrement, pour pousser les élèves à porter leur voix le mieux possible.

En ce qui concerne le slam, je me suis rendu compte que beaucoup de jeunes sont très rapidement à l'aise avec ces intonations. Le slam, le rap, les musiques urbaines étant très populaires aujourd'hui chez les adolescents, ces élèves sont souvent friands de s'initier au slam et à ses codes poétiques.

---

49 Voir l'exercice « Les points cardinaux de la déclamation », p. 223.

C. Exercices[50]

—

L'USINE À RIMES

—

 AXE DE TRAVAIL : la créativité.

 OBJECTIF : trouver des rimes très facilement et de manière ludique.

 NOMBRE DE PERSONNES : de 3 à 25 personnes.

 DURÉE TOTALE : 18 minutes.

 NIVEAU : à partir de 8 ans.

ÉTAPE 1 • PRÉPARATION
Dans un espace dégagé, demander au groupe de se tenir debout et en cercle, en veillant à ce que les participants ne prennent pas appui sur des tables, afin de rester impliqués.

ÉTAPE 2 • L'USINE À RIMES • 15 MINUTES
« L'usine à rimes » est un jeu qui consiste à trouver des rimes en cascade, des rimes à la chaîne. Pour cela, il faut prendre une balle molle ou une boule de papier. Pour le premier

---

50   Exercices proposés avec la contribution de Loubaki Loussalat (formateur en slam et poésie).

212

tour, donner un mot avec une rime facile, par exemple « ordinateur ». Le groupe identifie le son final, « eur ». Il faudra donc chercher des rimes en « eur » (déclencheur, chandeleur, peur, auteur...).

Cette rime facile étant un tour d'échauffement, passer à une suivante, par exemple « champêtre ». On devra trouver des rimes avec le son final « être » (mettre, paraître, fenêtre, traître, naître, etc.).

On peut rendre les choses un peu plus sportives si les participants le souhaitent et faire un tour avec éliminations successives. Chaque personne a 15 secondes pour trouver la rime, sinon elle est éliminée. Le gagnant est celui qui reste à la fin.

Une astuce : si un membre du groupe ne trouve pas de rimes, on peut recourir à la technique de l'alphabet. Elle consiste à passer les lettres de l'alphabet devant la rime, pour trouver des mots, directement ou par association de lettres et d'idées. Par exemple, si on cherche des rimes en « eur », avec la technique de l'alphabet on trouvera : A___ EUR : ardeur, acheteur, etc. ; B___EUR : beur, beurre, bâtisseur, etc. ; C___EUR : cœur, couleur, chaleur, etc. ; D___EUR : dealer, odeur, splendeur, etc., jusqu'à Z.

ÉTAPE 3 • DÉBRIEFING • 3 MINUTES

Faire un court débriefing, pour échanger les points de vue sur les différentes rimes.

EXERCICE

—

LES QUATRAINS DE PRÉSENTATION

—

 AXE DE TRAVAIL : la créativité.

 OBJECTIF : écrire son premier poème.

 NOMBRE DE PERSONNES : de 3 à 25 personnes.

 DURÉE TOTALE : 10 minutes (pour l'écriture) et 2 minutes par personne (pour la déclamation).

NIVEAU : à partir 8 ans.

EXERCICE

Ce jeu d'écriture peut être réalisé dans une formation de groupe ou chez soi, seul, ou alors en collaboration avec un ami, un parent, son conjoint.

Au préalable, veiller à rappeler quelques règles de la poésie classique. Au risque d'être incomplet, définir très simplement le vers, la strophe, le quatrain, le tercet, le sonnet, la rime[51].

ÉTAPE 1 • SE LANCER DANS L'ÉCRITURE D'UN QUATRAIN • 5 MINUTES

Donner ces quatre amorces de vers :

– Je suis...

– J'ai...

– Je viens...

– Je m'appelle...

Les membres du groupe doivent chacun inventer des vers pour compléter ces amorces. Ils peuvent parler de leur

---

51 Voir ces définitions p. 205.

personnalité propre ou inventer un personnage. Le fait d'avoir des amorces permet de répondre au « syndrome de la page blanche » et à la quête du premier mot qu'elle entraîne. Les amorces sont des *starting-block*s.

Il ne s'agit pas ici d'écrire obligatoirement quelque chose de magnifique dans la forme. Il s'agit juste de faire exister une idée. En cela, simplicité rime avec efficacité. Bien rappeler au groupe, donc, que chercher à produire un texte exceptionnel bloque l'écriture ; au contraire, rechercher la simplicité autorise chacun à écrire.

On peut toutefois essayer de faire des rimes, technique de poésie maîtrisée auparavant grâce à l'usine à rimes.

Une astuce : comme pour la phase d'écriture individuelle, on peut nourrir son inspiration de ce qui nous entoure. Chacun de nous se trouve dans un endroit précis : un collège ? un lycée ? à la maison ? dans un salon ? dans quelle ville ? Ou même, souhaitons-nous parler de nous directement ? On a alors, probablement, déjà le premier vers ! Par exemple, « Je suis de banlieue », ou bien « Je suis une maison paisible », « Je suis Saint-Denis », « Je suis un poète slameur », etc.

Voici un quatrain de présentation écrit, sur ce principe, par Loubaki Loussalat :
« Je suis un poète slameur
J'ai cherché partout le bonheur
Je viens d'un drôle de maquis
Je m'appelle Loubaki »

ÉTAPE 2 • ÉCRIRE UN SECOND QUATRAIN • 5 MINUTES
Demander au groupe d'écrire ensuite un second quatrain, avec ces amorces :
– Hier...

EXERCICE

– Aujourd'hui...

– Demain...

– Un jour...

L'élève a fait un choix pour le premier quatrain. À cette étape, il lui reste donc de la matière non utilisée : pour reprendre l'exemple donné plus haut, ce sont les mots « banlieue », « maison paisible », « Saint-Denis ». Il est possible de l'employer, ou de s'inspirer de ce qu'on voit autour de soi, ou encore des idées trouvées en phase d'écriture individuelle.

Voici un exemple de second quatrain par Loubaki Loussalat :

« Hier j'étais en banlieue.

Aujourd'hui je marche avec des bottes de 7 lieues.

Demain, qui sait ? À Saint-Denis

Un jour de joie, de poésie. »

Ce jeu permet de développer le regard qu'on porte sur soi et sa capacité de projection. On voit ainsi qu'en 10 minutes, on peut déjà écrire un poème de présentation de huit vers.

ÉTAPE 3 • DÉCLAMATION • 2 MINUTES / PERSONNE

Après avoir écrit, les élèves vont lire leurs deux quatrains successivement, debout, à voix haute, pour leurs camarades.

Pour le formateur, à ce stade, il est nécessaire de valoriser l'effort des participants. Il ne faut surtout pas les forcer s'ils ne souhaitent pas dire leur texte. Chacun a son temps d'appréhension, et forcer les choses dès le départ devient contre-productif. Plutôt insister sur le choix qu'a chaque personne de ne pas dire ou de dire. Préciser que chacun peut à tout moment se manifester et déclamer son poème. Il est important de faire applaudir tout le groupe à la fin de chaque déclamation, pour valoriser l'écriture, encourager et créer une émulation collective.

—

RACONTER DES HISTOIRES
AVEC DU STYLE

—

 AXE DE TRAVAIL : la créativité.

 OBJECTIFS : apprendre à maîtriser la richesse de la langue, jouer avec les figures de style pour servir des idées.

 NOMBRE DE PERSONNES : de 5 à 25 personnes.

 DURÉE TOTALE : 1 heure.

 NIVEAU : à partir de 14 ans.

ÉTAPE 1 • DÉCOUVERTE DES FIGURES DE STYLE • 20 MINUTES
Solliciter tout le groupe dans une démarche collective, pour rechercher les définitions des figures de style suivantes : la personnification, la réification, l'animalisation, la déification, l'allitération et l'assonance, l'anaphore et l'épiphore, l'oxymore[52]. Donner un exemple de chacune d'elles, dans les contes, la culture contemporaine, etc.

ÉTAPE 2 • RECHERCHE D'EXEMPLES • 20 MINUTES
Faire rechercher d'autres exemples de ces figures de style, en puisant autant dans le registre du cinéma que dans la littérature, les fables, l'histoire, le marketing, le divertissement et le langage courant. Attention, certains exemples

_____

52 Voir les définitions des figures de style, p. 206.

peuvent cumuler les figures de style.
Quelques listes d'exemples :

– **allitération et assonance** : dans les virelangues de notre enfance (« les chaussettes de l'archiduchesse sont-elles sèches ou archi-sèches ? »), les slogans publicitaires (« Je suis passé chez Sosh ! »).

– **personnification** : les *Fables* de La Fontaine (les animaux parlent comme des humains), les dessins animés comme *Le Roi lion*, les marques comme la « Vache qui rit », le langage courant (les pieds de la chaise, les murs ont des oreilles, le lever du jour...). Un autre exemple de personnification est Mickey Mouse, cette fameuse souris à laquelle Walt Disney a attribué des pieds, des mains, une petite amie (Minnie) et une vie sociale !

– **animalisation** : dans les bandes dessinées et films (Spiderman, Antman, Batman, Catwoman), dans les noms et surnoms des équipes de sports collectifs (« les Fennecs » d'Algérie, « les Éléphants » de Côte d'Ivoire, « les Kiwis » de Nouvelle-Zélande, « les coqs » français), en musique avec Snoop Dogg (référence au chien), La Fouine ou Édith Piaf (de « piaf », le moineau), dans le langage courant (dire à quelqu'un qu'il est bête, appeler quelqu'un ma biche, mon poussin, mon chaton)...

– **réification** : dans la bande dessinée *Les Quatre Fantastiques*, La Torche, l'homme-élastique et la Chose, Iron Man (l'homme de fer) ; dans le sport, le bombardier casablancais (surnom du boxeur Marcel Cerdan), les San Antonio Spurs (les éperons de San Antonio), les Phoenix Suns (les soleils de Phoenix), le statut juridique des esclaves avant l'abolition, le résultat des expérimentations criminelles nazies pendant la Shoah. On peut y inclure tout processus tendant à déshumaniser les individus et les rapprocher des choses.

– **déification** : l'expression « monstre sacré » pour désigner les stars, les pouvoirs surhumains des superhéros (Spiderman, à la fois animalisation et déification, Wolverine qui est immortel) ou des vampires, Louis XIV en « Roi Soleil » (à la fois réification et déification).

Ces exemples montrent bien la force que confère la figure de style à une idée et même à un discours. Qu'on l'utilise pour vendre un produit ou pour justifier un choix de vie, une philosophie, pour démontrer quelque chose, illustrer une idée, porter un projet ou dénoncer des événements, la figure de style permettra d'amener du relief, de la profondeur, et parfois de créer une histoire.

ÉTAPE 3 • AMÉLIORER UN TEXTE GRÂCE AUX FIGURES DE STYLE • 20 MINUTES

Reprendre le texte écrit pour le quatrain de présentation, en essayant d'ajouter deux ou trois figures de style citées ci-dessus.
Ce travail préliminaire peut aussi être utilisé pour insérer des figures de style dans un discours.

EXERCICE

—

ÉCRIRE UN « 16 »

—

 AXE DE TRAVAIL : la créativité.

 OBJECTIF : écrire de manière simple en respectant des codes de poésie.

 NOMBRE DE PERSONNES : de 5 à 25 personnes.

 DURÉE TOTALE : 25 minutes.

 NIVEAU : à partir de 14 ans.

ÉTAPE 1 • EXPLICATION DES CONSIGNES • 5 MINUTES

Ce jeu d'écriture peut être réalisé dans une formation de groupe ou chez soi, seul, ou alors en collaboration avec un ami, un parent, son conjoint.

Ce que nous appelons un 16, c'est quatre quatrains, soit seize vers. Le jeu consiste à faire écrire ce 16 au groupe, avec trois contraintes :

– une idée à mettre en avant ;

– une taille définie pour les vers (6, 10 ou 12 syllabes). Ceux-ci peuvent être irréguliers, mais le fait de définir une taille permet d'avoir une homogénéité ;

– une ou plusieurs figures de style[53] (par exemple, anaphore, épiphore et réification).

---

53 Voir la liste des figures de style que nous utilisons en cours de slam et poésie, p. 206.

ÉTAPE 2 • ÉCRIRE LE POÈME • 20 MINUTES

On peut donner une consigne du type « écrire un poème de 16 vers en anaphore, avec l'amorce suivante pour chaque vers : Je suis... ». Ici l'intérêt de l'anaphore est de donner un point de départ.

Là encore, inciter les membres du groupe à utiliser tous les éléments dans leur environnement et à leur donner une caractéristique.

Par exemple si vous vous trouvez dans une salle de classe, il y aura probablement : des élèves, des feuilles, des cahiers, des stylos, etc. Cela fait autant d'éléments que l'on peut incarner :

« Je suis un élève,
Je suis une feuille,
Je suis un cahier,
Je suis un stylo,
Je suis un professeur,
Je suis une corbeille,
Je suis un bureau,
Je suis une chaise,
Je suis un tableau,
Je suis une craie,
Je suis du silence,
Je suis un savoir,
Je suis une table,
Je suis une porte,
Je suis un mur,
Je suis une fenêtre »

EXERCICE

Il suffit d'ajouter à chacun de ces éléments une caractéristique. En fonction de ce que l'on ressent sur le moment, on peut jouer avec les figures de style telles que la personnification, la chosification, l'animalisation, la déification[54], etc.

---

54 Voir p. 206.

Conseiller aux élèves de faire rimer les vers. Le rôle des rimes sera de renforcer le lien entre les idées et la musicalité. Voici un exemple de 16 proposé par Loubaki Loussalat :

« Je suis un élève timide
Je suis une feuille sans ride
Je suis l'immense cahier vierge
Je suis un stylo "forêt-cierge"

Je suis un prof ignorant
Je suis bureau du premier rang,
Je suis une corbeille pleine
Je suis la chaise souveraine

Je suis un tableau balèze
Je suis une craie falaise
Je suis silence qui fuit
Je suis la source du bruit

Je suis une table agile
Je suis une porte docile
Je suis un mur indéfini
Je suis une fenêtre… ouverte à la vie ! »

Une fois les textes écrits, on peut inciter les élèves à les déclamer comme dans l'exercice précédent.
Les participants n'auront pas tous des résultats de même qualité, mais il faut souligner le fait d'écrire. Ne pas oublier d'encourager à la fin du jeu, car c'est un élan qu'on salue, et non les qualités textuelles. On est dans une phase où l'écriture est encore précaire et la légitimité d'écrire et de dire est encore à défendre. Rien n'est encore acquis.

—

LES POINTS CARDINAUX DE LA DÉCLAMATION

—

 AXES DE TRAVAIL : la créativité ; la maîtrise du corps et de la voix ; l'introspection.

 OBJECTIF : apprendre à déclamer justement, pour respecter les intentions de son texte.

 NOMBRE DE PERSONNES : 1 personne (+ si possible quelques spectateurs).

 DURÉE TOTALE : 10 minutes par jour.

 NIVEAU : à partir de 8 ans.

Ce jeu peut se pratiquer individuellement.

Pour bien déclamer, il faut prendre son temps et maîtriser le rythme et le ton. Pour cela, il faut connaître parfaitement son texte, le ressentir, pour savoir quand accélérer, ralentir, s'arrêter, repartir. On n'hésitera pas à jouer avec les silences et les tonalités fortes. On peut même crier ! Mais ce sera un cri maîtrisé, et non un cri subi.
Le schéma des points cardinaux de la déclamation permet de s'entraîner à maîtriser sa voix. Il met en évidence les valeurs opposées sur deux axes différents :
– l'axe de la tonalité (les valeurs opposées sont le cri et le chuchotement) ;
– l'axe du rythme (les valeurs opposées sont un rythme lent et un rythme rapide).

EXERCICE

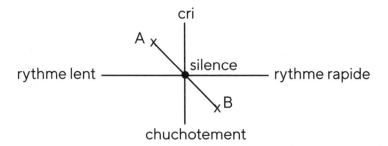

Si le silence a toute sa part dans l'expression, ce schéma tient compte des seuls sons qu'on émet. Des mots qu'on déclame. Rapidement ou lentement. En criant ou en chuchotant. Ainsi que des variations, ascendantes ou descendantes, qu'on utilise pour jouer avec ces valeurs.

Quand on déclame, on affirme des valeurs sur ces deux axes, de manière simultanée. Ainsi, à un instant T de la déclamation, correspondant à une syllabe, la voix se trouve à un endroit précis sur le schéma, tel que l'expriment les points A et B.

Si on doit analyser l'ensemble du discours, l'oratrice ou l'orateur qui se situera autour du point B aura, en principe, moins de chance d'accrocher les esprits, contrairement à celui ou celle qui globalement se situera autour du point A. Mais attention, il s'agit là de principe et non de vérité absolue.

L'oratrice ou l'orateur, conscient de l'importance de ces valeurs, cherchera une maîtrise totale de son rythme et de son ton pour servir le discours. Il essaiera de l'exploiter dans chaque espace qu'offre ce schéma, pareil au joueur de tennis qui joue en fond de court, monte au filet, place des amortis subtils ou des retours gagnants sur la ligne.

Tout le champ de la déclamation est à connaître. Toutes les valeurs (cri, chuchotement, lent, rapide) sont à expérimenter de manière graduelle. Utiliser le cri, ou ce qui en approche, peut étonner, réveiller, mais aussi susciter le rejet. Employer le chuchotement peut amener de la douceur, une confidence, ou, en plein discours, permet de solliciter la concentration d'un public turbulent. Mais en l'employant à mauvais escient, on prend le risque de perdre l'attention de l'audience.

ÉTAPE 1 • DÉCLAMER UN TEXTE • 5 MINUTES
Prendre un texte et le lire seul devant un miroir ou en présence de camarades donnant des indications concernant les points cardinaux de la déclamation (« plus fort, moins fort, plus lentement, au ralenti, plus vite, accélère... »).
Si l'approche peut paraître perturbante au début, on s'adapte vite, à condition de lâcher prise.

ÉTAPE 2 • LE CRI ET LE CHUCHOTEMENT
Pour jouer avec les points cardinaux, on peut aussi déclamer un poème ou n'importe quel texte à sa disposition (une demi-page dans un livre), en alternant une phrase (ou un vers) criée, puis l'autre phrase (ou vers) chuchotée. Varier les rythmes :
– d'abord un rythme normal, celui de la parole quotidienne ;
– puis en allant plus lentement ;
– encore plus lentement et en comptant mentalement 3 secondes après chaque vers ou phrase ;
– encore plus lentement et en comptant mentalement 6 secondes après chaque vers ou phrase ;
– en allant au ralenti et en observant 9 secondes après chaque vers ou phrase.

Cet exercice permet de trouver naturellement un ton plus adapté pour prendre la parole. Au quotidien, on peut avoir l'intention de parler relativement fort, et dans les faits, on parle trop doucement. Se contenter de dire n'est pas

EXERCICE

suffisant. Il faut mettre tous les moyens en œuvre pour permettre à l'auditoire de nous comprendre avec le meilleur des conforts possibles.

Ne pas oublier que lorsqu'on s'exprime, on se met au service d'une idée, pour la faire exister. Ne jamais se perdre dans la facilité consistant à dire : « C'est mon style ! Je parle doucement… ». Là, il s'agit vraiment de faire le maximum pour permettre à l'idée d'atteindre son but.

Bonus : poème de Loubaki Loussalat :

J'invoque l'eau

Parce que le monde est fait d'images expressives comme une eau-forte, j'invoque l'eau,

Parce qu'il faudra plus d'un orage pour ressusciter la mer morte, j'invoque l'eau,

Parce que la vie est oxymore quand on veut tout et son contraire, j'invoque l'eau,

Parce que la mort nous rend muet comme un cri au fond de la mer, j'invoque l'eau,

Soit ! Si c'est une question d'eau-de-vie ou de mort, amèrement, j'invoque l'eau,

Parce que Narcisse mate l'eau reflétant le beau comme l'horizon face aux yeux du matelot, j'invoque l'eau,

Parce que j'veux pas qu'mes rêves prennent comme une défaite à Waterloo, j'invoque l'eau,

Parce que ça m'dégoûte comme celle qui fait déborder mon vase,

Ou comme ces larmes qui coulent sur l'encre de mes phrases, j'invoque l'eau,

J'invoque l'eau dans tous les cas, nombreux comme ces mirages dans l'esprit d'un touareg à la recherche d'une oasis. Imagine !

Autant de cas que de grains de sable dans les dunes,

Autant de sable que de gouttes dans la pluie

C'est autant de cas d'eau qu'il y a de gouttes

EXERCICE

Dans une averse en plein désert.

Parce qu'on vit tellement la misère les temps de sécheresse, j'invoque l'eau,
Parce que mes mots sont déviants et ne suivent pas tous le même ruisseau, j'invoque l'eau,
Parce que tu prônes un régime libre, je te conseille de l'eau
Mais évite celle de Vichy durant l'Occupation,
Ainsi que ses vapeurs qu'on appelle l'Oppression.

Parce que la Terre s'abreuve lorsque le Ciel est en pleurs
Et parce qu'on craint le Déluge quand la pluie prend de l'ampleur, j'invoque l'eau,
Parce que ma Foi est invincible, comme le fidèle pendant l'Aïd j'invoque l'eau,
Parce que ma soif de vivre est un tonneau des Danaïdes, j'invoque l'eau,
Parce qu'elle franchit tous les torrents troublant toujours ses affluents, j'invoque l'eau,
Et parce qu'elle aurait trouvé la Paix au beau milieu de l'océan, j'invoque l'eau,
Je ne prétends pas vous enivrer avec l'eau. Vous savez, jeune suis pas un escroc !
Mais, même si vous êtes accro j'vous citerai pas Boileau comme à ces alcoolos
qui se la jouent écolo et se font voir chez Colette avec son Bar à eau.

J'invoque l'eau car les éléments de la nature sont comme les lettres en alphabet,
ils s'écrivent avec des mots.
Comprenez là, que moi, l'O, je l'associe à l'R, pour obtenir l'OR.
Et ça, ça coule de source car j'invoque l'eau…

EXERCICE

V. L'ASPIRATION PERSONNELLE ET PROFESSIONNELLE

A. Présentation théorique de la matière

Lors de la conception de la pédagogie, il me semblait indispensable d'envisager une préparation à toutes les formes de prise de parole auxquelles nous sommes susceptibles d'être confrontés au quotidien. À l'échelon universitaire, il m'apparaissait nécessaire que les jeunes puissent être accompagnés et préparés aux situations de prise de parole auxquelles ils seront prochainement confrontés (entretiens de stage, d'embauche…).

Mais le sujet de l'aspiration professionnelle concerne tous les âges. Au collège, un exercice de projection comme « Plus tard, je serai[55]… » est un outil efficace pour commencer à s'interroger sur ses traits de personnalité et sa motivation.

Au lycée, le travail consiste, par exemple, à demander aux élèves de se projeter dans le métier de leurs rêves, ou, lorsqu'ils ne l'imaginent pas encore, à identifier un univers professionnel susceptible de les rendre heureux.

En entreprise, nous avons vu se populariser ces dernières années le concept de *soft skills*, ou « compétences comportementales ». Il s'agit de qualités personnelles, de traits de caractère utiles pour exercer un métier ou pour intégrer un milieu professionnel. Parmi ces capacités, on retrouve la prise d'initiative, l'audace, la créativité, l'empathie, la communication, le travail en équipe, la gestion du temps… Ces facultés « non professionnelles » à proprement parler peuvent être développées tout au long de la vie. Elles dépendent aussi du contexte social, familial et économique de chaque individu, qui évolue dans le temps. Questionner régulièrement l'aspiration

---

55 Voir l'exercice « Plus tard, je serai… », p. 236.

personnelle des salariés au sein des entreprises est devenu essentiel pour les services de ressources humaines, à une époque de *burn-out* et de *turn-over* des employés, de travail à distance, de recherche d'autonomie, chez une génération de travailleurs en quête de sens.

B. Objectifs visés par la matière

Le module d'aspiration personnelle et professionnelle se divise en deux axes majeurs.

Le premier axe consiste à comprendre quels sont nos compétences et nos objectifs professionnels. Pour cela, il faut, via les différents exercices du programme, se plier à un travail d'introspection afin de prendre en compte son parcours scolaire, ses traits de caractère et ses envies, et ce dès le lycée.

Le deuxième axe vise à formuler clairement ses ambitions et à mettre en pratique toutes les situations de prise de parole qui s'y réfèrent.

1. DÉVELOPPER L'INTROSPECTION POUR IDENTIFIER SES ASPIRATIONS

Lorsque nous sommes en présence de jeunes ayant un objectif bien défini, nous les questionnons pour évaluer leur connaissance du métier qu'ils visent. L'association organise d'ailleurs des « conférences métiers » avec des travailleurs de différents secteurs d'activité (avocats, chefs des ventes, directeurs de magasin, cinéastes, etc.), pour que les élèves de la formation puissent leur poser toutes les questions possibles.

« Notre rôle est de les aider à réaliser leurs rêves, sans pour autant les laisser se fracasser sur leurs illusions. »

GILDAS LAGUËS, FORMATEUR EN ASPIRATION PROFESSIONNELLE POUR ELOQUENTIA

« À la première séance, les jeunes se questionnent les uns les autres sur leurs qualités, leurs défauts ou ce qu'ils perçoivent comme tel. Il s'agit là de coaching pur et dur : nous cherchons à leur faire exprimer ce qui les anime, ce qu'ils ont en eux, leurs valeurs, et à les confronter à un projet[56]. L'objectif est de leur permettre de vérifier que leur personnalité correspond aux univers qu'ils visent.

Lors de ces exercices, il faut être prudent : les jeunes que nous suivons peuvent vite se sentir bridés et se refermer à l'écoute de nos remarques. Si nous émettons des réserves maladroites sur leur projet professionnel dès la première séance, ils peuvent se décourager. Pour ne pas les braquer, il n'y a pas de solution miracle : il faut absolument être bienveillant.

---

56 Voir l'exercice « Construire un plan d'action en vue d'un projet professionnel », p. 241.

Je me souviens d'une participante qui a expliqué, à la première séance, qu'elle souhaitait devenir maire de sa ville. Elle avait vingt ans, je me suis permis de lui dire que les prochaines élections municipales étaient proches et qu'il lui fallait penser à un plan B. Elle ne l'a pas montré tout de suite, mais j'ai senti que ma remarque l'avait dérangée. Elle pensait que je ne prenais pas son projet au sérieux. J'ai, du coup, fini par lui présenter mes exercices d'une façon différente, en lui suggérant de songer à sa présentation lors d'une campagne électorale pour des élections municipales qui est, après tout, une autre forme d'entretien d'embauche ! Nous ne sommes pas là pour décourager les participants, mais bien pour leur transmettre de la confiance. C'est vraiment ce qu'ils viennent chercher chez nous. Il faut donc y aller pas à pas et leur faire comprendre que notre rôle est de les aider à réaliser leurs rêves, sans pour autant les laisser se fracasser sur leurs illusions. »

Lorsque les jeunes ne savent pas encore ce qu'ils souhaitent faire, nous leur proposons un module introspectif. Cette démarche leur permet d'identifier, via des exercices, leurs points faibles, leurs points forts : sont-ils timides ? méthodiques ? adeptes du travail en équipe ? Quel est leur équilibre de vie idéal, la balance qu'ils souhaitent instaurer entre leur vie personnelle et leur vie professionnelle ?

Les *soft skills* ou compétences douces font référence à nos compétences comportementales et nos traits de personnalité, en opposition avec les *hard skills* qui renvoient à nos compétences techniques, nos connaissances, le savoir que l'on a assimilé. Pour schématiser, nous avons le savoir d'un côté (*hard skills*) et le savoir-être de l'autre (*soft skills*) qui sont à prendre en compte pour définir l'environnement professionnel adéquat d'un individu.

C'est ce que l'on appelle la compréhension de nos *soft skills*[57].

Principales *soft skills* :
- Capacité à prendre une décision ;
- Confiance en soi ;
- Capacité à avoir confiance dans les autres ;
- Capacité à communiquer ;
- Capacité à gérer son temps ;
- Capacité à gérer son stress et ses émotions ;
- Capacité à être créatif ;
- Capacité à entreprendre et à être audacieux ;
- Capacité à se motiver et à motiver les autres ;
- Capacité à organiser son travail et celui des autres ;
- Capacité à visualiser un objectif et le chemin pour l'atteindre ;
- Capacité à faire preuve d'empathie.

Cette évaluation de leurs *soft skills* et de leurs centres d'intérêt les aide *a minima* à choisir un cursus universitaire adapté.

2. FORMULER UN PARCOURS OU UN PROJET

Aux élèves qui ont identifié leurs projets, notamment pour le public universitaire, les exercices d'aspiration professionnelle permettent de formuler leurs envies. L'idée du module est d'identifier le stade où ils en sont de leur insertion professionnelle – un lycéen ne sera pas bien sûr au même stade qu'un étudiant de master 2 –, de repérer la prochaine étape à atteindre pour concrétiser leurs aspirations et de se la donner comme objectif. Ainsi, un étudiant en première année de licence devra apprendre à faire un CV pour son premier stage, tandis qu'un étudiant en master 2 devra préparer les bons éléments de langage et bien expliquer son parcours à un futur recruteur.

---

57 Voir l'exercice « Les *soft skills* », p. 244.

Le déroulement des séances commence par la présentation des projets des participants, puis nous identifions la prochaine étape à concrétiser pour les réaliser. Au fil des semaines, nous découvrons les acteurs susceptibles d'aider les jeunes dans leur parcours, les entreprises qu'ils pourraient contacter et les recruteurs au sein de ces entreprises. Puis nous terminons avec des simulations des prises de parole auxquelles ils seront confrontés.

Nous travaillons aussi avec eux sur les éléments à faire figurer dans un CV et une lettre de motivation. L'objectif est de les rendre les plus percutants possible auprès des entreprises susceptibles de recruter les jeunes. Il en va de même des réflexes à avoir pour construire son réseau : nous donnons aux élèves une série de techniques.

Enfin, s'ils veulent devenir entrepreneurs, nous les aidons également à comprendre comment construire un *business model*, étape par étape, comment faire des projections financières et établir un dossier de communication.

3. SE PRÉPARER À DES PRISES DE PAROLE EN MILIEU PROFESSIONNEL

En entrant dans le monde du travail, les jeunes seront inévitablement confrontés à des prises de parole précises, notamment l'entretien d'embauche et le pitch entrepreneurial.

Nous formons d'abord les participants à toutes les situations d'entretien (stages, recrutement, concours d'entrée aux grandes écoles…) via la méthode de « la boussole à entretien »[58], qui permet de créer un cadre pour diriger l'entretien et de réduire l'aléa que revêt l'exercice[59].

---

58 Voir l'exercice « La boussole à entretien », p. 378.
59 Voir l'exercice « La simulation d'entretien », p. 250.

Dans nos programmes, les jeunes qui veulent devenir entrepreneurs se familiarisent avec la présentation orale d'un projet, à destination d'un incubateur ou d'un investisseur. Le pitch entrepreneurial obéit à une structure bien spécifique en général (le plan constat-besoin-solution, voir p. 332). Une présentation de projet doit s'adapter au contexte et durer une minute, 10 minutes ou une heure selon les cas.

> « Nous leur apprenons à transformer un feu d'artifice en feu de cheminée. »

GILDAS LAGUËS, FORMATEUR EN ASPIRATION PROFESSIONNELLE POUR ELOQUENTIA

« En entretien, les jeunes demandeurs d'emploi sont souvent dans une position défensive et ce n'est pas vendeur. Ils envisagent trop souvent l'entretien comme une séance de questions-réponses. Or, il ne faut pas hésiter à poser autant de questions au recruteur que lui vous en pose. C'est légitime, et ce n'est pas être arrogant que de se renseigner. Cette attitude permet de réveiller l'intérêt du recruteur mais aussi de vérifier que le poste va vous plaire. Par exemple, si le recruteur vous dit que votre futur responsable est quelqu'un de très exigeant, n'hésitez pas à lui demander : "Qu'entendez-vous exactement par exigeant ?" Ce sera bien vu et vous permettra de transformer l'entretien en échange.

Puis nous travaillons l'entretien d'embauche, le pitch de projet, le pitch ascenseur.

Nous leur apprenons à transformer un feu d'artifice en feu de cheminée : ils ont souvent beaucoup plus de créativité et de forces en eux que ce qu'ils pensent. Leurs prises de parole sont des feux d'artifice, qui partent dans tous les sens. Personne ne leur a appris à structurer leurs discours de façon carrée, fluide, pour que les interlocuteurs les suivent, comme s'ils regardaient un feu de cheminée rassurant et bien maîtrisé ».

C. Exercices[60]

—

« PLUS TARD, JE SERAI... »

—

⚙ **AXE DE TRAVAIL :** l'introspection.

→ **OBJECTIF :** apprendre à se projeter dans l'avenir.

👥 **NOMBRE DE PERSONNES :** 1 personne.

🕐 **DURÉE TOTALE :** 30 minutes.

🎚 **NIVEAU :** à partir de 11 ans.

Cet exercice est une variante de l'exercice de rhétorique « Moi, président[61] ». Il permet d'aborder l'aspiration professionnelle dès le collège.
Chaque élève doit préparer un discours dans lequel il se projette dans le métier qu'il souhaite.

ÉTAPE 1 • PRÉPARATION • 25 MINUTES
Dans leur annonce de plan, ils présentent leurs trois arguments. Pour chaque idée, ils doivent respecter ces trois temps :

---

60 Exercices proposés avec la contribution de Gildas Laguës (formateur en aspiration professionnelle).
61 Voir l'exercice « Moi, président », p. 161.

– énonciation du métier et de la fonction visée ;

– explication de ses motivations ;

– exemple de projets ou de missions qu'il souhaite mener dans ce métier.

ÉTAPE 2 • DISCOURS • 2 À 3 MINUTES
Chaque élève prend la parole à tour de rôle et présente son projet à la classe.

ÉTAPE 3 • ÉCHANGE AVEC LE GROUPE • 5 MINUTES
Pendant les échanges, le groupe questionne l'aspiration et les motivations de l'orateur.

EXERCICE

—

COMPRENDRE LES ENVIRONNEMENTS QUI NOUS CORRESPONDENT

—

 AXE DE TRAVAIL : l'introspection.

 OBJECTIF : prendre conscience des environnements qui nous correspondent.

 NOMBRE DE PERSONNES : de 2 à 4 personnes.

 DURÉE TOTALE : de 30 minutes à 1 heure.

 NIVEAU : à partir de 11 ans.

Le principe de l'activité est de se faire questionner sur sa personnalité par une ou plusieurs personnes afin de se regarder en « miroir ». Cela permet de cerner davantage notre personnalité, ce qui nous fait avancer et ce qui nous rebute, avec l'aide des autres.

ÉTAPE 1 • S'INTERROGER SUR SA PERSONNALITÉ • 15 MINUTES

En binôme ou en petit groupe, 2 à 4 étudiants s'interrogent mutuellement à tour de rôle. Ils se posent les questions ci-dessous :
- Quelle est ta formation ?
- Qu'est-ce que tu perçois comme tes qualités ?
- Qu'est-ce que tu perçois comme tes défauts ?
- Qu'est-ce qui te fait avancer et pourquoi ?
- Qu'est-ce qui te bloque et pourquoi ?

ÉTAPE 2 • RÉFLÉCHIR LIBREMENT À DES ENVIRONNEMENTS PROFESSIONNELS • 15 MINUTES

Le ou les étudiants « questionneurs » donnent, à tour de rôle, leurs impressions à partir des traits de caractère exposés par l'étudiant « questionné » ; l'idée n'est pas de soumettre ou de suggérer des idées de métier au questionné, mais d'échanger sur les environnements professionnels les plus adaptés à la personnalité du questionné.

La parole doit être assez libre. Si la personne exprime son besoin de sentir des valeurs de respect, de loyauté, de confiance, mais veut être *trader* en banque d'affaires, il conviendra de lui montrer que ses besoins ne seront peut-être pas toujours satisfaits... Mais attention à ne tirer aucune conclusion ! C'est bien au jeune d'amorcer sa propre réflexion sur ce que lui auront dit ses camarades et le formateur.

À ce stade, bien garder en tête que le questionnement doit être ouvert et spontané : aucun guide n'est donné aux étudiants.

ÉTAPE 3 • RESTITUTION ET QUESTIONNEMENT SEMI-DIRECTIF PAR LE PROFESSEUR • 15 À 30 MINUTES

Les étudiants questionnés restituent au formateur ou à l'enseignant leurs traits de personnalité en suivant le questionnaire évoqué plus haut dans l'exercice.

Si l'étudiant a un projet professionnel (notamment au lycée et en université), le formateur met en relation ces traits de personnalité et son projet.

L'accent doit être mis sur les qualités du jeune correspondant au secteur visé, et sur la façon dont il doit les mobiliser et les mettre en valeur. Ce stade correspond plus à une étape de conseils pratiques et méthodologiques mobilisant l'expertise du professeur.

EXERCICE

Par exemple : si l'étudiant exprime le fait qu'il est plus efficace dans un travail solitaire, mais qu'il rêve d'intégrer une jeune start-up, il est important de lui montrer les éventuelles difficultés qu'il pourra rencontrer, de le pousser à réfléchir aux structures, aux métiers, dans lesquels le travail individualisé et autonome est apprécié. Exemple : avocat, fiscaliste, relecteurs-correcteurs, développeur informatique...

À l'issue de la séance, l'étudiant doit avoir une meilleure connaissance de lui-même et des environnements susceptibles de lui correspondre, sachant qu'aucune certitude ne peut être émise ni par le professeur ni par les étudiants. La séance donne avant tout des pistes de réflexion.

EXERCICE

CONSTRUIRE/ÉBAUCHER UN PLAN D'ACTION EN VUE D'UN PROJET PROFESSIONNEL

—

 AXES DE TRAVAIL : structurer son propos ; l'introspection.

 OBJECTIF : apprendre à se questionner par rapport à une ambition / un projet que l'on a.

 NOMBRE DE PERSONNES : de 2 à 4 personnes.

 DURÉE TOTALE : de 1 heure 15 à 2 heures.

 NIVEAU : à partir de 16 ans.

EXERCICE

Pour étudier le projet professionnel de chaque individu, on s'appuie sur deux méthodes d'analyse :
– la technique du SWOT : Strengths (forces), Weaknesses (faiblesses), Opportunities (opportunités), Threats (menaces), qui sert à étudier une action future ;
– le questionnaire des 5 W (en version adaptée), où cinq questions permettent de résumer une situation sous tous ses aspects (« quoi ? pourquoi ? où ? qui et comment ? quand ? »).
Les étudiants doivent ressortir de cette séance avec une idée de stratégie pratique pour la réalisation de leur projet.

ÉTAPE 1 • S'INTERROGER SUR SON PROJET • 15 À 30 MINUTES

Pratique en binôme/groupe : 2 à 4 étudiants s'interrogent mutuellement à tour de rôle. Leurs questions portent sur les faits, les émotions et les opinions de la personne interrogée.

– Les faits : la situation de l'étudiant questionné. Quel est son projet ? Dans quel état d'avancement est-il ?

– Les émotions : quelles impressions a-t-il sur son projet, quelle capacité de le réaliser a-t-il, selon lui ? Quelles sont ses craintes, ses espoirs ?

– Les opinions : ses croyances, bloquantes ou motivantes. Ces croyances sont différentes des traits de personnalité : il s'agit de ce qui motive ou de ce qui effraye l'étudiant dans les étapes à franchir pour réaliser son projet.

ÉTAPE 2 • LE *FEEDBACK* • 30 MINUTES

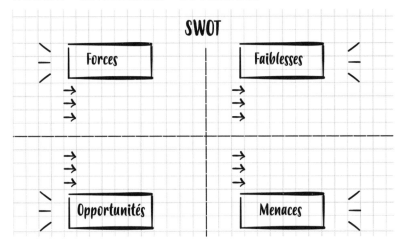

Faire appliquer la technique du SWOT au projet de l'étudiant. À la lumière de tous les éléments dégagés et en lien avec le formateur ou l'enseignant, chaque étudiant doit établir la cartographie de sa situation par rapport à son projet, en remplissant les quatre catégories : forces, faiblesses, opportunités, menaces.

Ce « SWOT » servira de synthèse en termes d'atouts et de points de vigilance pour notre projet.

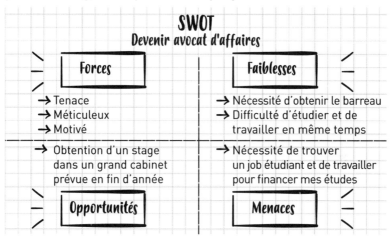

ÉTAPE 3 • ÉTABLIR UN PLAN D'ACTION • 30 MINUTES À 1 H

L'étudiant va alors utiliser la technique des 5 W (what, why, where, who and how, when) en version adaptée, en direct avec le formateur ou l'enseignant. Il répond aux six questions ci-dessous :

– Quoi ? (décrire le projet)

– Pourquoi ? (le sens de ce projet)

– Où ? (lieux possibles ou désirés)

– Qui et comment ? (les personnes à mobiliser dans ou hors de son réseau et la stratégie de réalisation)

– Quand ? (timing)

L'objectif de la séance n'est pas nécessairement que l'étudiant établisse de bout en bout un plan d'action finalisé (cela prendrait beaucoup plus de temps). Cependant, à la fin de l'exercice, il doit avoir posé des bases assez précises sur lesquelles il pourra s'appuyer par la suite.

EXERCICE

—

LES *SOFT SKILLS*

—

 AXE DE TRAVAIL : l'introspection.

 OBJECTIF : établir une liste de compétences personnelles à valoriser en vocabulaire professionnel.

 NOMBRE DE PERSONNES : de 2 à 4 personnes.

 DURÉE TOTALE : 1 heure.

 NIVEAU : à partir de 11 ans.

EXERCICE

Les étudiants doivent être capables de pallier le manque de compétences techniques par des compétences humaines transposables au monde du travail. Ces qualités humaines sont appelées les *soft skills* par opposition aux compétences techniques ou *hard skills*. Le but de cet exercice est de les identifier et d'en dresser la liste pour savoir les valoriser en milieu professionnel[62].

ÉTAPE 1 • LE QUESTIONNEMENT • 30 MINUTES
Comme dans les exercices précédents, 2 à 4 étudiants s'interrogent mutuellement à tour de rôle.
Leurs questions portent sur :
– Les activités personnelles de l'étudiant questionné. Cela peut être des activités tout à fait banales comme la lecture, aller au cinéma... Il n'y a pas besoin de chercher l'originalité ou la spécialisation ;

---

62 Voir les *soft skills* p. 232.

– Les qualités qu'il ou elle pense mobiliser à travers ces activités (par exemple, la concentration, l'endurance...). Encourager les étudiants à aller le plus dans le détail possible. Par exemple, un étudiant jouant au football mobilise sans doute des qualités d'endurance, mais à quel poste joue-t-il habituellement ? Quelles sont les qualités spécifiques à ce poste par rapport à d'autres ?

ÉTAPE 2 • DRESSER LA LISTE DES *SOFT SKILLS* • 10 MINUTES

À partir des qualités dégagées, les étudiants essaient de mettre au point la liste de *soft skills* qui en résulte. Pour cela, ils doivent transposer des qualités en termes professionnels. Par exemple, on parlera de persévérance et de travail en équipe pour des pratiques de sports collectifs, de créativité et d'attention au détail pour des activités artistiques, etc.

ÉTAPE 3 • LA VALIDATION • 20 MINUTES

Chaque étudiant fait sa restitution au formateur ou à l'enseignant, qui la valide ou qui fait d'autres suggestions.
Il ressort de la séance avec une liste de *soft skills* à mentionner sur son CV.

Pour citer les *soft skills*, deux options sont possibles : soit les mentionner en tant que qualités lors de l'entretien de recrutement ou sur un CV, soit les disséminer sur une lettre de motivation en les accolant à ses expériences professionnelles et personnelles.

EXERCICE

••• Exemple de la mise en avant de *soft skills* dans une lettre de motivation :

« Actuellement étudiant en Master 1 droit des affaires à l'Université de Paris VIII-Saint-Denis et passionné par la régulation et les conciliations que le droit peut apporter à l'économie, je me destine à devenir avocat en droit de la concurrence. De caractère rigoureux, analytique et persévérant, je suis capable d'assurer différentes responsabilités en simultané, notamment en cumulant travail et études tout au long de l'année. »

Ces *soft skills* sont en lien avec les expériences mentionnées dans le CV : on n'hésitera pas à les détailler dans ce sens. Par exemple, pour montrer que l'on est « capable d'assurer différentes responsabilités en simultané », on pourra inscrire sous une expérience de vendeur : « accueil et prise commandes clients (30 commandes par heure à l'heure de pointe » ou « travail en horaires décalés »).

EXERCICE

—
LE PITCH ASCENSEUR
—

 AXES DE TRAVAIL : l'introspection ; structurer son propos.

 OBJECTIFS : synthétiser sa présentation ; savoir présenter son parcours et ses objectifs.

 NOMBRE DE PERSONNES : 1 personne.

 DURÉE TOTALE : 30 minutes (par individu).

 NIVEAU : à partir de 18 ans.

Le principe de cette activité est simple : je rencontre un professionnel dans un ascenseur. Dans le temps imparti, je dois lui donner envie de me connaître. Cet exercice a pour but d'enseigner à être capable de se présenter en une minute à un professionnel.

ÉTAPE 1 • STRUCTURATION DU DISCOURS • 20 MINUTES
Selon un plan défini et expliqué par le professeur, les étudiants rédigent une présentation de leur parcours, qui ne doit pas dépasser une minute. Le plan se décompose en quatre points :
– Ce que j'ai fait ;
– Ce que je fais ;
– Ce que je veux faire ;
– En quoi notre interlocuteur peut nous aider.

La partie « ce que j'ai fait » doit synthétiser le parcours passé et les choix qui l'ont guidé.
La partie « ce que je fais » rappelle les études/activités

EXERCICE

actuelles et les choix qui les ont guidées.

La conclusion, « ce que je veux faire », présente les objectifs professionnels et les motivations qui les guident.

La notion de choix, de raisons ou de motivation est essentielle : même dans une rapide présentation, il s'agit d'exposer les principes qui nous font avancer, les étapes factuelles (études, stages...) n'étant là que pour les illustrer. Ce sont les transitions qui font tout l'intérêt du discours, et non la liste des expériences. Les étudiants doivent clairement expliquer les raisons qui ont guidé leurs choix, et ce, même s'ils ont changé de voie. Il s'agit d'apporter du sens et de la cohérence à un parcours.

Même si le jeune a l'impression de s'être orienté sans raison particulière, le pousser à creuser. Le faire chercher pourquoi il a opté pour des études de droit ou un cursus d'infirmier. Il n'y a pas de hasard. A-t-il assisté à une réunion d'information qui l'a interpellé ? L'un des membres de sa famille exerce-t-il ce métier ? A-t-il un objectif sous-jacent qu'il ne s'avoue pas : devenir député, par exemple ? Les étudiants doivent chercher et transformer ce hasard en histoire. Elle peut être simple, mais la raconter apporte la cohérence dont nous parlions plus haut. Quand on dit les choses, cela efface les zones d'ombre.

Le quatrième temps du pitch ascenseur consiste à demander quelque chose à notre interlocuteur. Savoir demander n'est pas toujours chose aisée. Il faut apprendre à oser, mais aussi cibler ce que l'interlocuteur peut nous apporter par rapport à notre projet (entretien avec lui, une connexion avec une personne, une expertise...). Il ne faut pas hésiter à poser directement à la personne la question, sur laquelle

elle pourrait nous aider, car c'est le meilleur moyen d'avancer.

ÉTAPE 2 • PITCH • 1 MINUTE
Chaque étudiant récite son discours.

ÉTAPE 3 • DEBRIEFING • 10 MINUTES
Lors du débrief, l'accent sera toujours mis sur la nécessité de liant dans le discours : même une présentation aussi courte doit « raconter une histoire » et ne pas être un inventaire d'expériences.
Le formateur et le groupe doivent être attentifs au fond comme à la forme.

Sur la forme, par exemple, s'il y avait plusieurs interlocuteurs, l'étudiant les a-t-il tous bien regardés attentivement, sans en laisser un de côté ? S'est-il tenu bien droit ?

Sur le fond, reprendre avec lui l'histoire de l'étudiant. Pourquoi a-t-il choisi une expérience plutôt qu'une autre ? A-t-il bien mis en avant ce qui le définissait aujourd'hui et ce qu'il souhaitait faire ? N'a-t-il rien laissé d'important de côté, qui aurait pu lui permettre de se démarquer, de provoquer le fameux « tilt » dans l'esprit du professionnel ?

Cette activité est un exercice de synthèse par excellence. L'étudiant doit apprendre à condenser ses arguments-clés, ceux qui ont de l'impact, dans des contextes où il ne dispose que d'un temps très court pour marquer l'esprit de son interlocuteur et obtenir de le revoir ensuite.

EXERCICE

—

SIMULATION D'ENTRETIEN
(la boussole à entretien[63])

—

 AXE DE TRAVAIL : structurer son propos.

 OBJECTIFS : intégrer l'ensemble des éléments vus précédemment dans une simulation globale ; être capable de maîtriser l'entretien.

 NOMBRE DE PERSONNES : 2 personnes minimum.

 DURÉE TOTALE : 40 minutes (par étudiant).

 NIVEAU : universitaire et plus.

Cette activité se fait en toute fin de parcours dans les universités. Elle vise à permettre à l'étudiant de restituer l'ensemble des compétences acquises aussi bien à travers « la boussole à entretien », la présentation de projet que le pitch ascenseur.

Plus qu'une simulation d'entretien d'embauche à proprement parler, il s'agit d'un contexte où le candidat est pris au dépourvu (ex : appel téléphonique d'un recruteur pour un pré-entretien) et où il doit être capable d'articuler une présentation logique et adaptée au métier ou au secteur visé.

---

63 Voir p. 378 avant de procéder à cet exercice.

ÉTAPE 1 • STRUCTURATION DU DISCOURS • 10 MINUTES

Révision des éléments de la présentation personnelle, de ses motivations et de la connaissance de son secteur. Il s'agit ici de restituer « la boussole à entretien » préparée en amont.

À ce stade, l'étudiant doit avoir en tête les apprentissages des exercices précédents.

Avant la simulation d'entretien, l'élève prend le temps de faire le point sur les notes nécessaires à sa présentation.

ÉTAPE 2 • PASSAGE • 30 MINUTES

Passage de chaque étudiant, avec le formateur en binôme qui joue le rôle du recruteur.

ÉTAPE 3 • DÉBRIEFING • 10 MINUTES

Les autres étudiants et le professeur débriefent ensuite. L'objectif ultime du débrief est que l'étudiant ait ensuite l'ensemble des éléments de sa présentation en tête, afin de ne jamais être pris au dépourvu dans quelque contexte que ce soit.

EXERCICE

3

LES POINTS CLÉS DU TRAVAIL EN GROUPE

Les matières de la pédagogie « Porter sa voix » sont le véhicule de l'enseignement. Toutefois, certaines règles transverses à toutes ces matières doivent être mises en place pour animer des ateliers de prise de parole éducative efficaces. Comment aménager la salle ? Comment animer la première séance ? Comment briser la glace entre les élèves ? Comment susciter l'écoute active du groupe ? Comment réussir à provoquer un débat constructif ? Comment s'adapter aux différentes personnalités des élèves ? Quelle posture adopter en tant que formateur ? Nous avons rencontré ces questions à plusieurs reprises en formant des animateurs à notre pédagogie. Nous aborderons dans cette partie certains points clés sur lesquels j'insiste auprès des nouveaux formateurs.

I. L'AMÉNAGEMENT DE L'ENVIRONNEMENT

A. Le lieu de la formation

1. LE CHOIX DU LIEU

L'aménagement du lieu où doit se dérouler l'atelier de prise de parole n'est pas fortuit. Si possible, il faut privilégier un espace qui ne soit pas scolaire, un lieu neutre où les élèves n'ont pas l'habitude de travailler. On évitera cependant les cours en plein air : le volume de la voix se disperse et l'espace ouvert nuit à l'intimité du groupe.

Si l'atelier se déroule à l'école ou dans une entreprise, il faut veiller à ce qu'il ait lieu dans une pièce fermée où il ne peut y avoir d'allées et venues ni de regards extérieurs.

Si l'atelier ne peut avoir lieu que dans une salle de classe, le formateur veillera à réaménager l'espace en fonction des exercices qu'il prévoit lors de la séance.

2. L'AMÉNAGEMENT DE L'ESPACE

Le lieu doit être adapté en fonction de l'objet de la séance. Par exemple, si les élèves n'ont pas besoin d'écrire pour faire l'activité proposée, inutile qu'ils se retrouvent assis derrière une table. L'animateur doit toujours se réapproprier le lieu et changer son organisation traditionnelle.

Par exemple, dans une classe, pour un atelier d'expression scénique, on privilégiera un espace vide et on repoussera toutes les tables au fond de la salle. Déplacer les chaises et les bureaux en début de séance instaure aussi une forme de rituel. Celui-ci permet aux élèves de redécouvrir le lieu sous un autre angle.

Lorsqu'il n'y a plus de tables entre les élèves et le formateur, que tout le monde est assis (ou debout) en cercle, cette organisation horizontale envoie un message très clair : tout le monde va prendre la parole.

Enfin, au sein d'un même atelier, en fonction des exercices choisis, l'aménagement du lieu pourra évoluer.

B. Typologie des aménagements possibles

1. L'ESPACE VIDE

On fait le vide dans la salle, on repousse les chaises et toutes les tables au fond de la pièce. Cette disposition est utile lorsque les élèves doivent se déplacer dans toute la pièce ou que tout le groupe fait le même exercice simultanément (méditation, *ice-breaker*...). Quand le formateur propose des jeux collectifs qui concernent l'ensemble de la classe, ces activités nécessitent *a minima* un peu d'espace pour chaque participant.

2. LE CERCLE

Que les élèves se tiennent debout ou assis, la disposition en cercle est privilégiée pour des discussions ou pour un débriefing avec le groupe en fin de séance. Le cercle apporte un espace sécurisant et permet à tout le monde de se voir. Il évite que certains membres du groupe se cachent ou soient mis à l'écart.

3. L'ARC DE CERCLE

Cette disposition du « petit amphi » est nécessaire lorsque les élèves s'expriment à tour de rôle, en binôme ou en petit groupe devant les autres élèves. Ces derniers constituent un « public » en situation d'écoute : les orateurs sont placés au centre de l'attention. De plus, cet aménagement est idéal pour entraîner l'orateur à faire des discours et à occuper l'espace face à un auditoire.

4. LE MODE « DÉBAT »

Lorsque les exercices consistent en un débat individuel ou par équipe, il faut toujours disposer une table pour séparer les deux camps. Le débat individuel confronte traditionnellement deux orateurs assis, en tête à tête, les yeux dans les yeux. Le reste de la classe peut se répartir autour d'eux, en cercle ou en arc de cercle.

Le débat par équipe peut se faire assis ou debout mais, dans ce second cas, l'orateur qui prend la parole s'avancera vers la table pour s'adresser à l'équipe adverse.

5. LES « RANGS D'OIGNONS »

Cette disposition traditionnelle de la salle de classe se révèle nécessaire lorsque l'animateur délivre des enseignements théoriques (règles de rhétorique, figures de style…) et qu'il a besoin d'écrire au tableau. Les tables alignées en rang d'oignons face à l'animateur permettent aux élèves de prendre des notes. Cette organisation est également utile lorsque les élèves doivent écrire lors de la séance (slams, poésies, discours…).

II. LA POSTURE DU FORMATEUR

Dans un atelier de prise de parole éducative, le formateur n'est pas là pour dispenser un savoir à des élèves passifs, de façon verticale, bien qu'il doive toujours orienter le groupe et le guider vers des objectifs.

Les personnes désireuses de devenir formateurs se posent donc fréquemment une question : comment exercer son autorité sur la classe sans pour autant être trop directif ? Quels rôles le formateur doit-il assumer ?

A. Le maître du « jeu », du temps et des thèmes

Le formateur maîtrise le choix du contenu et des exercices qu'il propose aux élèves. En effet, l'enseignement de la prise de parole éducative doit revêtir une dimension ludique. Le jeu est un vecteur d'apprentissage privilégié, et ce, quel que soit l'âge des participants.

D'ailleurs, en présence des élèves, il faut parler de « jeux » plutôt que d'« exercices ». La perspective de prendre la parole face aux autres peut être angoissante pour les participants, et cette approche ludique permet de la dédramatiser. Des activités pour briser la glace sont donc nécessaires, notamment lors des premières séances ou au début de chaque cours. Toutefois, l'animateur veillera à toujours garder la maîtrise de ces moments de divertissement. Il est aussi le seul à choisir les exercices pour le groupe.

L'animateur est aussi le maître du temps. Il doit gérer le timing de sa séance et anticiper son contenu. Le cas échéant, il devra déterminer un temps pour que les élèves puissent rédiger une prise de parole (discours, slams, plaidoyers…), fixer la durée des exercices choisis en prévoyant toujours un moment de débriefing collectif.

L'animateur est également le maître du thème. En effet, lorsqu'il faut composer une séance, il est préférable de fixer un thème directeur (l'argumentation, faire connaissance, le regard, l'esprit critique…). Cela ne veut pas dire que le cadre d'intervention est figé et qu'il ne faut pas s'adapter au contexte et aux souhaits des élèves s'ils sont légitimes. Mais il convient d'avoir un objectif général, un fil rouge. Ainsi, lors des séances, le formateur ne perdra pas cet objectif de vue.

D'une manière plus spécifique, maîtriser le thème signifie également s'assurer que les participants ne s'écartent pas du sujet posé dans leur traitement d'un débat ou d'un exercice.

B. Un médiateur, gardien des valeurs

Si l'animateur est le maître du « jeu », il ne doit surtout pas être le maître du « je ». Son rôle consiste à donner la parole aux participants et à les mettre en valeur. Cela ne signifie pas qu'il ne faille jamais délivrer d'enseignements théoriques où le formateur reprend une posture d'enseignant, mais ces temps de cours magistral doivent être très minoritaires. *A minima*, la moitié de chaque séance restera dédiée à des exercices où les élèves sont mis à l'épreuve, débriefent la prestation de leurs camarades et reçoivent les conseils de l'animateur. La prise de parole est avant tout un apprentissage par le « faire », où l'intelligence collective est mise à l'honneur. Une fois que les élèves s'approprient cette dynamique horizontale, l'animateur adopte une posture de médiateur : il répartit les temps de parole et questionne les participants pour les aider à approfondir leur propos. Si des débats s'emballent, le formateur peut volontiers adopter une position d'observateur : c'est le cas notamment lors de débats ou de simulations de procès. Il ne doit alors intervenir que lorsqu'il souhaite orienter le groupe vers des pistes de réflexion. Lorsque la classe en vient à oublier sa présence et que les interactions, le questionnement mutuel et la répartition des temps de parole se font naturellement, alors le formateur est parvenu à ses fins.

Cette position de médiateur implique que les élèves puissent prendre le contrôle de la séance. Pour cela, ils doivent se sentir à l'aise pour s'ouvrir face à leurs camarades mais aussi face au formateur. Ce dernier doit inspirer la confiance, notamment en se mettant au niveau des élèves et non dans une posture dominante. Pour y parvenir, il participe aux jeux qui servent à briser la glace, lors des premières séances, il peut se faire appeler par son prénom, il encourage les élèves ou les félicite. Pour gagner leur confiance, il peut aussi leur rendre hommage.

« On sentait que cette reconnaissance rendait les élèves très fiers. »

ROMAIN VAN DEN BRANDE, FORMATEUR POUR ELOQUENTIA

« Lors d'une séance où j'observais l'un de nos formateurs, j'ai assisté à une déclamation de textes, écrits par des jeunes qui avaient raconté ce qu'ils feraient s'il leur restait 5 minutes à vivre. L'émotion était au rendez-vous. Deux élèves ont pleuré, et une autre n'est pas parvenue à terminer son discours... Le formateur était bouleversé. En fin de séance, j'ai tenu à m'exprimer devant le groupe de lycéens pour saluer leur participation : "Merci de m'avoir accueilli, merci pour vos confidences et votre confiance." On sentait que cette reconnaissance rendait les élèves très fiers. Leur rendre cet hommage était aussi une marque d'humilité. Cela prouvait que le formateur et moi-même avions conscience des efforts fournis. »

La notion de médiateur renvoie aussi à celle du conflit et de tension. L'entreprise ou l'école sont des microsociétés où les individus ont pu tisser des liens complexes. En amont de l'intervention, il est donc conseillé de faire un point avec l'équipe enseignante, les CPE, le chef d'établissement ou, le cas échéant, avec le chef d'entreprise et les équipes des ressources humaines, afin de bien comprendre le contexte de la formation (personnalités difficiles, individus volontaires ou non...) et les objectifs poursuivis.

Cette analyse permet d'identifier les éventuels nœuds au sein du groupe, que le formateur va devoir traiter en priorité pour créer une dynamique collective. Elle va aussi lui permettre d'aiguiller le contenu de ses futures séances.

Dans un établissement scolaire, lorsque l'animateur de la séance est également le professeur de la classe en temps normal, la posture de médiateur devient vitale. La prise de parole éducative pouvant aussi être utilisée pour faire vivre des matières traditionnelles (histoire-géographie, français, langues vivantes, enseignement moral et civique…), l'enseignant qui veut l'employer doit alors instantanément changer de posture. Il doit laisser les élèves animer les débats ou présenter leur exposé, sans chercher à les corriger immédiatement si le contenu de leur propos est erroné ou s'ils font des erreurs de syntaxe. Au moment où l'élève prend la parole, le but est de faire vivre la matière, stimuler collectivement des connaissances et l'esprit critique des jeunes. L'autorité du professeur se cantonne, dans ce cas, à répartir les temps de parole, puis à effectuer un débriefing des échanges (exposés, discours, débats…). Lors de ce temps de conseils, il partira des observations des élèves. Il les corrigera si nécessaire, mais en insistant à chaque fois sur les points forts de leur intervention ou les progrès réalisés. En ne se sentant pas jugés, les élèves seront plus à l'aise pour participer la fois suivante.

« Nous ne sommes pas là pour sanctionner des faiblesses. »

LOUBAKI LOUSSALAT,
FORMATEUR EN SLAM ET POÉSIE POUR ELOQUENTIA

« Se retrouver assis dans une salle de cours reste aujourd'hui quelque chose de très sérieux, presque solennel, qui fige les énergies, parfois. Je dis alors aux jeunes qu'ils peuvent me tutoyer et m'appeler Loubaki. Je les amène d'abord dans une discussion. Je leur montre que nous sommes dans un cadre où ils pourront s'autoriser à être eux-mêmes, à s'exprimer. Je leur dis aussi que même si nous utiliserons les qualités des uns et des autres, nous ne sommes pas là pour sanctionner des faiblesses. Je les considère, d'emblée, comme des collaborateurs dans un laboratoire d'idées, pas comme des élèves. C'est fondamental d'inviter les participants à effacer les frontières entre formateur et apprenants, car nous sommes tous confrontés aux mêmes difficultés. »

Enfin, le formateur est aussi le garant des trois valeurs-mères qui doivent irriguer tous les ateliers de prise de parole éducative[64] : le respect profond des opinions des uns et des autres (respect de l'animateur à l'égard des participants et respect entre les élèves),

---

64 Voir « Le cadre de valeurs », p. 112.

l'écoute active (l'attention portée à autrui, le questionnement mutuel), la bienveillance (le plaisir d'échanger, les encouragements). C'est au formateur de rappeler ces valeurs et de veiller à ce qu'elles soient pratiquées par les participants du groupe. Ainsi, lorsque des discussions s'emballent et que les élèves en viennent à se manquer de respect, l'animateur doit faire montre d'autorité, prendre à partie les élèves insultants, avant de reprendre le cours de la séance. Lorsqu'un élève en insulte un autre, le formateur peut se rapprocher de lui pour lui signaler son comportement. Si le formateur se retrouve en tête à tête avec un élève, il peut baisser la voix afin de ne pas l'humilier non plus.

En résumé, voici quelques conseils pour adopter la posture voulue en tant que formateur :

– Évitez de monopoliser la parole ou de laisser quelqu'un la monopoliser. Soyez le maître du temps.

– Faites-vous entendre, parlez fort mais ne criez pas. De même, ne parlez pas si quelqu'un parle en même temps que vous. Rappelez cette règle aux élèves.

– Favorisez un environnement où chacun peut s'exprimer librement, n'interrompez pas les élèves sauf en cas de vulgarité, d'insultes ou de propos violents. C'est le seul moyen d'accéder aux représentations des élèves, pour ensuite les amener à se questionner.

– Ne jugez pas, ne dénigrez pas un participant sur son point de vue. Préférez le questionnement, l'invitation à reformuler un propos.

– Posez des questions au lieu d'apporter des réponses systématiquement.

– Débriefez après chaque exercice, même quelques minutes, demandez l'avis des élèves, leurs ressentis.

– Prévoyez toujours, en fin de séance, un temps d'échange et de bilan. C'est le moment de faire des retours constructifs ou *feedbacks* globaux. Mettez en avant les progrès, les éléments positifs dont les élèves ont fait preuve, mais en restant sincère, sinon cela produira l'effet inverse. Montrez-vous bienveillant tout en demeurant exigeant (« C'est très bien, tu as beaucoup progressé là-dessus, je pense que si tu améliores cela… ce sera parfait ».)

– Enfin, un conseil primordial : restez souple. Très souvent, nous sommes amenés à improviser, car un groupe reste imprévisible. Il faut être à l'écoute, attentif, et parfois proposer des exercices ou des thèmes qui répondent au « nœud » du groupe qui se révèle sous les yeux du formateur.

III. LA PREMIÈRE SÉANCE

La première séance est toujours un moment charnière. Elle peut conditionner l'adhésion des élèves et revêt donc un enjeu important pour le formateur.

A. Composer un groupe

Idéalement, je recommande qu'un groupe de prise de parole éducative soit composé de 15 à 18 personnes, soit une demi-classe. En dessous de 15 personnes, la dynamique et l'émulation ne sont pas les mêmes. Parler devant un groupe provoque des émotions que l'on n'éprouve pas nécessairement en présence de 5 ou 6 individus. Mais au-delà de 18 membres, le travail sur la prise de parole risque de devenir moins efficace, car il sera moins personnalisé, difficile à adapter en fonction des avancées de chacun. En milieu scolaire nous sommes régulièrement contraints d'intervenir dans des classes de plus de 30 élèves. Dans ce cas, il est préférable de travailler avec deux animateurs, chacun prenant en charge un demi-groupe. Cela permet de conserver un cadre intime et familier, de faciliter les éventuelles gestions de tensions et d'accorder à chaque jeune un temps de passage conséquent, sans qu'il puisse « se cacher » derrière ses camarades.

B. La rencontre avec les élèves

L'approche de cette première séance varie en fonction de deux critères : si le groupe se connaît déjà ou non et s'il participe à la formation volontairement ou non.

1. LE GROUPE SE CONNAÎT-IL ?

Lorsque les membres du groupe ne se connaissent pas, l'inconvénient est le peu de complicité, le peu de confiance qui règne dans la classe. Ce contexte présente cependant l'avantage qu'il n'y a aucun antécédent entre les individus, aucun *a priori*, aucun nœud. Le collectif est vierge de tensions et prêt à se laisser guider. Il faut donc privilégier des « jeux » de *team building*, qui servent à souder le groupe, lors de cette première séance.

A contrario, lorsque les participants se connaissent déjà (école, entreprise…), ils ont l'habitude de vivre ensemble, ils ont déjà pris la parole les uns devant les autres. Il existe ainsi une certaine ouverture au sein du groupe. Toutefois, celle-ci peut être traître, car des postures ont peut-être déjà eu le temps de se figer (timidité, turbulence…). La compétition, la rivalité, des amitiés brisées, des sentiments ambivalents se mêlent au sein du collectif. Lorsque l'animateur découvre le groupe, il n'a pas nécessairement toutes ces informations. Les classes ou les entreprises où les participants vivent déjà ensemble au quotidien requièrent donc des premières séances spécifiques, au cours desquelles l'animateur doit observer l'environnement et la nature des liens entre les élèves. Cette observation revient à lire la sociologie de la classe. Y a-t-il des clans ? des personnalités timides ? turbulentes ? Qui sont les leaders (positifs ou négatifs) ? Il faut également être attentif au langage non verbal : qui s'assoit à côté de qui ? Qui regarde qui lorsque l'orateur s'exprime ? Qui se moque d'untel lorsqu'il parle ? Lesquels ont des regards complices ? Cette analyse sociologique est primordiale et les premiers exercices auront vocation à sortir les élèves de ces postures et de leur zone de confort.

Quoi qu'il en soit, que le groupe se connaisse ou non, l'animateur veille à bien expliquer les trois principes du cadre de valeurs qui doivent régner dans les séances (respect, écoute, bienveillance).

2. LES PARTICIPANTS SONT-ILS VOLONTAIRES ?

Cette séance a-t-elle été imposée aux participants ou sont-ils venus de manière volontaire ? Dans le premier cas de figure, il va falloir susciter l'intérêt et la motivation des participants, fixer des objectifs et un cap commun (se préparer à un oral, améliorer la coopération entre collègues de travail…). Peut-être les élèves se sentent-ils frustrés d'être « en cours » et non pas chez eux ou avec des amis. Le formateur devra tout de suite les mettre en situation, entamer des activités ludiques afin d'anesthésier cette frustration potentielle. Il ne faut pas hésiter à repérer des individus qui pourraient être des « moteurs » pour la classe et à rapidement leur donner la parole pour montrer l'exemple aux autres.

Lorsque les élèves ont décidé eux-mêmes de participer à la formation, ils seront évidemment plus spontanés, à l'écoute de l'animateur et souvent disposés à s'ouvrir aux autres. Ils auront cependant des attentes, un intérêt personnel à suivre ces séances : devenir plus à l'aise à l'oral, maîtriser leurs émotions, vouloir s'essayer au théâtre ou au slam, vaincre leur timidité, savoir faire un discours, mieux dialoguer au sein de l'entreprise… Il existe de nombreuses motivations possibles pour un élève. On aura tout intérêt à le questionner sur ce point dès le premier cours, pour pouvoir individualiser les contenus au fil des séances et découvrir sur quels participants l'animateur peut s'appuyer pour dynamiser les séances.

C. L'objectif : déclencher une dynamique de groupe

À l'issue de cette première séance, l'animateur doit être parvenu à déclencher une dynamique de groupe. C'est l'objectif principal de cette prise de contact. Autrement dit, le formateur doit parvenir à impliquer l'ensemble des élèves, sans exception, dans les exercices choisis. Tout le monde doit avoir pris la parole au moins une fois au cours de chaque séance. Dans les cas de figure les plus complexes, notamment lorsque l'atelier de prise de parole est imposé aux élèves, il vaut mieux débuter les cours par des jeux qui leur permettent de « briser la glace » entre eux : les *ice breakers*[65].

L'animateur joue aussi un rôle de modèle. Il peut montrer l'exemple en s'ouvrant à ses élèves. Ainsi, au cours de la première séance, il peut parler de lui, de sa trajectoire, de son rapport à la parole, des difficultés qu'il a pu rencontrer avec celle-ci, des raisons qui l'ont poussé à vouloir former à la prise de parole éducative, par exemple. Sa sincérité peut aider à transmettre à la classe une ouverture d'état d'esprit. À décomplexer les élèves, aussi. En parlant de lui, le formateur leur montre qu'il est prêt à leur faire confiance. Généralement, lorsqu'il demande aux élèves, dans la foulée, de définir à leur tour leur rapport à la parole, les langues se délient plus facilement.

Le formateur peut également leur demander quelles peurs ils rencontrent lorsqu'ils souhaitent prendre la parole. Ce sont souvent les mêmes remarques qui reviennent : la peur des moqueries, du jugement, les complexes, etc. Réussir à rassembler ces premières confidences représente déjà un bon premier pas vers l'ouverture aux autres.

Évidemment, les situations ne sont pas toujours aussi simples. Déclencher cette dynamique de groupe n'est pas chose aisée et peut prendre plusieurs séances avec des classes difficiles. Comprendre

---

65 Voir la partie « Briser la glace », p. 268.

la sociologie d'un groupe et les enjeux personnels d'un participant nécessitent du savoir-faire et de la pratique. C'est essentiel pour pouvoir déterminer le contenu des séances.

« Au cours de cette formation, tout le monde sera amené à prendre la parole. »

ROMAIN VAN DEN BRANDE, FORMATEUR POUR ELOQUENTIA

« L'enjeu de la première séance, c'est que les élèves comprennent le sens de la formation mais aussi que celle-ci soit immédiatement perçue comme ludique et non comme une matière supplémentaire. Concrètement, que ce soit en collèges ou en lycées, je la débute de cette manière : je me présente, en donnant des éléments de mon parcours, puis j'invite les élèves à casser la symbolique de la classe avec moi, c'est-à-dire à bouger les tables et les chaises de manière à créer un arc de cercle. Cela devient ensuite un rituel d'entrée dans chaque séance afin de leur envoyer le message que ce n'est pas un cours vertical mais que nous serons davantage dans des rapports horizontaux, égaux. Puis pour faire connaissance, je lance la ronde des prénoms (inspiré du jeu « le geste et le prénom[66] »). Je fais un grand pas en avant, un geste et j'annonce mon prénom. Tous les

---

66 Voir l'exercice « Le geste et le prénom », p. 173.

élèves font la même chose, chacun leur tour. Cela me permet de voir l'engagement de chacun et de lire les personnalités de la classe, entre ceux qui font un petit pas, un grand geste, ceux qui parlent fort. C'est important de débriefer dans la foulée avec le groupe en leur donnant des critères d'observation : Qui a regardé ses pieds ? Qui a parlé tout bas ?

J'adapte ensuite mon répertoire de jeux en fonction du groupe, mais j'ai toujours à cœur de les faire parler dès la première séance. Ils peuvent exprimer une humeur du jour ou un message très court, mais l'idée, c'est que les participants comprennent qu'au cours de cette formation, tout le monde sera amené à prendre la parole. »

Quelques conseils pour bien mener la première séance :

– Soyez très attentif au langage non-verbal des élèves : voix, posture, regard, complicité, tensions.

– Dénouez les nœuds : identifiez, écoutez et gérez les premières émotions des membres du groupe (honte, peur, gêne...). Incitez les élèves à les verbaliser.

– Réfléchissez à la constitution de petits groupes d'élèves. Les laisser en groupes affinaires au début permet de gagner leur confiance, leur enthousiasme, puis dé-constituez ces groupes progressivement, au fil des séances.

– Regardez les élèves et appuyez-vous sur leurs regards pour vous adapter. S'ennuient-ils ? Sont-ils enthousiastes ?

– Assurez-vous de la compréhension des règles des jeux (« Les règles sont-elles claires pour tout le monde ? »), mais aussi du cadre de valeur posé.

– Instaurez une culture du débriefing. Dès la première séance, le formateur doit instaurer une culture du feed-back après chaque prestation du participant. Cela permet de renforcer la dynamique participative de la formation.

IV. BRISER LA GLACE

Nous l'avons vu, la prise de parole éducative est composée de différentes matières, que l'on peut travailler au moyen d'exercices plus ou moins techniques. Toutefois, au début de chaque séance, il est de bon aloi de commencer par des jeux permettant de détendre l'ambiance et de susciter de l'enthousiasme pour la matière. Ces jeux sont des *ice breakers*.

A. Qu'est-ce qu'un *ice breaker* ?

Traduction littérale de « briser la glace », cette expression reflète l'idée selon laquelle il faut réchauffer l'atmosphère et créer des liens entre les membres du groupe. Les *ice breakers* ne sont donc pas nécessairement des exercices de prise de parole en soi, mais des activités ludiques.

La particularité de ces exercices est qu'ils se font nécessairement à deux ou à plusieurs. Je recommande d'y avoir recours notamment au début de chaque cours et, pourquoi pas, d'y dédier une bonne partie des premiers cours jusqu'à ce que le groupe soit soudé et prêt à échanger.

B. Objectif : créer de la confiance

Pour créer une dynamique de groupe[67], il faut instaurer un climat de confiance. Les exercices *ice breakers* permettent de créer de la confiance entre les élèves en les invitant à « jouer » et en les

---

67 Voir « Former un groupe », p. 93.

mettant dans des situations insolites voire comiques. Ces activités se révèlent très utiles dans les classes ou les entreprises où les individus se connaissent déjà et dans lesquelles les comportements au sein du groupe se sont déjà installés. Selon le principe des exercices de *team building*, les *ice breakers* font interagir des élèves qui en temps normal ne se parleraient pas, ou en tout cas, pas de cette manière.

Cette approche par le jeu a un autre objectif : montrer, au cours de la séance, que le formateur ne se pose pas en enseignant, qu'il n'est pas là pour donner une leçon aux élèves. L'amusement permet de faire ressentir au groupe les « bonnes ondes », l'atmosphère bienveillante qu'il doit faire régner lors de ses interventions.

Les *ice breakers* servent également à prendre la mesure des conflits, des tensions et des complexes qui existent dans la classe. Ils peuvent parfois être un moyen de les régler.

En voici un exemple. Lors d'une formation dispensée dans un collège de Sevran en Seine-Saint-Denis, une bagarre entre deux élèves éclate dans les couloirs de l'établissement, juste avant le début de notre cours. Il s'avère que les deux adolescents étaient dans la classe dans laquelle je devais assurer la formation. Après avoir invité les élèves à réaménager l'espace en cercle, je m'aperçois que les deux jeunes continuent à se défier du regard et même à s'insulter, soutenus par leurs amis respectifs. Je propose à la classe de faire un *ice breaker*. Sans succès. Les élèves ne souhaitent pas participer, *a fortiori* ceux qui sont concernés par la rixe qui vient d'avoir lieu. Je comprends alors que, dans cette classe, ces deux jeunes jouent un rôle de meneurs et que leur tension inhibe le collectif. Je décide alors de placer deux chaises, dos à dos, en plein milieu du cercle formé par les élèves, et j'invite les deux bagarreurs à s'y asseoir[68]. Ils portent respectivement les maillots de foot de leurs équipes préférées, Chelsea FC et le Real Madrid. Je leur donne alors deux minutes à chacun pour qu'ils expliquent à leurs camarades pourquoi leur équipe était la meilleure. Voilà

---

68 Voir l'exercice « Le dos à dos », p. 155.

ces deux collégiens, le dos tourné, qui multiplient les arguments de comptoir, tous plus drôles les uns que les autres. Alors qu'ils se battaient vingt minutes plus tôt, ils se mettent à rire eux-mêmes de la situation burlesque dans laquelle ils se trouvent. Il en résulte même une certaine complicité qui entraîne toute la classe dans une hilarité générale.

En apaisant le conflit personnel des deux élèves au moyen de ce jeu, j'ai senti que le reste de la classe était prêt à se fier à moi. Comme s'ils avaient compris que je savais ce que je faisais. Je ressentais la confiance qu'ils plaçaient désormais en moi. Lors des cours suivants, il n'y a plus jamais eu de problème de participation avec cette classe.

C. Exercices

—

LA PLANCHE EN BOIS

—

⊙ **OBJECTIFS :** briser la glace, se faire confiance.

👥 **NOMBRE DE PERSONNES :** de 3 à 5 personnes.

🕐 **DURÉE TOTALE :** jusqu'à ce que tous les élèves aient joué le rôle de « planche », soit 1 à 2 minutes par élève.

NIVEAU : à partir de 11 ans.

EXERCICE

Le formateur choisit des groupes de trois. Pour plus de sécurité, on veillera à laisser un espace suffisant entre chaque groupe.

L'un des participants, placé au centre du groupe, a les yeux ouverts et reste gainé, comme une planche. Il doit se laisser basculer en avant puis en arrière.

Les autres membres du groupe, un placé à l'avant, l'autre à l'arrière, doivent réceptionner leur camarade et le repousser, comme s'ils se renvoyaient une planche de bois. Ils se montreront très attentifs et uniquement concentrés sur la réception de la planche de bois. Ils veilleront à ne pas laisser la planche tomber complètement sur eux pour des questions de sécurité.

Puis le jeu recommence en inversant les rôles, jusqu'à ce que tous les élèves soient devenus la « planche ».

Ne pas hésiter, en tant que formateur, à pousser les élèves à la vigilance : ils sont responsables de leur « planche ». Le jeu n'est pas dangereux tant que les jeunes restent vigilants, car leur camarade leur accorde sa confiance.

VARIANTES POSSIBLES :
• Faire le même jeu mais la planche ferme les yeux.
• Faire le même jeu avec plus de participants : 5 élèves. Ceux-ci se mettent en cercle. Une personne est au milieu : l'élève bascule d'avant en arrière, puis de droite à gauche, à la manière d'un culbuto.

EXERCICE

—

LE JEU DU CLASSEMENT

—

OBJECTIFS : créer de la cohésion de groupe, se rencontrer, développer l'écoute.

NOMBRE DE PERSONNES : tout le groupe.

DURÉE TOTALE : 15 minutes.

NIVEAU : à partir de 6 ans.

Cet exercice est intéressant en première séance. Il est plutôt destiné à un groupe dans lequel les participants ne se connaissent pas.

Les élèves forment des groupes de cinq maximum. Ils doivent se classer, par exemple :

– par taille, du plus petit au plus grand ;

– en fonction de leur pointure ;

– dans l'ordre alphabétique en tenant compte de la première lettre de leur animal préféré ;

– en fonction de la couleur de leurs yeux, et de leurs nuances.

Ce dernier exemple est très intéressant, car les élèves sont obligés de se regarder dans les yeux pour déterminer les nuances. Cela leur permettra aussi de se familiariser avec le regard des autres sur soi.

EXERCICE

273

—

LA MARCHE ÉMOTIONNELLE

—

EXERCICE

→ **OBJECTIFS** : oser se mettre en scène, accepter le regard des autres.

👥 **NOMBRE DE PERSONNES** : tout le groupe.

🕐 **DURÉE TOTALE** : 15 minutes.

≡ **NIVEAU** : à partir de 8 ans.

La marche émotionnelle est un exercice utile lors des premières séances. Elle permet de se rencontrer, de se regarder, de se présenter aux autres sans avoir à se parler.

ÉTAPE 1 • DE L'ÉMOTION NEUTRE À L'ÉMOTION EXTRÊME • 5 MINUTES

Dans une salle vide ou avec très peu d'obstacles, tout le groupe se met à marcher doucement en tous sens, en affichant une émotion neutre.

À chaque signal du formateur (toutes les 45 secondes), les élèves accélèrent le pas et/ou accentuent l'émotion qu'ils expriment sur leur visage. Au fil des signaux du formateur, ils peuvent progressivement engager tout leur corps pour prononcer leurs émotions.

ÉTAPE 2 • LES ÉMOTIONS CONTRAIRES • 5 MINUTES

Diviser le groupe en deux équipes. Tout le monde se met à marcher en allant dans tous les recoins de la pièce. À chaque signal du formateur, la première équipe devra aller vers des émotions négatives de plus en plus fortes (par exemple, tristesse, puis abattement, puis désespoir). La seconde équipe devra aller vers des émotions positives de plus en plus fortes (par exemple, joie, puis bonheur, puis euphorie).

ÉTAPE 3 • DÉBRIEFING • 5 MINUTES
Finir l'exercice en demandant aux élèves ce qu'ils ont ressenti pendant le jeu.

EXERCICE

V. SUSCITER L'ÉCOUTE ACTIVE DU GROUPE

Nous avons vu l'importance de stimuler l'écoute active[69], entre le formateur et les élèves, et au sein même du groupe. Voici ci-dessous quelques ateliers pour la développer avec les élèves.

—

LE DIALOGUE DE SOURDS

—

EXERCICE

→ **OBJECTIF** : faire subir l'expérience de la non-écoute.

NOMBRE DE PERSONNES : tout le groupe, par binômes.

DURÉE TOTALE : 20 minutes.

NIVEAU : à partir de 11 ans.

Ce jeu a un but essentiel dans la pédagogie : montrer à quel point ne pas être écouté engendre de la frustration. Pour cela, une moitié des élèves va « piéger » l'autre, avec la complicité du formateur. Nous faisons le pari que cette expérience pénible fera comprendre au groupe toute l'importance de l'écoute.

Pour cela, le formateur n'explique pas tout de suite le but du jeu aux élèves, mais le présente d'abord comme un simple exercice.

---

69 Voir la partie « L'écoute », p. 115.

ÉTAPE 1 • MISE EN PLACE • 5 MINUTES

Répartir les élèves en deux groupes :

– le groupe A, les « victimes » : placer dans ce groupe en priorité les personnes qui n'écoutent pas et/ou qui sont plutôt charismatiques (si elles ne font pas attention aux paroles des autres, c'est peut-être qu'elles-mêmes n'ont jamais vécu une situation de non-écoute) ;
Faire sortir le groupe A de la salle, avec la consigne de réfléchir à un sujet qui lui tient à cœur (ce qui le révolte, par exemple). En rentrant dans la salle, chaque membre du groupe A devra parler de ce sujet à un membre du groupe B. Insister sur le fait que le sujet choisi doit être important aux yeux des élèves du groupe B.

– le groupe B, les « piégeurs ».
Expliquer au groupe B le véritable but du jeu : ils doivent passer subtilement d'une écoute active à l'absence d'écoute. Convenir d'un signal avec eux pour cela (un mot ou un geste du formateur).

ÉTAPE 2 • LES DIFFÉRENTS STADES DE L'ÉCOUTE • 10 MINUTES

Le groupe A rentre dans la salle et chaque « victime » se place face à un « piégeur », à l'écart des autres, pour que les conversations n'interfèrent pas. Les élèves du groupe A commencent à se confier.

Pendant 3 ou 4 minutes, tous les membres du groupe B portent une grande attention à ce que disent leurs homologues. Ils doivent regarder les orateurs dans les yeux, rebondir sur leurs propos, les questionner, etc. Puis, à un signal du formateur défini à l'avance (par exemple : « Faites un peu moins de bruit, s'il vous plaît »), les élèves du groupe B vont petit à petit se désintéresser, ne plus écouter les propos de leur interlocuteur.

EXERCICE

Les auditeurs doivent se montrer subtils pour ne pas être démasqués : ils peuvent regarder l'heure, bâiller, se moucher, regarder dans le vide, aller ouvrir la fenêtre, refaire leurs lacets...

Rester vigilant pendant cette étape, car le jeu ne doit pas amorcer un conflit entre les interlocuteurs.

ÉTAPE 3 • RETOUR D'EXPÉRIENCE • 5 MINUTES

À la fin du jeu, organiser un débriefing, en poussant les élèves de chaque groupe à s'exprimer, aussi bien les piégeurs que les piégés. Qu'ont-ils ressenti ?

Constater si les orateurs les plus vexés sont ceux qui parlaient des sujets les plus importants à leurs yeux.
Certains élèves auront pu vivre cette non-écoute de manière difficile. Bien expliquer aux « victimes » la consigne donnée aux « piégeurs ». Il est important de désamorcer tout conflit possible, de montrer que l'attitude de l'auditeur venait uniquement de la consigne du formateur.

Pour la suite de la formation, cette expérience pourra servir de référence : elle permettra de faire des piqûres de rappel en cas d'absence d'écoute chez certains élèves.

EXERCICE

—

LES MOTS-CLÉS

—

⊙ **OBJECTIF :** stimuler l'attention et la concentration des participants.

👥 **NOMBRE DE PERSONNES :** tout le groupe.

🕐 **DURÉE TOTALE :** 12 minutes par discours.

🎚 **NIVEAU :** à partir de 8 ans.

ÉTAPE 1 • LES MOTS-CLÉS • 5 MINUTES

Un des élèves prépare un discours ou choisit un texte à lire, dans lequel il surligne des mots-clés. Avant de réciter son discours, il demande à la classe de noter ces mots. Il en faut au minimum cinq qui peuvent être répétés plusieurs fois.

ÉTAPE 2 • LE DISCOURS • 5 MINUTES

L'élève commence son discours. Lorsqu'un des mots-clés est prononcé par l'orateur, les membres du groupe qui l'entendent lèvent la main. Le premier à le faire marque un point, noté par le formateur. L'élève qui a comptabilisé le plus de points remporte la manche.

ÉTAPE 3 • LE DÉBRIEFING • 2 MINUTES

Le formateur interroge les élèves de la classe sur le contenu du discours et sur ce qu'ils en ont retenu. En règle générale, les élèves ont porté une telle attention au contenu qu'ils en font une restitution fidèle.

EXERCICE

VI. ANIMER UN DÉBAT

L'éducation au débat est un pilier de la prise de parole éducative, notamment dans les cours de rhétorique. Il permet de stimuler des connaissances et l'esprit critique à travers des joutes qui peuvent prendre différentes formes. Il est indispensable de savoir encadrer ces débats, pour conserver leur dimension pédagogique et constructive.

A. Fixer le cadre

1. LE RESPECT DES TROIS RÈGLES D'OR

Avant même de commencer un débat, le formateur doit absolument rappeler à la classe ou au groupe les trois valeurs clés – respect, écoute, bienveillance – qui doivent régner au cours des débats. Si elles ne sont pas respectées, à tout moment, l'atelier peut être suspendu.

Cela ne signifie pas pour autant qu'il faille brider les échanges. Ceux-ci peuvent être exaltés, passionnés, révéler des désaccords de conviction. Le formateur veille surtout à ce que les propos des élèves demeurent respectueux, sans jamais chercher à diriger les opinions de ces derniers.

2. LES FORMATS DE DÉBATS

Il existe deux types de débats : le débat contradictoire et le débat ouvert.

a. Le débat contradictoire

Cette forme de débat consiste en l'affrontement de deux thèses sur une question donnée (« Pour ou contre le droit de vote à l'âge de 16 ans ? », « L'intelligence artificielle représente-t-elle un danger pour l'homme ? »). Autant de sujets qui appellent les participants à choisir « un camp ». Ces débats contradictoires peuvent se faire en binômes ou en groupe.

En binômes

Le débat en binômes a le mérite de faire participer tous les membres de la classe. Chacun défend sa thèse face à un camarade soutenant l'idée opposée.

Cet exercice oblige donc le débatteur à réfléchir à ce qu'il pense réellement par rapport à une question sur laquelle il ne s'est peut-être jamais réellement penché. Il s'agit là d'un bon moyen de pousser le participant à se questionner puis à partager son point de vue. Le débat en binômes, plutôt qu'en groupe, a un autre avantage : il empêche les plus timides de laisser la parole aux autres et les oblige à se positionner.

En équipe

Le débat par équipe confronte deux groupes qui s'opposent sur un sujet donné. Après avoir précisé le thème du débat, on regroupe les personnes qui partagent la même position et on leur demande d'échanger leurs arguments.

Cet exercice permet souvent de constater que, parmi des personnes qui partagent le même avis, il existe bien des arguments différents au sein du même camp. L'intérêt du débat en groupe est qu'il permet une confrontation d'idées dès la phase de préparation, au sein de l'équipe.

—

LE POUR/CONTRE

—

 AXES DE TRAVAIL : l'introspection ; structurer son propos.

 OBJECTIFS : développer un argumentaire, convaincre ; travailler l'écoute active.

 NOMBRE DE PERSONNES : tous les élèves.

 DURÉE TOTALE : 45 minutes à 1 heure.

 NIVEAU : à partir de 11 ans.

EXERCICE

Cette activité est un débat contradictoire en binômes. Le formateur choisit un thème de débat, par exemple : « L'argent fait-il le bonheur ? »

ÉTAPE 1 • LA RÉDACTION • 20 MINUTES

Pendant 20 minutes, tous les élèves rédigent leurs arguments. Ils doivent trouver au moins deux arguments au collège, et jusqu'à cinq arguments au lycée et en enseignement supérieur. Ils veilleront à diversifier la nature de leurs arguments : sociologiques, politiques, philosophiques, économiques, culturels...

Pour chaque argument, les participants doivent trouver un exemple concret qui l'illustre (un exemple personnel, un fait avéré ou de notoriété publique).

ÉTAPE 2 • LE DÉBAT • 20 MINUTES

Deux volontaires s'assoient l'un en face de l'autre. Le premier participant énonce son argument et son exemple. Son contradicteur improvise alors une réponse pour contester ce raisonnement. Puis, il enchaîne sur l'argument qu'il a lui-même préparé, et ainsi de suite jusqu'à ce que les deux débatteurs n'aient plus d'arguments.

Si le temps le permet, d'autres duos d'élèves peuvent être invités à débattre.

ÉTAPE 3 • LE DÉBRIEFING • 5 MINUTES

Dans un premier temps, les deux orateurs font un débriefing entre eux : ils évaluent leurs propres arguments et précisent si leur interlocuteur leur a fait ou non remettre en question leur propre position.

Puis le formateur procède au débriefing avec le groupe. Par lequel des deux orateurs les élèves ont-ils été convaincus ?

Le formateur note au tableau un groupe « pour » et un groupe « contre » et il invite les participants à refaire la liste de leurs arguments afin de les partager avec l'ensemble du groupe. Cette étape permet de mettre au clair toutes les idées qui auront émergé pendant ce débat.

Le formateur peut ensuite débriefer, à son tour, les prestations de chacun.

EXERCICE

—

LE DÉBAT CROISÉ

—

 AXES DE TRAVAIL : l'introspection ; structurer son propos.

 OBJECTIFS : développer un argumentaire, convaincre, improviser à partir d'une préparation, écouter son interlocuteur.

 NOMBRE DE PERSONNES : de 4 à 6 personnes.

 DURÉE TOTALE : 30 minutes.

 NIVEAU : à partir de 11 ans.

EXERCICE

Cet exercice est un débat contradictoire en groupe.
Le formateur donne le thème, par exemple : « Faut-il désarmer la police ? »

ÉTAPE 1 • PRÉPARER LES ARGUMENTS • 10 MINUTES
Les élèves réfléchissent à leurs arguments par équipe de 4 à 6 personnes. Ils prennent des notes et veillent à la diversité de leurs idées (argument économique, politique, religieux, culturel…). Ils cherchent également des exemples pour les illustrer. Chaque élève doit proposer deux arguments.

ÉTAPE 2 • LE DÉBAT • 10 MINUTES
Les équipes s'assoient de part et d'autre de la table, en tête à tête.

Le premier élève de l'équipe A répond au sujet en avançant son premier argument. Le premier élève de l'équipe B lui répond en improvisation et rebondit en énonçant l'un des arguments qu'il a travaillés en amont.

Le deuxième candidat de l'équipe A improvise une réponse et apporte un nouvel argument auquel devra répondre le deuxième orateur de l'équipe B, et ainsi de suite.
Faire un second tour sur le même principe.

ÉTAPE 3 • LE DÉBRIEFING • 10 MINUTES

Dans un premier temps, les candidats partagent leurs impressions. Se sont-ils sentis en confiance ? déstabilisés ? Ont-ils pu exprimer correctement leurs arguments ?
Puis le groupe spectateur donne son avis : qui a été le plus convaincant ? Pourquoi ?

Enfin, le formateur échange avec les participants, pour leur donner son retour sur le fond et la forme de leurs prestations.

EXERCICE

b. Le débat participatif

Le débat participatif est celui qui suit le principe de l'agora[70]. Comme dans les assemblées citoyennes de la Grèce antique, on y évoque des problématiques complexes qui nécessitent que chacun puisse exposer son point de vue. Cette forme de débat permet de traiter un sujet de manière empirique et évolutive.

C'est bien en partant des points de vue des participants que le formateur anime le débat. Il découvre les opinions en présence et laisse les membres du groupe interagir spontanément. Il peut cependant intervenir ou orienter les débats en fonction des objectifs qu'il détermine.

Cette activité sera ainsi autant un moment de discussion, de débat, que d'intelligence collective.

Pourquoi recourir au débat participatif ?

Le débat participatif est la forme habituelle de l'échange dans les assemblées démocratiques, pour deux raisons. Ce type de discussion sert d'abord à examiner des questions complexes, sujettes à polémique. Au cours de nos formations au sein du Conseil général des collégiens de Seine-Saint-Denis, nous avons pu constater que l'approche participative permettait d'aborder des thèmes épineux, tels que la colonisation ou l'histoire de l'immigration en France, par le biais de débats d'idées ouverts. Il est à noter qu'une discussion sur un sujet controversé nécessite une participation accrue des formateurs : ils ont à charge de répartir équitablement les temps de parole et de maîtriser les débordements. Dans ce contexte, ils veilleront également à souligner les points d'accord, le socle d'opinions commun à tous les élèves.

Le débat participatif permet aussi de se concerter pour délibérer. En effet, il peut aussi prendre la forme d'une consultation visant à comprendre les opinions au sein d'un collectif. À l'inverse du débat d'idées, la consultation ne vise pas à confronter des opinions,

---

70 Voir aussi l'exercice « L'agora », p. 289.

mais à recueillir un maximum de points de vue dans l'optique, éventuellement, de prendre une décision.

Dans le cadre de mes interventions en entreprise, j'ai pu constater le rôle indispensable des concertations collectives pour dénouer des conflits sociaux.

J'ai ainsi été amené à intervenir au sein d'une multinationale du transport, dans l'un de ses sites dans le sud de la France. Le directeur du site demandait d'allonger les plages horaires de travail au cours de la période de Noël ; le représentant du syndicat local contestait cette demande. En outre, ce qui était rejeté, ce n'était pas tant l'idée de devoir momentanément travailler plus, mais la personnalité du directeur.

Après une discussion avec ce dernier, j'ai constaté qu'il n'allouait aucune plage horaire à des brainstormings collectifs afin de répartir les distributions de colis entre ses employés. Le directeur du site considérait qu'il lui revenait d'attribuer ces tâches, à lui seul et de manière unilatérale. Les employés s'étaient accoutumés à cette pratique, pourtant, ce manque d'empathie et l'absence d'échanges avec leur supérieur avaient aggravé leur animosité.

À la suite de nos échanges et de notre travail, le directeur du site a mis en place une réunion collective chaque lundi matin. Au cours de ce moment de dialogue, les membres de l'entreprise répartissaient les zones de distributions de colis selon le domicile des salariés. Ainsi les livreurs, au lieu de devoir se lever à 6 heures du matin pour récupérer les colis à livrer le jour même, pouvaient les emporter le jour précédent. De même, ils pouvaient finir leur journée en effectuant des livraisons tout près de leur domicile et rentrer chez eux avant 19 heures.

Cette concertation a permis de faire adopter collectivement de nouvelles règles de distribution de colis. Celles-ci ont fait l'unanimité, sans compter qu'elles économisaient aux salariés trois à quatre heures de temps de trajet par semaine. Aussitôt, le climat social de l'entreprise sur ce site a littéralement changé.

Nous avons aussi mis en place des espaces de débat délibératif dans le cadre du Conseil général des collégiens de Seine-Saint-Denis. Soixante-trois collèges du département y sont représentés par deux élèves. Nous collaborions avec eux, à deux échelles. D'une part dans la préparation de l'intervention de chaque élu collégien. D'autre part, dans l'animation des débats lors des assemblées plénières, rassemblant la centaine de jeunes élus.

L'une des prérogatives de ce conseil était d'accorder à chaque collégien un budget de 4 000 euros pour procéder à des travaux dans son établissement scolaire, si son projet se justifie et se voit dûment défendu puis adopté par l'assemblée plénière.

En amont de chaque séance, les élus doivent consulter les élèves de leur collège. Nous avons alors organisé une réunion où tout le monde était invité à s'exprimer sur les travaux nécessaires dans l'établissement. Il incombe à l'élu collégien d'animer ces concertations pour prendre la mesure de ces besoins, puis de les défendre devant le Conseil général.

En mettant les règles du cercle de parole en place (l'agora), chaque élu avait la possibilité de défendre son projet et de faire valoir sa pertinence, tout en questionnant celle des autres propositions.

Plusieurs projets ont été adoptés collégialement et plus de 100 000 euros ont ainsi été attribués par le département à des collèges pour acheter des tables dans des réfectoires, ou encore rénover des toilettes ou des préaux.

—

L'AGORA
(CERCLE DE PAROLE)

—

→ **OBJECTIFS** : développer un argumentaire, convaincre, développer son écoute, travailler en groupe.

NOMBRE DE PERSONNES : 6 personnes minimum.

🕐 **DURÉE TOTALE** : en fonction du nombre de participants et du sujet à résoudre.

NIVEAU : à partir de 11 ans.

L'agora est un exercice utile lorsque le formateur souhaite aborder un sujet complexe ou controversé (les discriminations, la xénophobie, le mariage pour tous, un problème lié à la vie de l'entreprise, etc.).

ÉTAPE 1 • PRÉPARER L'AGORA

Placer tous les participants en cercle (ou en rectangle). Si les participants ont besoin de consulter ou de prendre des notes, disposer des tables devant chacun d'entre eux. S'assurer que tous les participants sont d'accord sur les termes du sujet, même si c'est le formateur qui a le dernier mot pour le formuler.

Le cas échéant, donner un temps de préparation pour que chacun puisse réfléchir au sujet, aux arguments et éventuellement aux solutions à apporter (dans le cadre d'une délibération)

EXERCICE

ÉTAPE 2 • LA DISCUSSION

Un participant est désigné comme rapporteur de l'agora. Avant l'ouverture des débats, il consulte le groupe pour déterminer l'ensemble des questions à traiter au cours de la discussion. Lorsque tout le monde est d'accord sur l'ordre du jour, les débats peuvent commencer.

Une personne est désignée pour répartir le temps de parole : soit l'animateur, soit le rapporteur, soit un autre élève. Celui-ci ne pourra alors pas prendre part aux discussions. À l'école, ce dernier peut éventuellement définir un objet, qui sera le « bâton de parole », et habilitera les jeunes à parler. Autrement dit, seul l'individu qui se voit décerner le bâton peut prendre la parole. Il doit rendre le bâton à la fin de son discours. On veillera ainsi que tout le monde puisse avoir un temps de parole équitable.

Lors des échanges, le formateur veillera à ce que personne ne se coupe la parole et que les membres du groupe ne portent pas de jugement de valeur les uns envers les autres. Les règles d'or, respect, écoute et bienveillance, doivent absolument être respectées. À la moindre moquerie (« Ce que tu dis est ridicule ») ou critique acerbe (« Mais c'est n'importe quoi ! »), interrompre immédiatement les échanges pour proscrire ce genre de commentaires. Si cela n'est pas fait dès le début, il devient très difficile de faire accepter les règles du jeu par la suite.

Encourager les participants à développer le questionnement : ils doivent interroger leurs interlocuteurs dès qu'ils ne sont pas d'accord avec eux. On peut leur suggérer des phrases comme : « Peux-tu me donner un exemple pour que je comprenne ton idée ? », « Qu'est-ce que tu veux dire lorsque tu affirmes que... ? ».

Lorsque le formateur se rend compte que le groupe partage globalement le même point de vue sur une idée ou un argument, il l'utilisera comme point de départ pour orienter la suite des discussions. C'est ce sentiment d'avoir trouvé des points communs qui prouve que le débat a été constructif.

Le débat s'achève lorsque le temps imparti est écoulé ou que tout le monde a pu exprimer ses idées.

ÉTAPE 3 • TIRER LES CONCLUSIONS

Le rapporteur ou le formateur rappelle les grandes idées et souligne les points qui font consensus.

L'objectif de cette phase de synthèse varie en fonction de celui de l'agora :

– Quand elle sert à consulter les participants (débat d'idées) : le rapporteur ou le formateur fait la synthèse des idées abordées par le groupe. Il ne manque pas de souligner les avis qui semblent être partagés par l'ensemble du collectif.

– Quand elle sert à prendre une décision (délibérations) : à l'issue des débats, le groupe peut se mettre d'accord, idéalement par consensus unanime ou, à défaut, par un vote à la majorité. Il n'y a pas de mal à ce que tout le monde ne soit pas unanime à la fin d'un cercle de parole. Dans ce cas de figure, le rapporteur peut lister les points de désaccord et il les rappelle à voix haute en guise de conclusion. Ils pourront être traités par la suite au cours d'un nouveau cercle de parole pour les résoudre un par un.

EXERCICE

B. Comment gérer le désaccord

Le débat, quel que soit son format, consiste en la confrontation d'idées et de propositions. Les élèves vont donc, nécessairement, manifester des désaccords, avoir des opinions divergentes, être tentés de critiquer l'avis du voisin…

Tout le travail du formateur sera, non pas d'éviter toute polémique en se cantonnant à des sujets consensuels, mais de gérer le désaccord, afin qu'il soit constructif.

1. ABORDER LES QUESTIONS DE SOCIÉTÉ DÉLICATES

Lors de mes interventions dans les établissements scolaires, je suis parfois amené à aborder des questions de société controversées (être « Charlie » ou « pas Charlie », le mariage pour tous, la liberté d'expression, les théories complotistes). Ces questions, qui ne sont pas tranchées, divisent aussi les adultes, les proches, les parents…, ce qui peut mettre les enseignants en délicatesse.

Mon point de vue, c'est que de telles discussions sont de formidables occasions pour stimuler l'esprit critique des participants et mobiliser leurs connaissances. Pourquoi ? Parce que, par définition, ces questions divisent. Chaque individu va y apporter sa propre réponse, en fonction de ses influences culturelles, de son éducation, de son entourage, de son rapport au monde, du type de médias qu'il consomme. Le débat va pousser les membres du groupe à écouter des avis parfois opposés aux leurs et à faire évoluer leur opinion en conséquence. C'est un cadre parfait pour développer l'esprit critique.

Dans ce genre de débats, on assiste à une multiplicité d'arguments et d'idées plus ou moins fondés. Certains jeunes peuvent avancer des propos surprenants, par exemple affirmer que le monde est sous la domination des Illuminati… Cependant, l'un des enjeux de la prise de parole éducative est de donner le réflexe de structurer sa pensée avec des raisonnements logiques, illustrés et cohérents. Dès lors, que des jeunes en pleine construction de leur intellect puissent croire dans la théorie des Illuminati ne doit pas être perçu comme une fatalité. Au contraire, le formateur doit le prendre comme une occasion d'exercer une maïeutique collective[71]. Ainsi, si on commence à interroger le fondement d'une théorie complotiste comme celle des Illuminati, il arrive automatiquement un moment où les arguments deviennent bancals et où les exemples se résument à des suppositions sans certitudes réelles ou scientifiquement prouvées.

Sans chercher à tout prix à convaincre l'élève adhérent aux thèses complotistes, il faut simplement réussir à lui faire admettre qu'en présence d'une incertitude, l'usage du conditionnel est de rigueur. Le formateur ne doit pas s'efforcer de le faire changer d'avis. Il va plutôt chercher à remettre en cause la façon dont il construit sa réflexion. Il essaiera de lui faire admettre qu'il peut se tromper, en l'absence d'exemples avérés et certains.

Il s'agit, ni plus ni moins, de transmettre aux jeunes la méthode de réflexion de Descartes (dans le *Discours de la méthode*), qui invite à ne construire des raisonnements qu'à partir de faits tangibles et prouvés. Je conseille d'ailleurs, avant ce genre de débats, de lire ou de paraphraser un passage du *Discours de la méthode* aux élèves :

« Ne recevoir jamais aucune chose pour vraie que je ne la connusse évidemment être telle : c'est-à-dire d'éviter soigneusement la précipitation et la prévention et de ne comprendre rien de plus en mes jugements que ce qui se présente si clairement et si distinctement à mon esprit que je n'eusse aucune occasion de le mettre en doute. »[72]

Le raisonnement cartésien est au fondement de l'esprit critique. Apprendre à raisonner de telle manière incite l'individu à se méfier

---

71 Voir « L'application de la maïeutique », p. 131.
72 René Descartes, deuxième partie du *Discours de la Méthode* (1637), Le Livre de Poche, 2015.

des préjugés et de ses suppositions. Le raisonnement cartésien fait du doute une force. La tradition scolaire nous a inculqué l'idée qu'il fallait prendre la parole pour dire la vérité, pour donner la bonne réponse. Cette pression signifie que lorsque l'on doute, il faut garder son hésitation pour soi, sans jamais la partager. Admettre que l'on doute serait un aveu de faiblesse, un manque de confiance en soi. Il incombe donc au formateur de décomplexer les élèves à ce propos : ils ont le droit de douter, de s'interroger, de changer d'avis. Lorsque l'on traite de problématiques complexes, le débat doit davantage se transformer en une discussion où les personnes qui formulent des questions et des interrogations sont autant mises en valeur que celles qui donnent leur opinion.

En outre, pour aborder les sujets les plus délicats, on pourra éviter les tournures qui invitent à répondre par oui ou par non. On préférera alors des questions ouvertes, qui poussent le groupe à réfléchir. Plutôt que des sujets comme « La liberté d'expression est-elle menacée à l'heure d'Internet ? », « Faut-il croire à la théorie des Illuminati ? », on privilégiera des questions comme « Quel avenir pour la liberté d'expression ? », « Quels sont les fondements de la théorie des Illuminati ? ».

Il convient aussi de ne pas animer une séance du type « agora » comme un débat contradictoire, comme si elle allait consister à choisir un camp, comme s'il fallait nécessairement s'affronter. Il faut plutôt la diriger vers une construction dialectique, qui laisse de la place pour le doute, pour la nuance, où l'on prend en compte les arguments en faveur ou en défaveur d'une idée afin d'en faire la synthèse. Si les élèves en viennent à s'opposer frontalement ou à tenir des propos radicaux, c'est parfois parce que la séance a été conçue et menée comme une confrontation, alors qu'elle devrait prendre la forme d'une réflexion collective, d'une agora.

À mon sens, en milieu scolaire, on ne devrait pas traiter les thématiques controversées dans le but de faire changer d'avis immédiatement les participants. Le formateur aura plutôt pour objectif de les inviter à tenir compte des tenants et des aboutissants d'un sujet, de réfléchir aux idées qu'*a priori* ils ne partagent pas. Gardons à l'esprit que provoquer un débat constructif, fondé sur le questionnement et dans le respect des opinions de chacun, est déjà une réussite collective dans une société où les espaces de dialogue bienveillants se font rares. Il est inutile de chercher à mettre tout le monde d'accord de force : l'objectif est surtout de transmettre aux élèves une culture du débat et que des idées auxquelles ils n'avaient pas pensé puissent infuser dans leur esprit avec le temps.

Au fond, la seule limite à fixer à ce genre de débats, ce sont les idées contraires aux principes républicains : les paroles qui prônent le racisme, la xénophobie, ou qui feraient l'apologie de toute forme de haine.

Dans ce cas de figure, je ne recommande pas à l'animateur de sanctionner ou d'attaquer l'élève car, en le braquant, cela fermerait d'emblée toute possibilité à court ou moyen terme de le faire changer d'avis, mais plutôt d'entamer une discussion avec lui. Le formateur doit s'engager dans un questionnement, remettre en cause l'argumentation de l'élève jusqu'à ce que son raisonnement s'effrite de lui-même, ou que l'élève comprenne que sa théorie repose sur des préjugés xénophobes, contraires aux principes fondamentaux de l'humanité qui protègent nos vies en société, y compris la sienne. L'animateur poursuivra la discussion jusqu'à ce que l'élève n'ait plus d'arguments vérifiables à opposer à l'enseignant.

L'animateur veillera cependant à ne pas tomber dans une posture agressive pour que l'élève – qui peut être de bonne foi – ne se sente pas attaqué et soit disposé à se remettre en question.

Dans l'hypothèse où ces propos provocateurs auraient simplement pour vocation de déstabiliser la philosophie bienveillante du groupe et de discréditer le formateur, je recommande à ce que l'élève quitte le cours et ne le réintègre que lorsqu'il s'engage à respecter son cadre de valeurs.

2. DÉNOUER UNE SITUATION CONFLICTUELLE AVEC L'APPUI DES ÉLÈVES

Les débats, et les désaccords qu'ils entraînent, peuvent amener des jeunes à se moquer des autres, à monopoliser la parole pour faire taire des opinions contraires… Des conflits peuvent alors germer au sein du collectif. Pour dénouer d'éventuelles tensions, l'animateur peut s'adresser au groupe en responsabilisant les élèves, selon le principe de la médiation de pair à pair.

Voici un exemple de situation conflictuelle dénouée en classe. Un formateur reprend Ludovic qui s'est moqué de Mathieu. Ludovic le prend à la légère, en disant à l'adresse de son camarade : « C'est mon pote, il sait bien que je dis ça pour rire… » Le formateur s'adresse alors à Mathieu : « Qu'est-ce que tu en penses, toi ? » Celui-ci admet que ces moqueries le gênent : « C'est vrai qu'on est pote, mais parfois, ça va trop loin… » Mathieu a saisi l'occasion de faire comprendre à son camarade que ses blagues le peinaient. Cette façon de procéder est beaucoup plus efficace qu'une critique directe du formateur, puisque la remarque vient de l'un des pairs et non de l'adulte.

« Il s'agit vraiment là d'apprendre à réguler les ego. »

**ROMAIN VAN DEN BRANDE,
FORMATEUR POUR ELOQUENTIA**

« Je me souviens aussi de Shivani avec un tempérament explosif, qui parlait à tort et à travers. Nous avons fait un tour de table et l'une de ses camarades, Marie, lui a dit, calmement : "Quand c'est toi qui as la parole, tu ne supportes pas qu'on parle et là, tu as parlé quand on s'exprimait." Alors que, dans d'autres circonstances, Shivani aurait levé la voix, voire claqué la porte, elle s'est tue, a pris acte de la remarque... même si on sentait bien que cela lui coûtait !

Dans ce cas, il faut bien penser à avoir un temps d'échange avec l'élève après la séance. En l'occurrence, j'ai dit à Shivani en tête-à-tête que j'étais très content de son comportement. En revanche, elle n'était pas prête à en parler, son orgueil avait été attaqué et elle devait encore accepter cet affront ! Mais l'essentiel avait été fait : elle avait entendu la remarque de Marie et l'avait acceptée. Il s'agit vraiment là d'apprendre à réguler les ego. »

VII. S'ADAPTER AUX PERSONNALITÉS DES ÉLÈVES

Au fil des années, j'ai pu constater qu'il existe de grands traits de personnalité auxquelles l'animateur va devoir s'adapter au cours d'un atelier. Dans un groupe, certains peuvent se montrer introvertis et hésiter à s'exprimer, d'autres, extravertis, risquent de monopoliser l'attention, d'autres encore seront turbulents, voire réfractaires. Si le formateur ne parvient pas à adapter ses séances en fonction de ces personnalités, l'atelier ne se déroulera pas dans de bonnes conditions. Certains élèves seront laissés de côté, d'autres perturberont les séances. Il faut donc s'adapter en permanence au groupe et à ses membres.

Évidemment, aucun élève ne se ressemble et l'on ne saurait tirer des « règles générales » à appliquer mécaniquement en fonction du caractère des participants. Toutefois, il y a certains réflexes auxquels l'animateur peut avoir recours pour faire vivre ses cours.

A. Aider les personnalités introverties (timides, stressées, peureuses...)

Lors du premier cours, on précisera bien aux élèves qu'à chaque séance, tout le monde sera amené à prendre la parole, même pour un temps très court. Si des jeunes sont tendus à l'idée de s'exprimer en public, c'est la répétition et la confrontation avec la source de leur angoisse qui pourront faire baisser ce stress. Il faut aussi les rassurer, leur dire que cette nervosité est normale. Le formateur peut d'ailleurs partager sa propre façon de gérer son stress (méditation, respiration abdominale...).

En présence de personnalités timides, les *ice breakers* jouent un rôle essentiel pour les amener, progressivement, à s'ouvrir aux autres. Souvent, elles ont besoin d'être plus encouragées et félicitées, notamment lors des premiers cours. Quitte à ne faire ressortir que le positif de leurs premières prises de parole. Lors des exercices de rhétorique, le formateur évitera de leur proposer tout de suite des activités abordant des questions trop personnelles. À la place, il pourra leur suggérer de faire un discours sur une personne qu'ils admirent : cela peut être un personnage des films Marvel, un homme politique ou quelqu'un de leur famille.

Enfin, avec les plus timides, il ne faut pas hésiter à multiplier les échanges personnels en fin de séance. Demandez-leur simplement s'ils vont bien, si cela leur plaît de faire partie de cette formation et comment ils la vivent. Quelles sont leurs attentes ? Comprendre leurs attentes permet d'adapter les *feedbacks* à leurs besoins et ainsi les motiver.

B. S'appuyer sur les individus extravertis

Dans une formation à la prise de parole, les personnalités extraverties sont d'une aide précieuse ! Surtout lors des premiers cours, lorsqu'il faut enclencher une dynamique de groupe. Ils seront les premiers à vouloir passer à l'oral. Le formateur a tout intérêt à s'appuyer sur eux.

Mais les élèves extravertis peuvent avoir tendance à monopoliser la parole, à occuper l'espace au détriment des plus timides. Comment trouver le bon équilibre, les laisser assumer ce rôle de moteurs, sans qu'ils prennent trop de place et inhibent les autres ? Dans ce cas de figure, il faut fixer des règles de temps de parole.

Je voudrais prendre, à ce sujet, l'exemple de Luna. Elle était au début réfractaire à la formation. Puis, elle s'est passionnée pour l'un des jeux, « l'humeur du jour », qui consiste à ce qu'au début de chaque séance, chaque élève exprime ses états d'âme et comment il se sent aujourd'hui. Si bien qu'au fil des séances, elle a voulu s'exprimer de plus en plus longtemps, prétendant qu'elle avait oublié telle ou telle chose. En fin de compte, elle ne voulait plus laisser la parole aux autres.

Sans lui enlever la parole, le formateur a donné au groupe une contrainte globale dans laquelle elle allait devoir se fondre : l'humeur du jour devait durer trois minutes maximum. Il a évité ainsi de faire remarquer à Luna, devant tout le monde, qu'elle parlait trop, ce qui aurait pu la vexer et rompre son élan. Cela ne l'a pas empêché d'avoir un moment d'échange en tête-à-tête avec elle à la fin de la séance, pour lui expliquer la nécessité de laisser la parole à ses pairs.

C. Gérer des personnalités réfractaires ou turbulentes

Il arrive, devant un public non volontaire, que certains membres du groupe perturbent le fonctionnement du cours, en refusant de participer aux activités ou en adoptant un comportement turbulent.

Lorsqu'un élève ne met aucun entrain dans les exercices ou qu'il refuse de s'y plier, le premier temps consiste à faire des *ice breakers* très ludiques pour susciter de l'amusement, du plaisir, pour lui donner envie de suivre le formateur. En revanche, lors des premiers exercices de rhétorique, il n'est pas nécessaire de forcer l'élève à prendre la parole outre mesure. Derrière un élève turbulent qui « fait le clown », il peut simplement se cacher une personne très timide.

Il ne faut pas hésiter à prendre un temps d'échange personnel avec l'élève concerné à la fin de la séance pour revenir sur son comportement, en comprendre les ressorts et insister sur sa progression au cours de la séance.

« Avec les grandes gueules, je suis impitoyable. Je les désamorce par la dérision. »

BERTRAND PÉRIER,
FORMATEUR EN RHÉTORIQUE CLASSIQUE
POUR ELOQUENTIA

« Pendant le premier cours, je dis aux participants que je vais être dur, mais que je les aime. Si je viens le samedi matin assurer la formation, oui, c'est parce que je les aime. Nous partageons une cause, l'amour de la parole !

Mais je n'ai pas l'habitude de faire dans le sentiment, je le leur dis une fois pour toutes, en expliquant que cela n'exclut absolument pas que je les bouscule. Je leur dis que nous allons créer une bulle de bienveillance, que personne n'est là pour juger les autres, mais aussi que j'ai une affection particulière pour les plus timides et que les grandes gueules vont passer un mauvais quart d'heure.

Avec les grandes gueules, je suis impitoyable. Je les désamorce par la dérision. La réalité des choses, c'est qu'on rit énormément dans les formations ! Aux timides, je précise dès le premier cours qu'ils vont être amenés à prendre la parole en permanence.

Je revendique le droit d'être parfois dur avec les participants. Quand je le suis, c'est parce que je sais qu'ils peuvent le recevoir, et qu'à ce moment-là ils ont peut-être besoin d'un électrochoc qui les aidera à passer un cap. »

Dans le cas de figure où l'élève distrait le groupe, méprise à répétition les règles d'or de respect, d'écoute et de bienveillance ou se moque de la prestation de ses collègues, ce comportement a nécessairement un impact sur le déroulement du cours et les prestations de ses camarades. Il est important de le stopper. On peut lui signaler une première fois son attitude en classe. S'il insiste, le formateur peut lancer un exercice collectif pour toute la classe sans y faire participer l'élève en question. Il en profite alors pour sortir de la salle avec l'élément perturbateur. Il discute avec lui afin de comprendre l'origine de son comportement. Si, en aparté, l'élève continue de tenir tête au formateur, il ne peut réintégrer le groupe, car sa présence risque de brider la participation des autres élèves.

À l'inverse, si le jeune accepte d'adhérer aux valeurs du cours, l'enseignant lui fera réintégrer le groupe et en profitera pour lui donner rapidement la parole et le mettre en évidence dans le cadre des exercices choisis.

« Nous prenons les élèves comme ils sont, mais nous restons vigilants. »

LOUBAKI LOUSSALAT,
FORMATEUR EN SLAM ET POÉSIE POUR ELOQUENTIA

« Même si les résultats sont très souvent fantastiques, il m'est arrivé d'avoir des groupes difficiles. Leurs difficultés sont souvent dues à des facteurs extérieurs : vie de quartier, vie scolaire, vie de famille. C'est pour cela qu'aider les participants à adopter le bon état d'esprit est un préalable nécessaire. Cet état d'esprit ne doit pas être moralisateur, mais permissif. Les jeunes ont toujours le choix de faire ou de ne pas faire, et il faut insister là-dessus.

Nous prenons les élèves comme ils sont, mais nous restons vigilants. Si une personne est fermée, elle peut entraîner les autres dans la même pente et l'atmosphère générale peut en pâtir. Ces élèves-là, je ne les brusque jamais. »

PARTIE

IV

PORTER SA VOIX INDIVIDUEL-LEMENT

1

FAIRE
UN DISCOURS

Nous avons vu, dans la partie précédente, l'intérêt de mener des exercices en groupe, pour travailler l'aisance à l'oral. Cependant, il est inévitable de travailler individuellement ces prises de parole. C'est pourquoi je vous propose d'étudier deux grandes formes d'élocution : le discours et l'entretien, dans le cadre scolaire ou professionnel.

Il me semble essentiel d'examiner, d'abord, la préparation du discours, qui est la forme de prise de parole la plus personnelle qui soit. Elle nécessite un déroulé, un argumentaire et répond à une structure. Apprendre à préparer, rédiger et réciter son discours est d'ailleurs un enseignement central de la formation.

Le chapitre qui suit expose les grandes règles génériques à respecter pour faire un discours. Il est cependant important de rappeler qu'il existe de multiples formes de discours, et qu'il faut adapter ces règles au contexte dans lequel elles sont réalisées (scolaire, professionnel, vie publique).

I. SE POSER LES BONNES QUESTIONS AVANT DE PRENDRE LA PAROLE

Les occasions de prendre la parole, au quotidien, sont légion : dans la vie professionnelle, quand nous sommes amenés à présenter l'ordre du jour d'une réunion, par exemple.

Lorsque l'on discourt, il est fondamental de s'interroger sur ce que nous avons à dire. Il faut se poser les bonnes questions :

1. Pourquoi est-ce que je prends la parole ?
2. Qu'est-ce que je pense du sujet ?
3. Qu'est-ce que mon public doit retenir ?

A. Pourquoi est-ce que je prends la parole ?

« Quelles sont mes motivations ? Qu'est-ce que je souhaite partager en prenant la parole ? Est-ce que je veux partager des connaissances, faire découvrir un sujet méconnu à un public ou mettre l'accent sur l'un de ses aspects qui me passionne ou me révolte ? Pourquoi est-ce que je me sens exalté ou en colère face à ce sujet ? » Pour exprimer nos idées avec clarté, nous devons balayer ces questions au préalable.

Ce qui doit motiver à faire un discours, c'est une idée que l'on souhaite défendre et qui nous importe. Ne pas parler pour ne rien dire, mais bien être là pour exprimer un sentiment, une conviction, ou pour expliquer un plan d'action à mener.

Il n'est pas nécessaire de s'interroger sur sa légitimité, sa valeur personnelle, son talent oratoire pour prendre la parole. Toute personne qui veut défendre une idée est capable de faire une belle prestation orale, et l'idée que l'on soutient peut être très simple.

En outre, lorsque vous partagez une émotion, un sentiment éprouvé, une expérience vécue dans votre chair, vous seul avez pu la percevoir avec acuité, en ressentir les conséquences, formuler à son sujet des regrets ou une grande satisfaction. Vous en avez tiré des enseignements qui peuvent en intéresser plus d'un. Vous vous appropriez cette histoire et, en décidant de la raconter, vous en faites une histoire universelle. C'est d'ailleurs ces récits personnels qui font le succès des conférences TED[1] à travers le monde.

L'être humain aime entendre des histoires et écouter les autres se confier. On peut penser à Shéhérazade, l'héroïne des *Mille et Une Nuits*, épouse d'un calife qui se marie chaque jour à une nouvelle femme et la fait exécuter après la nuit de noces. C'est bien en racontant des histoires à son mari, captivé, qu'elle sauve chaque soir sa vie, et celle des femmes de sa ville.

Plus concrètement, que ce soit à l'école, en famille ou dans un contexte professionnel, faire entendre son point de vue est nécessaire dès que l'on en ressent le besoin et si l'on est bien aligné avec l'objectif du discours.

---

1   TED : Les conférences TED sont une série de conférences organisées au niveau international par la fondation à but non lucratif américaine The Sapling foundations.

B. Qu'est-ce que je pense du sujet ?

Tout discours a un sujet, un thème ou une problématique. Ceux-ci peuvent avoir été choisis ou imposés. Selon que le sujet est personnel ou non, l'attitude de l'orateur peut être différente.

1. UN SUJET CHOISI ET PERSONNEL

L'avantage d'un discours dont l'orateur a choisi le thème (un exposé, un éloge, un discours de mariage, etc.), c'est qu'il va *a priori* aborder un sujet qui le touche. Cela garantit de fait l'authenticité de sa démarche. C'est souvent en exprimant ses sentiments les plus sincères, sans forcément chercher à se donner en spectacle, mais en démontrant de la manière la plus authentique ce qui nous anime, que l'on devient, de fait, éloquent.

Mais le danger, c'est de se laisser dépasser par l'enjeu. Car plus le sujet nous tient à cœur, plus nous serons en mesure de transmettre des émotions, mais aussi de nous laisser submerger par elles. Si l'auditoire se montre distrait, inattentif, peu réceptif face à un propos qui nous est cher, son attitude peut profondément nous affecter. Il faut d'emblée se prémunir contre ce risque en l'anticipant.

Le second écueil, notamment lorsqu'on parle d'un fait personnel, ce sont les digressions. Elles nous éloignent du cœur du propos et font perdre le fil à l'auditoire. Si l'improvisation et la spontanéité sont des qualités qui peuvent dynamiser un discours, il ne faut jamais perdre de vue l'objectif de notre prise de parole et les arguments à aborder.

« Une fois que le message est clair pour moi, je passe à la structure du discours. »

LAMINE SAMASSA, TROISIÈME DU CONCOURS ELOQUENTIA 2018 SAINT-DENIS (93)

« Quand je découvre mon sujet, je cherche d'abord les mots que je ne comprends pas. Puis une fois que le sujet est bien compris, je cherche des citations qui évoquent le sujet, sur Internet ou sur des recueils de citations, pour m'inspirer. Je note celles que je veux garder. Quand ce travail-là est fait, j'échange avec ma famille. Dans le cas du sujet pour la petite finale « Faut-il savoir s'arrêter ? », à la négative, c'est-à-dire en répondant « non » à la question posée, je leur ai demandé pourquoi, selon eux, il ne fallait pas s'arrêter. Nous avons échangé pendant une heure, cela m'a permis de passer en revue plein d'idées. Et seulement après cette phase de déblayage tous azimuts du sujet, je réfléchis au message que je souhaite véhiculer dans mon discours. Qu'est-ce que j'ai envie de dire ?

Une fois que le message est clair pour moi, je passe à la structure du discours. Je range alors mes arguments dans l'ordre d'importance, en fonction de celui que je veux absolument porter, celui qui me semble un peu moins déterminant, etc. C'est à ce moment-là que je me consacre à la forme. Je cherche des exemples pour appuyer mes arguments : une blague, une histoire, quelque chose qui va rester dans l'esprit du public, qui va le toucher et qui correspond à la façon dont j'ai envie de lui présenter le message.

Quand j'ai le fond et la forme de mon discours, là, je commence à rédiger. Je répète devant les membres de ma famille mon texte qui se construit. Ils me disent si c'est pertinent et en fonction de leurs avis, j'adapte le texte, je réécris plusieurs jets. Quand ils estiment que tout est clair, je passe à l'argument suivant. Je fonctionne de cette façon jusqu'à la fin de mon discours. »

2. UN SUJET IMPOSÉ

Dans les concours d'éloquence, les candidats s'expriment régulièrement sur des thèmes qui leur sont imposés. Mais, finalement, le sujet de la prise de parole nous est très souvent imposé, dans la vie professionnelle ou scolaire, notamment.

D'emblée, face à un thème déterminé à l'avance, il faut s'interroger sur son opinion sur le sujet et rassembler la liste des arguments et des exemples, en faveur ou contre notre point de vue. Puis, nous devons être capables de synthétiser en une phrase notre avis, en faisant preuve de nuance et en tenant compte des arguments que l'on pourrait nous opposer.

Prenons comme exemple le sujet « Faut-il être pour ou contre la peine de mort ? ».

Affirmative : « Même s'il peut s'agir d'une décision rigoureuse et à condition que celle-ci soit limitée aux crimes les plus condamnables, la peine de mort peut être un moyen de répression dissuasif, susceptible de réduire la criminalité. »

Négative : « Bien que la peine de mort puisse être une mesure de dissuasion pour des criminels potentiels, il n'en va pas moins que dans une société civilisée, on ne peut répondre au sang par le sang. Le système judiciaire doit pouvoir organiser la détention des condamnés à perpétuité dans de bonnes conditions. »

Quand nous estimons que cette phrase synthétique représente bien notre position, elle doit devenir la colonne vertébrale qui servira à la rédaction de l'ensemble du discours.

C. Qu'est-ce que mon public doit retenir ?

1. AFFIRMER CLAIREMENT SA POSITION

Un discours, c'est d'abord une réponse au sujet posé, une position ou un point de vue affirmé que notre audience doit retenir. Il ne faut surtout pas chercher à répondre à plusieurs sujets à la fois, le temps d'attention d'un auditeur étant toujours limité. En revanche, l'idée principale du discours doit être clairement affirmée, énoncée en introduction et répétée en conclusion.

Par exemple, imaginons Samuel, 13 ans, qui doit faire un discours sur l'importance de sensibiliser les jeunes au réchauffement climatique à l'école. Il peut commencer sa prise de parole de cette façon : « Bonjour, je m'appelle Samuel, j'ai 13 ans, et je souhaiterais vous parler de l'importance des problématiques liées au réchauffement climatique et de la nécessité d'en comprendre les enjeux pour des jeunes de notre âge. C'est un sujet qu'on voit partout dans les médias, mais il nous faut trouver des moyens d'en parler concrètement à l'école. » La conclusion de ce discours serait : « C'est pour toutes ces raisons que les enjeux du réchauffement climatique doivent être connus dès le plus jeune âge et que nous devons en parler à l'école. »

Le message se retrouve à la fois en introduction et en conclusion, dans des termes qui peuvent être quasiment similaires. Ce procédé de répétition n'en demeure pas moins indispensable pour être sûr que l'auditoire a retenu notre position.

2. INSTRUIRE L'AUDITOIRE

L'orateur doit parfois présenter un sujet ou faire découvrir un thème à l'assistance. La plupart des discours ont une vocation instructive pour expliquer une situation ou exposer des faits historiques. Lorsqu'on rédige une prise de parole, il est nécessaire de se mettre à la place des personnes qui vont l'écouter : peut-être seront-elles peu informées sur le sujet. Ainsi, il faut « prendre par la main » notre public. Par exemple, en introduction, il ne faut jamais commencer par des termes trop techniques mais par une présentation globale de la thématique et un rappel du contexte.

Puis, l'orateur doit exposer des arguments et des exemples concrets, si possible qui ne soient pas encore connus de l'auditoire (statistiques, études, recherches, expériences vécues…), pour étayer sa position. Un discours intéressant est un discours qui permet à l'auditoire d'apprendre quelque chose.

3. CONVAINCRE L'AUDITOIRE

L'orateur cherche généralement à rallier à sa cause celles et ceux qui l'écoutent. Cicéron le disait déjà il y a plus de deux mille ans : un discours convaincant est un discours qui instruit, émeut et séduit.

Pour convaincre l'auditoire, le choix des mots et des arguments sera déterminant. Le vocabulaire, le choix du niveau de langue, le ton employé, l'intention dans l'intonation, le langage du corps : c'est tout cela qui fera comprendre à l'auditoire ce que l'orateur pense sincèrement de la situation et pourquoi le public doit le suivre.

Cependant, pour s'assurer que le message est bien retenu par le public, il faut aussi comprendre ceux qui le composent et se montrer capable de répondre à leurs attentes.

D. Qui est mon auditoire ?

Avant de prendre la parole en public, il faut se poser la question de l'auditoire, au sens large du terme.

Quelle est la taille de l'audience ? La salle est-elle grande ou petite ? Y a-t-il vingt, deux cents ou deux mille personnes pour m'écouter ? Y a-t-il un micro ou non ? Naturellement, en fonction des réponses à ces questions, on n'adoptera ni la même voix, ni la même manière d'occuper l'espace.

Ensuite, l'orateur doit s'interroger sur les personnes qui composent le public. Les spectateurs lui sont-ils favorables ou hostiles ? Quel intérêt ont-ils à l'écouter ? Sont-ils obligés d'être là ou sont-ils venus volontairement ? Est-ce un public expert ou novice ? Sont-ils là pour l'évaluer, le noter ? Cette donnée est très importante, car elle peut amener à changer le registre et le contenu du discours. Ainsi, on passera plus ou moins de temps à définir les termes du sujet en introduction et on adaptera le vocabulaire et les arguments, qui seront plus ou moins techniques en fonction des attentes de l'auditoire.

II. STRUCTURER ET RÉDIGER SON INTERVENTION

Une fois que l'on sait ce dont on veut parler, quelle thèse défendre et devant qui nous allons le faire, nous pouvons aborder la préparation du discours. C'est le moment où il faut définir sa structure, le choix des arguments, les organiser, puis trouver les formules qui exprimeront notre pensée le plus pertinemment possible.

A. Les structures du discours

Le choix de la structure d'un discours varie en fonction de sa nature : un exposé à l'école, un concours d'éloquence, la présentation d'un projet entrepreneurial, une conférence, un discours politique… Il existe différentes trames possibles, mais certaines sont plus récurrentes que d'autres.

1. LA STRUCTURE « CLASSIQUE »

Le plan « classique » est le plus connu. Le plus ancien, aussi. Cet héritage des penseurs de l'Antiquité grecque et romaine s'inspire notamment des préceptes de Cicéron (dans son traité *De l'orateur*). Ce plan, le plus générique de tous, s'adapte à la plupart des prises de parole et garantit à l'orateur de ne manquer aucune étape dans le déroulé d'une réflexion. Nous recommandons même de l'enseigner dans les écoles (lorsque ce n'est pas déjà le cas), bien qu'il puisse être simplifié en fonction de l'âge du public.

Le discours classique se divise en trois grandes parties : l'introduction, l'argumentation, la conclusion.

••• Le discours classique

I. L'introduction
  a. L'exorde
  b. L'énonciation du sujet
  c. Le sommaire (optionnel)
II. L'argumentation
  a. La narration
  b. La confirmation
    1. Idée n°1
      – Argument A + exemple A
      – Argument B + exemple B
      – Transition
    2. Idée n°2
      – Argument A + exemple A
      – Argument B + exemple B
      – Transition
    3. Idée n°3
      – Argument A + exemple A
      – Argument B + exemple B
  c. La réfutation
III. La péroraison (conclusion)
  a. Le rappel de notre position
  b. La morale (optionnelle)
  c. La dernière phrase

a. L'introduction

L'introduction doit représenter environ 15 % du discours. Elle se compose elle-même de trois parties : exorde, énonciation du sujet et « sommaire » (annonce des principaux arguments).

L'exorde

« Mise en bouche » du discours, l'exorde correspond aux toutes premières phrases que l'orateur va prononcer. Ces mots doivent attirer l'auditoire et captiver son attention. C'est la première impression que le discours produit, et elle doit marquer les esprits.

Il y a cinq principaux types d'exordes :

– *Ex abrupto* : enjouée ou véhémente, c'est l'introduction « coup de poing ». On interpelle l'auditoire par une phrase qui va le surprendre, aussi bien par le volume de la voix que par le propos tenu. Par exemple : « J'accuse ! »

– *A minima* : l'orateur se présente et explique pourquoi il souhaite s'exprimer. Par exemple : « Bonjour, je m'appelle… et dans le cadre dans cette présentation j'ai souhaité parler de… parce que… »

– La *captatio benevolentiae* : la première phrase a vocation à susciter la sympathie ou l'empathie de l'auditoire. Elle peut prendre la forme d'une blague ou le partage d'une émotion. Par exemple : « Bonsoir à tous. Bon, j'ai complètement le trac à l'idée de me tenir ici devant vous ce soir… »

– **L'exorde officiel** : il s'agit des introductions toutes faites, pour des discours officiels. Par exemple : « Mes chers compatriotes… », « Chers amis, nous sommes réunis ici ce soir pour célébrer… »

– **L'exorde littéraire** : avec cette introduction en douceur, on ne traite pas directement du sujet mais on l'aborde plutôt par un procédé littéraire détourné. La technique la plus courante consiste à faire un récit qui va se rattacher peu à peu au sujet du discours. En racontant un fait qui n'a rien à voir *a priori* avec le sujet du discours, l'orateur suscite la curiosité. Il peut s'agir d'une histoire fictive, réelle ou d'une expérience personnelle. Cette dernière est particulièrement efficace (c'est cette technique que l'on nomme *storytelling* ou *accroche narrative*) et éveille l'empathie des spectateurs. Le récit d'une expérience personnelle, en lien avec le sujet,

peut aussi donner à l'orateur de la légitimité car le public va se dire :
« Il sait de quoi il parle. » Comme dans toute histoire, il faut des
personnages, une situation initiale, une péripétie, un dénouement
et une situation finale.

Par exemple : « Ah, le miel ! Le miel d'acacia, le miel de tilleul,
le miel de lavande, de pissenlit, de sarrasin… Le miel du matin, le
miel du goûter ! *Qui* n'aime pas le miel, mesdames et messieurs ? !
J'ai grandi dans une famille d'apiculteurs en Dordogne, mon père a
acquis son savoir-faire de mon grand-père, qui l'a lui-même acquis
de mon arrière-grand-père, et ainsi de suite. Le miel… c'est ma
vie ! C'est notre vie ! Mais voilà. Depuis 2012, chaque année nous
avons vu de moins en moins d'abeilles à la ferme. Chaque année
nous avons commencé à perdre des ruches en activité. 10 % la
première année, puis 15 % la deuxième, puis 30 %… Paniquée,
ma famille s'est empressée de faire venir un expert agronome, et
son verdict fut sans appel. Il tenait en un mot. En dix satanées
lettres : P.E.S.T.I.C.I.D.E.S ! Ces pesticides que les agriculteurs
d'OGM des environs exploitaient désormais sans vergogne… »
Telle pourrait être l'introduction du discours prononcé par un
militant anti-pesticides.

L'énonciation du sujet

Après avoir attiré l'attention du public par l'exorde, il faut présenter le sujet, l'énoncer clairement et s'assurer qu'il est intelligible
pour tous. Cette étape paraît simple, mais si l'auditoire n'a pas
compris le sujet ou la problématique abordée, il a de fortes chances
de se détourner de ce qui va être dit par la suite.

On peut éventuellement délimiter le sujet, dans le cas d'un
thème trop vaste, en écartant les questions qui ne vont pas être
abordées en l'espèce. Par exemple : « La compréhension des étoiles
de notre galaxie est, à l'instar de l'univers, un champ en expansion
constante… Ce que nous allons aborder dans cette intervention,

ce sont les techniques qui nous permettent de comprendre la vie d'une étoile d'après le faisceau lumineux qu'elle émet. »

Une fois le sujet présenté, on affirme la position ou la thèse que l'on souhaite défendre. Par exemple : « Aujourd'hui, j'ai décidé de me prononcer pour abaisser à 16 ans l'âge du droit de vote », « Il nous faut trouver des solutions de toute urgence pour lutter contre le réchauffement climatique », etc.

Le sommaire

C'est le moment où l'on peut présenter les différentes étapes de notre prise de parole. On annonce les arguments qui articulent notre raisonnement. Cette étape représente une sorte de « menu » afin que les spectateurs comprennent la direction que l'on souhaite prendre. Par exemple : « Dans un premier temps nous verrons que [idée n° 1] puis que [idée n° 2] enfin nous terminerons par [idée n° 3]. »

Cette étape est facultative, mais elle est recommandée dans une présentation technique, scolaire ou académique. Ces types de prise de parole requièrent une énonciation du plan au préalable pour que le discours soit plus intelligible par la suite.

b. L'argumentation

L'argumentation doit représenter 70 % du discours. Dans la structure classique du discours, elle se compose en règle générale de la narration, de la confirmation et de la réfutation.

La narration

Située dans le prolongement de l'introduction, la narration vient préparer le terrain de l'argumentaire. Dans une plaidoirie judiciaire, cette étape du discours correspond au rappel des faits. Dans un discours politique, c'est le moment où l'orateur fait un constat (événements, difficultés, incidents…) sur une situation qui requiert une réaction. La narration peut suivre une trame chronologique, pour rappeler l'historique du problème auquel on s'apprête à donner des éléments de réponse. Par exemple, sur le thème « Faut-il revenir à la semaine de quatre jours à l'école ? », on pourrait proposer : « En 2013, le ministère de l'Éducation nationale fixe la semaine d'école à quatre jours et demi, avec des temps d'activités périscolaires. Bien qu'il soit soutenu par plusieurs chronobiologistes, le dispositif soulève d'emblée de nombreuses questions, de la part des établissements scolaires, des mairies, des parents d'élèves. En 2018, le ministère offre la possibilité aux communes qui le souhaitent de revenir à quatre jours d'école par semaine. »

La confirmation : présenter les arguments en sa faveur

C'est le cœur du discours, le stade précis où on doit dérouler l'argumentaire.

Dans le cadre du discours classique, il est préconisé de ne dérouler que deux ou trois grandes idées au maximum pour étayer notre thèse de départ. Chacune de ces idées est elle-même développée par deux ou trois arguments pour lesquels il faut trouver à chaque fois un exemple[2].

Les arguments doivent être variés : arguments de droit (loi, libertés fondamentales), arguments de faits (statistiques, chiffres, données), arguments de logique, etc.

Dans la disposition et l'organisation du raisonnement, il faut veiller à ce que la pertinence des arguments aille *crescendo*. Il vaut mieux terminer par les arguments les plus forts, parce qu'ils touchent aux émotions du public ou parce qu'ils avancent la preuve irréfutable que l'orateur a raison.

---

2   Voir « Trouver des arguments », p. 333.

Enfin, l'articulation entre chaque argument et l'exemple correspondant devra être cohérente. Il faut toujours prévoir une phrase de transition pour « huiler » le déroulement des idées.

On veillera aussi à ce que le choix des exemples corresponde aux attentes de l'audience. Ainsi, on peut retrouver des faits divers ou des anecdotes personnelles dans un discours, mais ils sont à proscrire face à des examinateurs pour un oral au lycée ou dans l'enseignement supérieur.

●●● À titre d'exemple, voici la « confirmation » sur le sujet « Je suis en faveur du port de l'uniforme à l'école » (retranscription de débats ayant eu lieu dans nos formations Eloquentia au lycée).

– Idée n° 1 : pour renouer avec une culture française.
Argument A : le port de l'uniforme, ou plutôt de la blouse, est une tradition française que l'on retrouve dès la fin du XIXe siècle.
Exemple : si le contexte du discours le permet, on peut illustrer le propos avec des photos de classe d'enfants en blouse, au XIXe siècle et au XXe siècle.

Argument B : les Français aiment cette tradition et sont favorables à son retour.
Exemple : selon un sondage IFOP effectué en 2017, 63 % des Français y sont favorables.

Transition : mais il ne s'agit pas seulement de renouer avec une tradition. D'un point de vue pratique, le port de l'uniforme représente une économie de temps et d'argent pour les familles.

– Idée n° 2 : pour économiser du temps et de l'argent.
Argument A : le matin, lorsque l'élève se lève en retard, il n'a pas à perdre de temps pour savoir comment s'habiller.
Exemple : Steve Jobs et Mark Zuckerberg se sont longtemps habillés tous les jours de la même manière pour aller au travail. Cela leur évitait d'utiliser « du temps de cerveau » pour une question qui pouvait leur sembler futile et chronophage.

Argument B : inutile de passer du temps à acheter des vêtements pour l'école. Ces économies d'argent et de temps pourront être mises à profit pour les devoirs, des loisirs, ou du sport en famille.
Exemple : en moyenne, les parents passent deux à trois heures par mois en magasin pour acheter des vêtements à leur progéniture et dépensent environ 850 euros par enfant chaque année.

– Transition : à ces bénéfices économiques, on peut ajouter des avantages pour la vie en collectivité, car le port de l'uniforme neutralise les comportements consuméristes, le culte des marques et les discriminations qui les accompagnent.

– Idée n° 3 : pour en finir avec les discriminations.
Argument A : pour en finir avec les discriminations sociales. Les vêtements sont des signes ostentatoires de richesse et peuvent susciter des complexes chez ceux qui ne portent pas de « marques ». Refuser les vêtements de marque évite également d'inculquer des valeurs matérialistes aux enfants.
Exemple : dans le recensement des discriminations subies par les enfants à l'école, l'absence de vêtements de marque ressort régulièrement dans les enquêtes.

Argument B : pour en finir avec les discriminations liées à des origines ethniques ou une appartenance religieuse. Les enfants portant des signes religieux ostensibles à l'école peuvent se retrouver en fin de compte victimes de discrimination. Si le port de l'uniforme devenait obligatoire à l'école, les appartenances religieuses ne seraient plus affichées. Les enfants seraient tous logés à la même enseigne et ne se jugeraient plus de prime abord. Le port de l'uniforme serait alors une bonne manière d'éduquer au respect d'autrui, indépendamment de son apparence culturelle ou religieuse.

Exemple : en France, l'école est un bastion pour les discriminations en tout genre (ethnies, religions...). Elles ont statistiquement augmenté depuis les années 1990, selon le rapport Rebeyrol remis à l'Éducation nationale en 2010.

La réfutation : critiquer les arguments adverses

La réfutation correspond au moment du discours où l'on anticipe les objections et les idées qu'un adversaire pourrait opposer à notre raisonnement. On peut en profiter pour dissiper des préjugés, des idées reçues, ou désamorcer des critiques.

Par exemple, sur le sujet des uniformes : « Alors, j'entends déjà les arguments selon lesquels imposer l'uniforme à l'école serait une entrave à la liberté. Pourtant, le port de la blouse est une pratique répandue dans des pays démocratiques, c'est le cas par exemple en Angleterre, et cela n'est en rien considéré comme une atteinte à la liberté des individus. »

La réfutation peut se placer à trois endroits différents :
– avant la confirmation, lorsque notre discours a pour but de contester une thèse contraire à la nôtre. Commencer par la réfutation permet d'enchaîner sur nos arguments pour déconstruire la position adverse ;

– après la confirmation, si l'on considère que le déroulé de nos arguments a déjà permis de démonter les idées adverses. Placer la réfutation ici donne l'impression au public que, à ce stade, rallier notre cause est logique et que cela tombe sous le sens ;

– lorsqu'une idée importante dans notre argumentaire fait l'objet de critiques, il peut être opportun d'en faire la réfutation dans la foulée de l'argument expliqué.

c. La péroraison (conclusion)

La péroraison doit représenter 15 % du discours. On y rappelle d'abord la thèse que l'on a défendue tout au long de la prise de parole. Enfin, dans sa dernière phrase, l'orateur doit faire forte impression.

Le rappel de notre position

La conclusion doit permettre aux auditeurs de se rappeler la position de l'orateur, ce qu'il souhaite que le public retienne. Il y a différentes manières d'amorcer sa conclusion :

– **La synthèse de nos idées** : elle consiste à rappeler en une phrase l'articulation entre nos deux ou trois idées principales et à conclure en réaffirmant notre opinion. Par exemple : « Ainsi, pour renouer avec notre tradition, pour gagner de l'argent et un temps précieux pour nos études, pour chasser les discriminations de la cour de l'école, le retour de l'uniforme est la meilleure réponse. »

– **La conclusion littéraire**[3] : tout comme, en introduction, l'orateur peut raconter une histoire à l'auditoire, il peut également recourir à ce procédé en conclusion. Une technique particulièrement efficace consiste à faire écho au récit introductif et à en tirer une morale. Par exemple : « Il y a de cela quelques semaines, avec la disparition des abeilles, notre famille a finalement décidé de vendre nos terrains et de se séparer de toutes nos ruches. Après plus de

---

3   Voir « L'exorde littéraire », p. 317.

quatre-vingt-dix ans d'exploitation, c'est la première année où nous ne produirons pas de miel. Voilà l'illustration parfaite de l'impact des comportements humains sur l'écosystème, des comportements qui finissent par se retourner contre nous. Si nous ne réagissons pas rapidement contre l'usage des pesticides, c'est bientôt l'espèce humaine qui sera menacée sur terre, comme le sont désormais les abeilles en Dordogne. »

La morale

Il peut être bienvenu de tirer une morale de ce que notre discours vient d'expliquer. À la manière des *Fables* de La Fontaine, qui donnaient toujours la leçon à tirer du récit, l'orateur peut en faire de même avec son discours. Cela est optionnel et attention à ne pas tomber dans une fin moralisatrice, aux idées arrêtées, qui pourrait offusquer un auditoire qui aurait pourtant été convaincu par le déroulé de l'argumentation jusqu'à présent.

Avoir recours à un dicton populaire peut être une manière classique et peu risquée pour faire la morale de son discours. Exemple : « Rien ne sert de courir, il faut partir à point », « Les vérités qu'on aime le moins à apprendre sont celles qu'on a le plus d'intérêt à savoir », « On gagne toujours à taire ce qu'on n'est pas obligé de dire… mais peu importe », « Un mot dit à l'oreille est quelquefois entendu de loin… ce soir Mesdames et Messieurs, vous ne pourrez plus jamais dire face à la menace que sont les pesticides : je ne le savais pas ».

La dernière phrase

La dernière phrase doit marquer les esprits. Apothéose du discours, cette phrase vient couronner notre raisonnement, le magnifier. Ces derniers mots doivent résonner dans l'esprit des personnes qui nous écoutent. La dernière phrase peut :

– **englober l'auditoire**, par exemple : « C'est à ces anciens soldats, morts pour leur pays, que nous devons le privilège d'être réunis ici, tous ensemble, en mémoire de ces combattants de l'honneur, honneur des combattants. »

– **mobiliser l'auditoire** : « Si nous ne réagissons pas rapidement contre l'usage des pesticides, c'est l'espèce humaine qui sera menacée sur terre comme le sont désormais les abeilles en Dordogne. »

– **marquer l'auditoire** : c'est la fameuse *punchline*, autrement dit, la phrase « coup de poing », à l'instar de la conclusion de Bertrand Périer lors de la finale du concours Eloquentia Saint-Denis, en 2015, que l'on entend dans le film *À voix haute* : « Avant, pour célébrer notre attachement à la liberté d'expression, il fallait dire : "Je suis Charlie !" Maintenant, à partir de ce soir, je dirai aussi : "Je suis Saint-Denis !" »

– **faire une ouverture** : ce procédé consiste à poser une nouvelle question, à conclure par la nouvelle problématique qui découle de notre prise de position. Par exemple, sur le sujet « Le progrès est-il toujours bénéfique à l'humanité ? », on pourra conclure sur : « L'essentiel n'est pas de se demander s'il existe de bons ou de mauvais progrès scientifiques ou technologiques, mais surtout de se poser la question des comportements de l'homme dans l'utilisation de ses propres inventions. »

2. LES STRUCTURES ALTERNATIVES

En dehors de la structure classique, il existe d'autres formes pour organiser notre prise de parole. Si une introduction et une conclusion sont toujours indispensables, le plan de l'argumentation peut varier en fonction de l'objet du discours. Voici quelques-unes de ces formes alternatives.

a. Le plan journalistique

Quand l'utiliser ?

Ce plan se montre particulièrement efficace lorsque le texte a vocation à présenter les tenants et les aboutissants d'une situation, d'un événement, ou le travail d'un individu, sans nécessairement nous inviter à prendre parti. Il est utile pour les discours ayant vocation à informer l'auditoire.

Il revient à suivre la méthode des 5 W (*what, why, who, when, where*) qui est enseignée dans toutes les écoles de journalisme.

Le plan

Prenons pour exemple un exposé sur la mise en place de la semaine de quatre jours à l'école.

I. Introduction : présentation du sujet et de son contexte.

II. Argumentation : chaque paragraphe doit répondre aux questions suivantes.

1. De qui/quoi s'agit-il ? (***what ?***) On présente ici de manière générale le thème dont on va parler. Par exemple : « La semaine de quatre jours va redevenir majoritaire dans les établissements scolaires en France, à partir de 2018. On y travaillera seulement le lundi, le mardi, le jeudi et le vendredi. »

2. Pourquoi ? (***why ?***) Pourquoi parle-t-on de ce sujet ? En quoi la personne ou l'événement dont nous allons parler sont-ils intéressants ? Par exemple : « Désormais, ce sont les communes qui vont déterminer si leurs écoles doivent revenir à la semaine de quatre jours. De nombreux débats vont avoir lieu pour se prononcer à ce sujet : ce sera à nos élus locaux de déterminer l'organisation des calendriers scolaires dans notre commune. »

3. Qui est concerné ? (***who ?***) Quelles sont les personnes concernées par notre sujet ? Il faut aussi expliquer quel impact la situation que l'on décrit va avoir sur elles. Par exemple : « Les élèves, les professeurs, les parents, les écoles, les communes… La semaine de quatre jours aura des conséquences sur les agendas, les devoirs du soir, les gardes d'enfants. »

4. Quand ? (*when ?*) Dans quelle temporalité s'insèrent les événements décrits ? Parlons-nous d'événements passés, ou encore d'une personne posthume ? S'agit-il d'actions qui se déroulent en ce moment ? Vont-elles avoir un impact sur notre futur ? Par exemple : « En septembre 2017, un tiers des communes avait déjà opté pour ce choix. Le phénomène devrait se généraliser dans toute la France d'ici 2020. »

5. Où ? (*where ?*) Quelle est la zone géographique concernée par le discours ? Le monde, un pays, une ville, un quartier, des lieux publics, un lieu privé ?… Par exemple : « Toutes les communes de France vont être amenées à se prononcer en faveur ou en défaveur de la semaine de quatre jours. »

III. Conclusion : si le contexte de la prise de parole s'y prête, il peut être de bon ton de terminer en exprimant un avis personnel par rapport à ce qui vient d'être présenté.

b. Le plan dialectique

Quand l'utiliser ?

Ce plan est aussi connu sous le nom « thèse/antithèse/synthèse ». Il est généralement employé pour traiter une problématique complexe ou philosophique, lorsque l'on ne peut pas répondre à un problème de manière manichéenne, lorsqu'il faut faire preuve de nuances. Le raisonnement dialectique est intéressant en ce sens qu'il oblige à prendre en compte les forces mais aussi les faiblesses d'une position initiale, et à envisager comment ces dernières pourraient être dépassées. Cette structure est souvent enseignée à l'école, notamment comme modèle pour des travaux écrits d'histoire-géographie, de français et surtout de philosophie.

Le plan

Prenons pour exemple un sujet de philosophie : « Défendre ses droits, est-ce défendre ses intérêts ? » (sujet proposé au baccalauréat en 2017).

I. Introduction : après l'exorde, on fait la présentation de chaque terme du sujet. Il faut ensuite rappeler la problématique posée et éventuellement annoncer son plan. Par exemple : « Qu'est-ce qu'un "droit" ?... qu'un "intérêt" ?... Ainsi, est-ce que défendre nos droits, c'est aussi défendre nos intérêts ? Pour ma part je pense que si [thèse], il n'en va pas moins que [antithèse], par conséquent il faudrait [synthèse]. »

II. Argumentation

1. Thèse : c'est le point de départ de notre raisonnement, notre opinion de prime abord et les arguments élémentaires qui la fondent. Par exemple : « Défendre nos droits, c'est bien défendre nos intérêts ».

– *Argument A* : le respect de nos droits est aux fondements de notre intérêt pour la vie en société. *Exemple* : en acceptant de vivre en société, chaque individu reconnaît l'autorité de l'État. Il lui accorde le rôle de protéger nos droits fondamentaux et de punir ceux qui les entravent, comme l'expose Hobbes dans *Le Léviathan*.

– *Argument B* : nos intérêts font partie de nos droits. *Exemple* : percevoir le loyer d'un appartement dont nous sommes propriétaires est un droit et un intérêt à la fois.

2. Antithèse : c'est l'objection que l'on pourrait faire à la thèse, les limites de la thèse. L'antithèse n'a pas vocation à s'opposer frontalement à ce que l'on vient de dire dans la partie précédente. Elle vient faire progresser la réflexion en nuançant le propos et en analysant le sujet sous un prisme différent. Par exemple : « Défendre nos intérêts, ce n'est pas nécessairement défendre nos droits ».

– *Argument A* : nos intérêts peuvent être différents de nos droits. *Exemple* : lorsqu'un mandat de maire ou de président de la République arrive à échéance et que l'élu souhaite rester au pouvoir alors qu'il n'est pas reconduit, il n'en a pas le droit, bien que cela puisse être dans son intérêt personnel.

– *Argument B* : les intérêts individuels sont souvent contraires aux droits collectifs. *Exemple* : combien d'entreprises sont encouragées par des actionnaires à générer toujours plus de profits, quitte à enfreindre la loi ? à abuser d'une position dominante ou de monopole ? Nous en voulons pour preuve les ententes entre opérateurs téléphoniques (Orange, SFR et Bouygues Telecom), condamnés en 2009 pour s'être mis d'accord sur les prix à proposer aux consommateurs, bafouant au passage les règles du droit de la concurrence et de la consommation.

3. Synthèse : à cette étape, on vient apporter une solution ou une ouverture à la problématique posée. Comment dépasser un dilemme ? Quelle direction prendre ? Quelle leçon tirer de notre analyse ? Tout cela doit être proposé dans la synthèse. Par exemple : « La difficulté de défendre nos droits et nos intérêts à la fois. »

– *Argument A* : il faut d'abord apprendre à discerner nos intérêts de nos droits et, pour cela, prendre en compte les droits et intérêts d'autrui grâce à l'empathie. *Exemple* : des écoles, de la maternelle au lycée, mettent au cœur de leur pédagogie le développement de l'empathie envers les autres enfants, l'autorégulation des ego et des désirs. C'est le cas de treize écoles expérimentales en France reconnues comme *changemaker schools* par l'ONG Ashoka.

– *Argument B* : l'éthique est la défense de nos intérêts. *Exemple* : dans *Éthique à Nicomaque*, Aristote nous explique que la vertu morale (divisée en quatre qualités : la force, la sagesse, la justice et la modestie ou tempérance) doit dicter les comportements humains, notamment lorsque l'on vit en communauté. Dans l'absolu, il ne peut y avoir de société stable qui puisse procurer un bien-être à ses citoyens, s'il n'y a pas de comportement individuel vertueux. Nous devons parvenir à réprouver nos sentiments égoïstes par la « force » d'esprit, la « tempérance » de nos désirs et la « modestie » de nos émotions d'une part, et par un profond respect de la « justice » civile et de l'égalité entre les hommes d'autre part. Autrement dit, il faut apprendre à l'homme à régler ses intérêts personnels en faisant toujours prédominer l'intérêt du collectif. Ainsi se comporte l'homme de vertu.

III. Conclusion : bref rappel des arguments et de notre position finale.

c. Le plan chronologique

Quand l'utiliser ?

C'est le plan idéal lorsque le discours porte sur des faits historiques ou que l'on souhaite étudier une problématique qui s'étend dans le temps.

Le plan chronologique, comme son nom l'indique, s'organise en plusieurs périodes temporelles, trois en règle générale :

– le passé, le présent, l'avenir, lorsqu'il s'agit de faits s'étalant sur ces trois périodes, notamment s'ils ont des conséquences futures sur lesquelles on veut insister ;

– les périodes 1, 2 et 3 (par exemple de 1900 à 1914, de 1914 à 1918, de 1918 à 1939), lorsqu'il s'agit de faits qui se sont déroulés dans le passé ou d'une date précise à nos jours.

Le plan

Prenons pour exemple le sujet « La fonte des glaces dans l'Arctique, de 1900 à nos jours ».

I. Introduction : exorde et présentation du sujet.

II. Argumentation : on aborde chaque période en décrivant les faits et en donnant leurs causes.

1. Période 1 : le début du réchauffement du pôle Nord : de 1900 à 1945.

2. Période 2 : la stabilisation des températures : de 1945 à 1980.

3. Période 3 : le réchauffement planétaire et la fonte des glaces de l'Arctique : 1980 à 2018.

Le cas échéant, cette troisième partie de l'argumentaire peut servir à étudier les conséquences futures de la problématique étudiée.

III. Conclusion : observations générales sur l'évolution dans le temps du sujet abordé dans le discours. Ouverture sur le futur ou sur l'héritage des faits analysés.

d. Le plan constat – besoin – solution

Quand l'utiliser ?

Ce plan est à adopter de préférence lorsque le discours a pour objectif de présenter une recommandation ou de faire adopter une solution. Cette structure est souvent utilisée dans les discours politiques et dans les interventions des entrepreneurs qui « pitchent » leurs inventions devant un investisseur.

Le plan

Prenons comme exemple le sujet « Lutter contre l'illettrisme des adultes dans le monde ».

I. Introduction : exorde et présentation du sujet.

II. Argumentation

1. Le constat : on pose le problème, sans oublier de décrire ses causes sociales, économiques, culturelles, sociologiques, etc. Par exemple : « 800 millions d'adultes souffrent d'illettrisme dans le monde ». Dans l'hypothèse d'un pitch entrepreneurial, on fera ici l'étude des comportements des consommateurs ou des clients potentiels.

2. Le besoin : on énonce clairement le ou les besoins identifiés à la suite du constat réalisé dans la partie précédente. Par exemple : « Multiplier les lieux d'apprentissage dans les pays du tiers-monde ».

3. La solution : on présente le plan d'action ou l'invention à soutenir. Par exemple : « Installer des écoles numériques et des MOOC dans les lieux publics où des ordinateurs sont mis à disposition dans les bassins de l'illettrisme (Afrique et Asie du Sud) ».

III. Conclusion : ouverture sur la marche à suivre pour mettre la solution en action (financement, calendrier, mobilisation populaire…).

B. Trouver des arguments

---

1. DÉROULER UN ARGUMENTAIRE

Un argument, c'est *pourquoi* ce que dit l'orateur est juste. Il s'agit de toutes les raisons qui peuvent convaincre le public de l'approuver, de prendre une décision en sa faveur, etc. Les deux ou trois idées, maximum, que contient un discours doivent toutes être expliquées par au moins deux arguments.

Nous l'évoquions dans la partie consacrée à la rhétorique[4], nous pouvons identifier trois grandes familles d'arguments :

– les arguments de faits, qui relèvent du *logos* (la logique) ;

---

4 Voir « La rhétorique », p. 52.

– les arguments qui ont trait à la morale, qui relèvent de l'*ethos* (la réputation, l'éthique) ;

– les arguments qui touchent les sentiments, qui relèvent du *pathos* (l'émotion).

Il est utile d'avoir des arguments de ces trois genres dans un discours. Cependant, pour bien gérer le temps qui lui est imparti, il faut admettre qu'un orateur ne peut pas toujours tout dire. Vouloir être exhaustif, c'est risquer de perdre l'audience en lui donnant une surcharge d'informations. Avant de prendre la parole, nous devons faire des choix, établir des priorités. Pour cela, je ne peux que conseiller, comme dit précédemment, de sélectionner les arguments les plus forts, de les disposer en *crescendo* et de placer les plus convaincants à la fin du discours.

Dans une prise de parole comme un plaidoyer par exemple, l'orateur ne se contente pas d'énoncer les arguments les uns à la suite des autres. Il les développe, il les « déroule ». Cela implique de bien expliquer chacun d'entre eux, en donnant des exemples. Pour bien dérouler un argumentaire, le mieux est de respecter cet ordre :

– **énoncer l'argument** : le formuler de la façon la plus claire et la plus directe possible. Par exemple, pour défendre l'idée « Il faut augmenter la durée du congé paternité », on commencera par l'argument : « Il faut augmenter la durée du congé paternité pour exercer les conditions d'une égalité entre les hommes et les femmes. »

– **l'expliquer en adaptant son propos à l'audience.** Par exemple : rappeler la durée légale de base du congé paternité (11 jours) et du congé maternité (16 semaines) en France. Le public n'a pas forcément connaissance de ces éléments.

– **l'illustrer par un exemple[5].** Sur le sujet du congé paternité, cela peut être : « C'est une revendication qui prend de l'ampleur chez les hommes. Quarante célébrités masculines ont signé au

---

5   Pour le choix des exemples, voir p. 336.

printemps 2018 une tribune pour réclamer cette augmentation : ils espèrent "un allongement du congé paternité à six semaines, indemnisé comme le congé maternité", y voyant "une mesure d'équité" par rapport aux femmes qui disposent de seize semaines obligatoires, dont dix après la naissance. »

– **raccrocher l'argument à la thèse défendue :** « il faut prendre des mesures pour l'équité homme-femme. » Par exemple : « Augmenter la durée du congé paternité serait aussi une réelle avancée pour les femmes, car le partage des tâches domestiques se met en place dès la naissance de l'enfant. Il est donc crucial que le père soit disponible pendant cette période. »

– **faire la transition** vers la suite du discours, c'est-à-dire vers la prochaine idée ou le prochain argument. Par exemple : « Ce serait une avancée pour les femmes, <u>mais également pour la qualité de la relation entre les pères, leurs enfants et tout le foyer</u>. » (2ᵉ argument)

« Beaucoup d'arguments et d'images viennent en discutant avec l'entourage. »

LUC BARBEZAT, LAURÉAT 2018 DU CONCOURS ELOQUENTIA SAINT-DENIS (93)

Lors de la finale du concours, Luc Barbezat devait écrire un discours sur le sujet « Les valeurs importent-elles ? » à la négative (c'est-à-dire en répondant « non » à la question posée). « Quand j'ai découvert mon sujet, j'ai pris une feuille sur laquelle j'ai défini les termes et les différents biais. Sur les valeurs, il y avait les valeurs financières, morales, etc.

J'ai pris une autre feuille sur laquelle j'ai écrit des listes d'arguments à la volée. J'ai regardé ensuite si je pouvais détacher un axe dans ces arguments. J'ai laissé de côté la valeur économique pour me concentrer sur la valeur morale. Beaucoup d'arguments et d'images viennent ensuite en discutant avec l'entourage, la famille, les amis. En effet, quand je cherche à expliquer un argument à un de mes proches, ils ne comprennent pas tous instinctivement là où je veux en venir, donc cela m'oblige à chercher des exemples pour étayer des idées. Ce sont des exemples que je peux reprendre ensuite.

Cela me permet aussi de vérifier si l'argument est probant, et sinon, j'abandonne. »

2. TROUVER DES EXEMPLES

Un orateur qui veut prouver la justesse de son argument l'appuie toujours sur un exemple. De cette façon, il montre que son raisonnement est ancré dans la réalité. Il permet aussi au public de mieux comprendre son propos, de se le représenter. Pour cela, on peut utiliser des exemples personnels ou des exemples objectifs.

On me pose souvent la question du rapport de l'oral avec la lecture. Sans tirer de conclusions générales, je cite alors mon propre parcours : il est indéniable que mon appétit pour la lecture m'a permis de découvrir des auteurs, des citations, des événements historiques. Les livres m'ont aidé à construire ma culture générale et ce sont justement ces références que l'on peut mettre à profit pour trouver des exemples justes et appropriés.

a. Les exemples personnels

Les exemples que nous choisissons dans notre histoire personnelle captent souvent l'attention. Par définition, ils sont plus authentiques, ce sont ceux dont nous parlons le mieux. Personne d'autre ne les a vécus donc n'aura pu les raconter avant nous.

> « J'ai remarqué que mon histoire personnelle [...] pouvait en inspirer d'autres. »

ELHADJ TOURÉ, DU CONCOURS ELOQUENTIA À LA CONFÉRENCE TEDx ESSEC BUSINESS SCHOOL

Elhadj Touré raconte dans le film *À voix haute* comment, adolescent, il a vécu dans la rue, à la suite d'un incendie dans l'immeuble de sa famille. C'est un exemple qu'il n'hésite plus à citer dans ses discours. « Après la formation et le concours, j'ai compris que c'était très important d'entendre les trajectoires des autres, y compris leurs cicatrices. J'ai remarqué que mon histoire personnelle, l'incendie qui avait ravagé mon appartement et avait mis ma famille à la rue, pouvait en inspirer d'autres. J'ai produit une conférence TED avec l'ESSEC dans laquelle je suis revenu sur ce moment très difficile[6].
Aujourd'hui, je n'ai plus de gêne à m'exprimer sur ces choses-là. C'est plus facile pour moi de revenir sur ces moments, parce qu'ils ont fait celui que je suis aujourd'hui.

---

6 On peut consulter la conférence TED d'Elhadj sur YouTube (www.youtube.com/watch?v=cUYRitIP6zU).

> Quand je suis entré dans le programme, j'avais beaucoup de colère, j'étais très renfermé sur moi-même, par rapport à ce que j'avais vécu. La formation m'a permis de me libérer, de m'ouvrir plus aux autres. Et puis j'ai pris conscience que j'étais capable de prendre la parole pour dire des choses. »

b. Les exemples objectifs : chiffres, faits, citations

Les exemples personnels sont authentiques et originaux, mais les exemples objectifs permettent de renforcer la crédibilité du discours. Pour leur utilisation, on doit suivre une règle précise : les chiffres, faits et citations que donne un orateur doivent tous servir l'argumentation. Ils permettent d'avancer dans la progression du discours. Les faits et les statistiques doivent valider ce que nous sommes en train de démontrer. L'audience devient alors capable de se représenter les arguments de façon matérielle, concrète.

Un exemple bien choisi peut donner beaucoup de poids à un argument.

Les chiffres

Les chiffres, statistiques, sondages soulignent la validité de l'argument. Ils fournissent une forme de preuve objective. Par exemple, un orateur tente de convaincre un public que les réseaux sociaux doivent rester interdits aux moins de 13 ans. Il peut alors arguer que 80 % des élèves affirment avoir été témoins de cyber-harcèlement, selon e-Enfance, une association de protection de l'enfance.

Il faut être cependant très vigilant quand on donne des chiffres et toujours s'assurer de leur véracité. Attention aux *fake news* et aux informations trouvées sur Internet ! Il est impératif de vérifier ses sources et de les citer.

Les faits

Mentionner des faits à l'appui d'un argument renforce le discours. À cette occasion, l'orateur peut raconter une histoire dans son histoire. En plus de consolider son argument, cette narration sert à maintenir l'intérêt de l'audience.

Imaginons que l'on souhaite convaincre un auditoire de stopper l'exposition des enfants de moins de 3 ans aux écrans. On peut raconter le cas suivant : « Les parents de César, un enfant exposé aux écrans, ont constaté une absence d'attention chez leur fils. Il ne répondait pas à leurs appels, il regardait la télévision sans réagir, à tel point qu'ils l'ont cru autiste ! Ils consultent une pédiatre : celle-ci leur préconise de sevrer César d'écrans. Après quinze jours sans télévision ni ordinateur, l'enfant change totalement d'attitude : il recommence à interagir avec sa famille, il comble peu à peu ses retards de langage[7]. »

Les citations

La citation sert à invoquer les pensées d'une personne célèbre à l'appui d'un argument. En voyant qu'un personnage historique, un artiste, un scientifique, un philosophe, etc., soutient la même thèse que l'orateur, l'audience va plus facilement l'approuver.

Pour reprendre le thème précédent, l'interdiction d'exposer les tout-petits aux écrans, nous pourrions poursuivre le raisonnement en évoquant l'importance de développer la capacité d'imagination des enfants, par une pratique régulière de la lecture à voix haute, plutôt que de leur montrer des images sur un écran. L'enfant pourra de cette façon inventer ses propres représentations, enrichir son imagination qui est une capacité essentielle pour sa construction personnelle. On pourra alors citer Paul Harris, docteur en psychologie du développement et de l'enfant : « L'imagination est

---

7 Le cas de César est tiré d'un article du site de BFM TV : « Addiction aux écrans : les parents de César ont cru leur fils autiste », 12 mars 2018, sur bfmtv.com.

nécessaire à la pensée de l'enfant dès ses 18 mois et continue à l'être jusqu'à la vie adulte[8]. »

Cependant, un discours peut tout à fait ne contenir aucune citation. Cela ne lui fera pas perdre en crédibilité. La citation n'est intéressante que si elle est employée à bon escient. Il ne s'agit jamais de tomber dans un *patchwork* de bons mots, qui pourraient sembler ronflants et peu à propos. Personne ne devrait transformer sa prise de parole en dictionnaire de citations. Un orateur qui utilise trop les mots des autres risque de perdre en authenticité, de ne pas porter sa propre voix.

C. Le langage et les figures de style

Trouver ses arguments et savoir comment les organiser constitue la base d'un discours. Cependant, ce qui va frapper l'esprit de l'audience, ce sont les mots employés pour formuler ces arguments. Pour porter au mieux son discours, un orateur doit trouver la meilleure manière de le dire. Pour cela, il va travailler sur le niveau de langue, le ton et les figures de style.

1. LE NIVEAU DE LANGUE

Le niveau de langue est la façon dont chacun s'approprie la langue[9] : on parle de niveau familier pour le langage de tous les jours, de niveau courant pour une langue maîtrisée et simple, et de niveau soutenu pour un langage très savant ou très littéraire. En fonction du contexte, l'orateur va choisir entre le langage soutenu et le langage courant. Le langage familier, considéré comme

---

8 Gaëtane Chapelle, « Imaginer pour grandir. Entretien avec Paul L. Harris », *Sciences humaines*, juin-juillet-août 2004.
9 Voir « Le langage », p. 42.

vulgaire, ne sera que très rarement employé. Évidemment, l'orateur doit proscrire les vulgarités, elles discréditent souvent celui qui les emploie.

Le choix du niveau de langue dépend de nos auditeurs. On ne s'exprime pas de la même manière devant un auditoire de professionnels de la santé et devant une assemblée de collégiens. Le langage soutenu peut, face à une audience expérimentée, apporter de la crédibilité. Maîtriser les « beaux mots » peut alors garantir l'écoute. À l'inverse, avec un public plus jeune ou moins expérimenté, le niveau soutenu peut amener de la confusion et provoquer des pertes d'attention. On tâchera simplement d'être clair et compréhensible pour tout le monde.

2. LE TON DU DISCOURS

En même temps que le niveau de langue, il s'agit aussi de choisir le ton à employer. Sera-t-il comique ? sarcastique ? grave ? dramatique ? Quels sentiments veut-on créer dans le public ?

Va-t-on tenter de mettre le public de son côté en le faisant rire ? Si les traits d'humour font mouche, cela est toujours bénéfique : le public est plus détendu, moins sur ses gardes. Par le rire, l'orateur ouvre une brèche qui lui permet de séduire l'audience, de l'emporter par l'émotion de son discours. Attention, cependant, aux blagues douteuses (sexe, mœurs, racisme...), qui peuvent avoir l'effet inverse et rompre la connivence ainsi créée. Il vaut mieux choisir des traits d'humour qui peuvent toucher la majorité des participants.

Il peut être intéressant de varier les registres pour éviter de tomber dans la monotonie. Si la première partie du discours est plutôt légère, rien n'empêche de continuer la seconde sur un ton plus grave.

3. LES FIGURES DE STYLE

J'ai mentionné dans la partie III de ce livre les différentes figures de style[10] que nous présentons dans nos cours de poésie (l'allitération, l'assonance…). L'orateur peut les employer dans son discours, ou encore en utiliser d'autres, comme :

– **l'anaphore** : il s'agit de marteler une idée en la répétant en début de vers, de phrase ou de paragraphe. Par exemple, dans la chanson « Alors on danse » de Stromae : « Qui dit études dit travail/ Qui dit taf te dit les thunes/ Qui dit argent dit dépenses » Cette figure est très utilisée dans toutes les formes de discours, surtout dans la parole politique.

– **l'antithèse** : on oppose très fortement deux réalités contraires, pour surprendre ou pour choquer. Par exemple : « 1 % de la population mondiale se partage 82 % des richesses créées dans le monde, alors que 50 % des êtres humains n'en touchent rien ! »

– **l'oxymore** : il consiste à placer deux mots qui s'opposent dans le même groupe de mots, pour étonner, se monter ironique, faire rire. Par exemple : « C'est d'une banalité exceptionnelle. »

– **la comparaison** : il s'agit de rapprocher deux éléments en les liant par le mot *comme* ou un équivalent (on parle de *mot de comparaison*). Cette figure peut être utile aussi bien pour enrichir votre style que pour développer un raisonnement. Par exemple : « Comme une feuille d'examen, pareille pour tous les candidats, l'uniforme à l'école peut effacer les différences de classes sociales entre les élèves. »

– **la métaphore** : on rapproche deux éléments en les comparant l'un à l'autre, sans mot de comparaison. La comparaison et la métaphore peuvent être filées, c'est-à-dire que l'orateur peut enchaîner les figures jouant sur un même thème. Par exemple :

10 Voir p. 205.

« Il était solide, un roc, fiable et fidèle, on pouvait se reposer sur lui comme sur de la roche »

— **la question rhétorique** : avec cette figure, on s'adresse directement au public sans attendre de retour de sa part. On pose à l'auditoire une question qui souligne une intention, un argument ou une thèse. Par exemple, dans un discours sur l'environnement, l'orateur peut lancer : « Faudra-t-il attendre que le dernier ours polaire ne meure pour commencer à endiguer le réchauffement climatique ? » Évidemment la réponse est non.

Cette liste n'est qu'un petit échantillon des figures de style qui existent et que nous n'allons pas toutes détailler ici. Si leur emploi peut ajouter de la force au discours, attention à ne pas en abuser. Comme pour les citations, il convient de trouver le bon dosage. Un orateur qui s'appliquerait à placer une figure dans chaque phrase rendrait son discours pesant ou trop pompeux.

D. Les notes : faut-il tout rédiger ?

Vous allez prononcer un discours, vous avez rédigé votre texte. Comment faire pour ne pas l'oublier ? Si l'idée d'un trou de mémoire vous inquiète, demandez-vous si vous aurez la possibilité d'avoir des notes : cachées derrière un pupitre, affichées sur un prompteur ? Ou serez-vous livré à vous-même ?

Nous reviendrons très vite sur la notion de notes. Retenez que si elles sont visibles par l'auditoire, elles créent une barrière entre le public et vous. Les audiences aiment sentir que vous êtes sincère, pleinement dans un partage avec elles, que vous êtes presque dans l'improvisation. Tenir des feuilles dans la main, au contraire, empêche de regarder le public et crée de ce fait une distance avec lui.

Pourtant, avant de prendre la parole, il faut écrire. Écrire, je le redis, est le seul moyen de s'approprier ses idées et de les organiser, de voir quelle logique, quels rapports elles entretiennent. Les candidats des concours Eloquentia rédigent parfois leur discours de A à Z et le déclament devant le public. Cependant, les jeunes qui atteignent les phases finales arrivent généralement à dire leur texte de façon naturelle, sans qu'on ait l'impression qu'ils lisent leurs notes. Quoi qu'il en soit, l'idéal est toujours de maîtriser son discours sur le fond pour ne pas être prisonnier de ses feuilles et pouvoir garder un contact visuel avec l'auditoire.

Se passer totalement de fiches est l'idéal. Pour y parvenir, il faut répéter son discours au maximum. Lorsque, malgré les répétitions, il n'est pas envisageable de tout connaître par cœur, il vaut mieux rédiger des notes que garder son discours en entier sous les yeux. Dans le vif du discours, avoir un long texte est plus perturbant qu'autre chose. Il est toujours rassurant de se constituer des fiches mais attention, rédiger des notes, ce n'est pas réécrire l'ensemble de son discours. Il s'agit de le synthétiser, de n'en garder que le « squelette ».

Les notes seront saisies sur un logiciel de traitement de texte, en gros (taille 16 ou plus en Times New Roman). La police doit être suffisamment élevée pour que l'on puisse retrouver facilement ses idées lorsque l'on baisse son regard sur les feuilles.

Lorsque l'orateur dispose d'un pupitre ou d'une table, il est conseillé de n'écrire que d'un seul côté de ses fiches, afin de pouvoir toutes les disposer sur la table, dans l'ordre du discours, pour ne jamais avoir à les retourner. Cela permet de se libérer les mains.

••• Ce que l'on peut prendre en notes :

– **L'introduction :** le mieux est de noter votre exorde dans les fiches, mais surtout de l'apprendre par cœur. Les fiches serviront de rappel en cas de problème.

– **Les mots-clés de l'argumentation :** on peut noter ses arguments sous forme de grandes idées, en un seul mot. Par exemple, pour défendre la thèse : « Je suis pour l'interdiction des téléphones portables au collège », les mots-clés peuvent être : « inégalités » (les portables sont des signes ostentatoires de richesse, potentiellement discriminants pour celui qui n'en possède pas), « harcèlement » (certains harceleurs filment les humiliations qu'ils infligent à leurs camarades avec leurs portables), « déconcentration » (les collégiens sont déconcentrés par leurs téléphones qu'ils ont tendance à consulter en cours).

– **Les transitions :** il est nécessaire de maîtriser la manière dont on passe d'un argument à un autre et dont on fait le lien avec le fil rouge, l'objet du discours.

– **La conclusion :** il est important de ne pas rater la dernière impression laissée dans l'esprit du public. Là aussi, il est recommandé d'apprendre la dernière phrase de votre discours par cœur.

Au bout du compte, seules l'introduction et la conclusion sont à rédiger impérativement, mais surtout à apprendre « par cœur ». Cela ne signifie pas de les apprendre au mot près, mais d'avoir bien en tête son exorde et son entrée dans le sujet. Les arguments en découlent par la suite. Apprendre sa conclusion permet aussi de soigner sa sortie avec les derniers mots que l'on compte prononcer pour impacter l'audience. Les arguments et les illustrations sont des éléments que l'orateur maîtrise, qu'il doit être capable d'expliquer et qui peuvent être synthétisés en un mot.

Prendre des notes comporte certaines limites. Si vous les consultez trop, elles peuvent créer un obstacle entre l'orateur et l'auditoire, tout comme lire l'intégralité du discours.

Il faut en réalité s'appuyer sur les mots-clés pour développer l'argumentaire, sans donner l'impression à l'auditoire que l'on répète un texte mémorisé à la lettre près. Apprendre par cœur est utile pour maîtriser sa prise de parole. Mais il ne s'agit pas de le faire de façon mécanique, ce serait prendre le risque de ne pas habiter le discours et surtout de se sentir déboussolé en cas de trou de mémoire.

Pour cela, une seule solution : répéter. Devant une glace, à voix haute ou devant un ami bienveillant qui pourra donner son avis. Répéter jusqu'à ce que l'on maîtrise le discours et que nos notes ne soient plus qu'un plan dont on doit s'assurer de franchir chaque étape.

III. PORTER SON DISCOURS DEVANT UN PUBLIC

La prise de parole engage tout le corps. Un orateur éloquent va mettre sa voix, son regard, ses gestes au service de son propos.

Il faut donc répéter son discours, seul ou devant un ou des proches, pour travailler sa forme. C'est à ce moment que les questions de gestuelle, de voix et de posture vont émerger. Où glisser un silence pour montrer au public que ce passage est particulièrement important ? Que faire de ses mains ?

A. La voix et le silence

1. LE VOLUME, LE DÉBIT DE LA VOIX ET L'ARTICULATION

La voix est le premier instrument de l'orateur. Il doit savoir en jouer pour transmettre son message. Elle doit d'abord être adaptée selon le lieu de la prise de parole, qu'il convient d'anticiper. Allez-vous parler dans une grande salle ? Résonne-t-elle ? L'audience sera-t-elle proche ? Sera-t-elle disposée en arc-de-cercle, en quinconce ? Selon les réponses à ces questions, il faudra parler plus ou moins fort[11].

La question du volume de la voix est la première à se poser. Une voix forte peut fédérer, galvaniser. À l'inverse, une voix faible crée une certaine intimité, qui pourra rassurer le public. Varier le volume permet de ne pas tomber dans la monotonie. Si l'orateur s'exprime avec une voix très faible et que, tout à coup, il se met à parler très fort, l'effet de surprise est garanti auprès du public.

L'intonation, c'est le ton que l'on prend pour s'adresser au public. Elle doit être en accord avec le texte. Si l'on évoque un fait dramatique, la voix sera basse, grave. Si au contraire, on parle d'une victoire, l'intonation sera enjouée, enthousiaste. Il y aura du « sourire » dans notre voix.

---

11 Voir l'exercice « Faire sonner l'instrument » p. 201, ainsi que la partie « Projeter sa voix » p. 188.

« Écrivez ces passages en majuscules. »

OUANISSA BACHRAOUI, HUITIÈME-DE-FINALISTE 2015 DU CONCOURS ELOQUENTIA SAINT-DENIS (93)

« Je suis allée jusqu'aux huitièmes de finale dans le concours. Je n'avais pas vraiment de problème pour construire mes discours, mais je devais vraiment travailler sur l'intonation et le rythme. Je ne devais pas avoir peur de hurler ou de marquer un silence, mais j'avais beaucoup de mal à le faire. Pour m'en souvenir, j'écrivais les phrases que je devais crier en majuscules, caractères 36, en gras, en rouge (voire en souligné !) sur mes notes. Je ne criais jamais assez fort pour moi, mais je progressais à chaque fois. Nous avons prononcé l'un de nos discours à la bibliothèque de l'Ordre. Et là, j'ai réussi à porter ma voix. J'ai même été désignée "oratrice la plus remontée" ! Pourtant, dans la vie, je ne le suis pas du tout, mais là, ça correspondait parfaitement à l'énergie du moment. »

La variation vaut aussi pour le débit : il est bienvenu de le changer au fil du discours. Un débit rapide peut garder l'audience en haleine, un débit lent lui permettre de mieux assimiler des informations. Pensez au débit des commentateurs de football ! Ils calent leur rythme sur celui de l'action sur le terrain.

Attention, cependant, à garder une articulation claire et compréhensible. Pour travailler la diction, on peut s'entraîner à répéter son texte une première fois avec un crayon dans la bouche, puis le retirer et recommencer.

2. LES SCORIES À ÉVITER

Nous avons tous des tics de langage et de comportement qui viennent parasiter nos prises de parole. Il est important de les repérer et de les éviter. S'agit-il des « euh »[12] entre chaque phrase ? Touchons-nous notre nez ou nos cheveux lorsque nous parlons ? Est-ce que je me balance sans arrêt ? Est-ce que je croise mes jambes lorsque je suis debout ? Est-ce que je regarde trop souvent le ciel ou mes chaussures lorsque je m'exprime ? Il faut dresser la liste de tous ces tics et tenter de les corriger pendant les répétitions du discours. Pour cela, on peut s'aider de son entourage, des personnes qui nous aident à répéter, leur demander d'identifier la récurrence de ces « scories ».

Il n'est pas possible d'éliminer totalement les scories, alors rappelez-vous que ce n'est pas grave si, le jour J, vous commettez ces erreurs, le tout étant de les diminuer au maximum en amont.

3. L'ÉLOQUENCE DU SILENCE

Prendre la parole ne signifie pas parler sans arrêt. En réalité, le silence est aussi important que le texte. Il permet aux mots de résonner dans l'esprit de l'audience. Je propose souvent des exercices pour se familiariser avec le silence et apprendre à l'utiliser. Il ne faut pas avoir peur du « blanc », il s'agit au contraire de le maîtriser. Il sert de ponctuation du discours (une seconde de pause vaut une virgule, deux secondes valent un point). Il rend ainsi le propos plus intelligible. Le silence permet de ralentir le rythme. Pendant ces pauses, on peut préparer les phrases suivantes, mais aussi reprendre sa respiration, ce qui se révèle très utile en situation de stress ou de panique.

Un silence prononcé signifie également au public que l'on vient de dire quelque chose d'important ou que l'on s'apprête à le faire.

---

12 Voir aussi l'exercice de « La tête à claps » p. 152.

Il n'y a rien de plus efficace pour remobiliser la concentration d'un auditoire.

Le silence permet d'insister sur un passage du texte déterminant, où le raisonnement bascule, par exemple.

4. GÉRER SON TEMPS

Un autre enjeu est ici primordial : le temps qui vous sera imparti. Par exemple, lors des conférences TED, le temps est limité à 18 minutes pour des raisons bien précises, telles que la capacité d'attention du public ou encore l'obligation pour l'orateur d'être synthétique et d'aller droit au but. Lors de conférences académiques, l'orateur peut disposer d'une heure entière pour s'exprimer. Chaque prise de parole doit s'adapter au temps dont on dispose. Elle ne doit être ni trop longue, ni trop courte, pour ne pas donner au public l'impression d'un propos léger et sans profondeur.

Un conseil : si vous faites un discours derrière un pupitre ou une table, placez-y une montre ou un smartphone avec un minuteur. Si ce n'est pas possible, demandez à un complice de se placer au premier rang des spectateurs et de faire un signe de la main, ou sur une feuille, pour vous indiquer le temps qui vous reste (10 minutes, 5 minutes, 3 minutes et 1 minute de temps de parole).

B. Le corps et les gestes

1. OCCUPER L'ESPACE

Lorsque l'on est amené à prononcer un discours sur une grande scène ou un large espace, le mieux est de se placer au centre et à l'avant de la scène, à l'image des conférences TED où un rond rouge indique aux *speakers* où se positionner pour être vu par le maximum de spectateurs. Il s'agit de notre point de référence sur scène. Lorsque l'on se déplace sur le plateau, il faut veiller à revenir régulièrement à cette position centrale. On doit aussi prendre l'habitude pendant ces mouvements de ne jamais tourner le dos au public. Rompre le regard, c'est rompre le lien. Il faut donc regarder l'audience autant que possible.

Certains orateurs aiment marcher pour faire vivre leur discours sur scène, d'autres seront déstabilisés et préféreront rester immobiles. Celles et ceux qui aiment « occuper l'espace » veilleront à bien connaître leur texte car l'expérience nécessite de pouvoir se détacher de ses notes pour être en interaction avec l'auditoire. Lorsque tel n'est pas le cas, je recommande davantage de rester sur une position fixe avec éventuellement un support pour y placer des notes (table, pupitre). Mais même si l'on se déplace peu, il faut tout de même penser à « faire vivre » son corps : bouger ses bras et ses mains à bon escient pour ne pas sembler trop figé.

Cela dit, une prise de parole peut aussi avoir lieu dans un espace restreint, derrière un pupitre, ou même assis dans un fauteuil pour une table ronde de discussion. Renseignez-vous en amont. Si vous répétez en mouvement, mais que, le jour J, vous n'avez pas d'autre possibilité que de rester derrière votre pupitre, vous pourriez être déstabilisé. C'est ce qui est arrivé à Ouanissa, lorsqu'elle a dû prononcer un discours dans l'émission « Le Gros journal[13] » sur Canal + : « J'avais appris mon texte en bougeant. Mais le jour J, j'ai appris juste avant que je devais rester face caméra. J'avais soudain l'impression de ne plus du tout connaître mon texte ! »

---

13 Émission du 11 avril 2017 au cours de laquelle Ouanissa et Kiss ont débattu sur le thème « Faut-il voter ? ». Elle est visible sur YouTube : https://www.youtube.com/watch?v=-fGcD759_GI.

2. LA POSTURE

Une mauvaise posture du corps peut engendrer des gestes parasites, gêner la respiration et affaiblir la voix. Le mieux est donc d'opter pour une posture qui facilite la respiration. Ancrez-vous dans le sol, ayez les pieds parallèles, les épaules alignées avec votre bassin et vos pieds afin de créer une « colonne d'air » bien droite. Relâchez vos articulations et surtout vos genoux. Soyez stable, sans être rigide non plus.

Cette posture permet de gérer plus facilement notre souffle, et donc de maîtriser notre débit, pour porter correctement notre discours.

Quand nous parlons, nous produisons constamment des signes non verbaux qui donnent une image positive ou négative de nous-mêmes. Nous n'allons pas chercher ici à les décrypter un par un, car il n'est de toute façon pas possible de tous les contrôler sur scène. Évitez avant tout les positions de fermeture, les bras croisés, par exemple. Le langage des mains, en particulier, doit être maîtrisé. Nos mains sont un vecteur de communication majeur dans un discours. Faites-en vos alliées !

●●● Sur le langage des mains, voici quelques principes :

– Les mains sur le pupitre : en présence d'un pupitre ou d'une table, ne pas hésiter à poser régulièrement les mains de part et d'autre du meuble et à s'y appuyer. On peut éventuellement le « frapper » si l'on souhaite créer un effet de surprise ou réveiller l'auditoire.

– Les doigts croisés (ou les mains enveloppées) au niveau du diaphragme : c'est la position « refuge » pour les mains, une position neutre à adopter lorsque nous n'en avons pas besoin. Elle est d'autant plus utile lorsque nous n'avons pas de pupitre en face de nous.

– Utiliser ses mains pour appuyer le texte : les gestes doivent être coordonnés avec l'intonation du discours. Lorsque le rythme du discours ralentit, inutile de trop gesticuler. Quand, en revanche, le timbre de la voix devient plus grave et monte en puissance, on peut l'accompagner par des gestes des mains plus amples.

– Serrer le poing : dans les discours engagés, militants ou politiques, le poing serré est une image classique qui provoque toujours son effet lorsque l'on veut exacerber sa détermination.

– Mains ouvertes et tournées vers les spectateurs : ce geste signifie que l'on souhaite établir un lien avec eux, que l'on invite le public à s'emparer de ce que l'on dit. C'est la posture des mains la plus utilisée avec la posture « refuge ».

– Pointer le doigt vers l'assistance : éviter ce geste, car cela donne l'impression d'un sentiment de vengeance ou d'accusation lorsque cela n'est pas nécessaire. Il est utile toutefois pour appeler l'auditoire à se mobiliser, notamment en fin de discours.

C. Le regard et le sourire

1. ÉTABLIR UN CONTACT VISUEL

Le regard a un réel potentiel d'inclusion lorsque l'on s'adresse à un auditoire. Parfois, le simple fait de fixer un spectateur qui n'écoute pas suffit à l'entraîner à nouveau dans le discours.

Un orateur doit toujours regarder son public, non seulement les premiers rangs, mais embrasser du regard le reste de la salle. Il veillera régulièrement à balayer dans la largeur toutes les personnes assises au dernier rang pour « envelopper » tout l'espace. Si vous n'avez que quelques interlocuteurs, regardez-les dans les yeux, tous sans exception, pour éviter que l'un d'entre eux se sente oublié.

Devant un public, ne levez jamais les yeux en l'air, au risque de paraître peu concerné par la situation. Évitez également au maximum de regarder le sol. Enfin, balayez régulièrement votre assemblée de droite à gauche, de l'avant à l'arrière, tout au long du discours. Faites-le par à-coups, en vous arrêtant à chaque fois quelques secondes, comme si vous fixiez une nouvelle personne, même si vous ne la regardez pas vraiment. Les spectateurs, eux, ne s'en rendront pas compte et auront vraiment le sentiment d'avoir établi un contact avec vous pendant quelques secondes.

2. SE FAIRE DES AMIS DANS LE PUBLIC

Le seul point à regarder quand on parle à un public, c'est ce public. Lorsque le propos du discours s'y prête, souriez-lui. Le sourire, tout comme le rire, permet de désarmer votre audience, de la rendre vulnérable ou tout du moins disponible, prête à vous écouter.

Avant de prononcer les premiers mots, observez un silence, regardez des personnes dans l'assistance et souriez-leur. Cela permet d'identifier les regards « amis » qui comptent vous accorder de l'attention.

Lorsque le discours débute, il y aura forcément quelques personnes qui prêteront plus d'intérêt que d'autres à ce que vous dites. Ce sont vos « appuis ». N'hésitez pas à revenir les consulter de temps à autre, afin qu'ils se sentent toujours impliqués par votre discours et vous donnent confiance.

D. Gérer ses émotions

Prendre la parole peut représenter un véritable stress. On craint souvent de céder à la nervosité, de « perdre le contrôle » sur scène. La respiration est essentielle dans la maîtrise de ces émotions. Avant de prendre la parole, je conseille la pratique de la respiration abdominale et de la méditation[14].

En plus de ces techniques, on peut développer des réflexes pour mieux gérer ses émotions.

1. MONTRER SA VULNÉRABILITÉ

Montrer sa vulnérabilité peut susciter de l'empathie avec les personnes qui vous écoutent. Vous êtes stressé ? Assumez-le ! Dites-le franchement dès le début. L'auditoire se mettra à votre place et saluera l'effort que vous faites en prenant la parole.

2. UTILISER LE « BON STRESS » ET SAVOIR FREINER LE MAUVAIS

Il faut savoir faire la différence entre le stress et l'adrénaline. Le « mauvais stress », la tension, paralyse. Le « bon stress », l'excitation, galvanise. Toute la différence est là. Il est absolument normal de ressentir du trac avant de prononcer un discours, à l'image d'un comédien avant d'entrer en scène. Ce stress est un moteur, il permet de se focaliser sur l'enjeu, il stimule.

Pour retirer tous les bénéfices de ce stress positif et les rendre durables, prenez conscience des épreuves que vous surmontez, rien

---

14 Voir l'exercice « La méditation », p. 191.

qu'en prenant la parole. Vous avez osé monter sur scène, vous avez osé vous exprimer. Soyez, à chaque fois que c'est possible, fier de vous.

Lorsque, en revanche, un orateur se retrouve en situation d'angoisse au cours de son discours, il peut rentrer dans un cercle vicieux, où la pression et la peur que l'auditoire s'aperçoive de sa fébrilité précipitent la chute de sa prestation. Dans un tel cas de figure, trois attitudes peuvent permettre de limiter le stress :

– Avant de prononcer les premiers mots de son discours, prendre le temps de respirer, de regarder l'auditoire et de dédramatiser, puis formuler dans sa tête la première phrase en entier et se lancer seulement quand on est prêt à la dire. Quand l'introduction d'un discours débute mal, que l'on bégaie ou que notre langue fourche, ce mauvais départ suscite de l'angoisse qui peut perturber l'orateur tout au long de son élocution.

– Respecter les pauses au niveau des points et des virgules. Lorsque le stress s'empare de l'orateur en plein discours, la ponctuation du silence[15], permet de ralentir le rythme de la prise de parole. Elle offre des temps de respiration à l'orateur, qui pourra alors retrouver la maîtrise de lui-même.

– Boire de l'eau. Le public est habitué à voir un orateur s'arrêter pour prendre une gorgée d'eau. En situation de stress, ne pas hésiter à le faire pour reprendre son souffle et regarder ses notes.

---

15 Voir « L'éloquence du silence » p. 349.

« Si les peurs
ne disparaissent pas
complètement [...],
on apprend à moins
les écouter. »

**LOUISE BERTHON, QUART-DE-FINALISTE 2017
DU CONCOURS ELOQUENTIA SAINT-DENIS (93)**

Louise, quart-de-finaliste 2017 du concours Eloquentia
Saint-Denis, raconte comment la présence du public en
quart de finale, au lieu de la stresser, l'a libérée : « Si les peurs
ne disparaissent pas complètement, au fur et à mesure du
concours, on apprend à moins les écouter. J'ai trouvé les
trois premiers tours du concours finalement plus durs que le
quart de finale. En quart, on est porté par le public, la
situation... c'est grisant. J'ai seulement pensé à mon
discours, beaucoup moins à mes mains qui tremblaient ou à
la façon dont j'arrangeais mes cheveux. »

3. LA POSSIBILITÉ D'IMPROVISER

L'improvisation est l'exercice le plus rude lorsque l'on s'exprime
en public. Cela consiste à aborder un sujet dont nous n'avions pas
prévu de parler en préparant notre intervention. Qu'il s'agisse d'une

réaction imprévue dans l'auditoire par rapport à ce que l'on affirme ou une idée avancée par un contradicteur en plein débat, il y a des situations où l'orateur est obligé de concevoir une réponse sur-le-champ. Lorsque l'orateur improvise, il marche alors sur un fil à double tranchant. L'auditoire sait qu'il n'a pas pu préparer de réponse auparavant, il s'agit d'un moment de vérité. Le discoureur est désormais un funambule, sans filet, dont certaines personnes qui l'écoutent espèrent peut-être qu'il puisse trébucher.

Dans un tel cas de figure, je recommande aux rhéteurs d'éviter de répondre au sujet sur le fond, s'ils ne sont pas certains de leur réponse, de s'en sortir par un trait d'humour ou tout simplement en avouant qu'ils n'avaient pas prévu d'aborder le thème en question. En revanche, lorsque l'on est sûr de soi et que l'on maîtrise bien son sujet, une bonne réponse improvisée à une critique de l'auditoire fait souvent « mouche » et galvanise notre propos.

En marge des réponses à l'assistance qu'il faudrait improviser, on peut également donner à un discours une note plus spontanée. Cela ne signifie pas que l'on ne prépare pas les étapes par lesquelles on compte dérouler notre propos, mais simplement de valider en amont les idées, les arguments et les exemples qui nous semblent centraux. Pour le reste, on se donne une véritable liberté de ton, de rythme et de possibilité d'interagir avec l'auditoire, dans le temps imparti.

Votre prestation gagnera en authenticité, mais exercez-vous vraiment en amont. Préparez une trame de discours et répétez vos improvisations même si, par définition, aucune ne se ressemblera. Si cet exercice se révèle plus difficile que prévu, laissez-vous la possibilité de reprendre vos notes, si besoin.

« J'avais un squelette de discours, mais je venais sur scène sans notes. »

**ELHADJ TOURÉ, TROISIÈME DU CONCOURS
ELOQUENTIA 2015 SAINT-DENIS (93)**

« Au troisième tour du concours, je me suis complètement lâché. Je me suis dirigé vers des discours plus personnels et plus improvisés. J'ai compris le registre dans lequel j'étais à l'aise et je l'ai respecté. Je déclamais.

J'avais un squelette de discours, mais je venais sur scène sans notes. C'est toujours comme ça que je m'y prends aujourd'hui quand je dois parler en public. Du coup, je peux beaucoup plus jouer avec les regards, les silences. »

E. Gérer l'aléa

Enfin, la prise de parole peut ne pas se passer comme prévu. Une panne de courant, des feuilles manquantes, un cri dans le public, tout cela peut arriver… C'est l'immersion de la réalité dans la parenthèse, préparée, du discours.

L'orateur doit donc réagir. Il s'agit de s'adapter rapidement à une situation surprenante. Pour cela, l'humour est le meilleur moyen de dédramatiser les situations impromptues, le temps de reprendre le fil de notre propos.

« J'ai pris le parti de rebondir sur l'aléa. »

LAMINE SAMASSA, TROISIÈME DU CONCOURS ELOQUENTIA 2018 SAINT-DENIS (93)

« Pendant la demi-finale, je me suis rendu compte, au cours de mon passage, que les trois dernières pages de mon discours n'avaient pas été imprimées. J'ai dû improviser la fin de mon texte. L'intitulé du sujet s'y prêtait bien : "Les apparences se dépassent-elles ?"
Je me suis arrêté, le public a compris qu'il se passait quelque chose. J'ai pris le parti de rebondir sur l'aléa. J'ai assumé, j'ai exagéré le fait que j'étais perdu. Je me suis adressé à l'audience en disant, sur le ton de la blague : "Vous avez peut-être l'impression que j'ai perdu mes fiches... Pourtant il n'en est rien !" Et je me suis souvenu de la fin du discours, j'ai réussi à terminer. Comme si c'était une blague qui était totalement calculée ! »

2
PRÉPARER UN ORAL D'EXAMEN

Depuis quelques années, l'Éducation nationale prend davantage en compte l'expression orale, non seulement dans ses programmes, mais aussi dans les examens au collège et au lycée. L'esprit critique des élèves est de plus en plus recherché et évalué à travers ces épreuves.

Cependant, les attentes des jurys peuvent parfois être difficiles à appréhender pour les élèves.

Nous donnons ci-dessous quelques conseils, tirés des principes de la pédagogie « Porter sa voix », pour préparer au mieux ces oraux.

Il y a deux grandes familles d'examens oraux : ceux qui consistent à contrôler les connaissances d'un élève au cours desquels il découvre un sujet tiré au sort, dans une liste de thèmes qu'il aura *a priori* étudiés en amont, et ceux qui consistent à faire un exposé sur un thème choisi par le candidat au préalable.

I. LES ORAUX DE CONTRÔLE DE CONNAISSANCES

Les oraux de contrôle de connaissances sont encore ceux que l'on retrouve le plus en milieu académique.

A. Typologie

Le premier examen oral, sous forme de contrôle de connaissances, auquel sont confrontés les élèves, c'est l'oral de français, en classe de première, lors des épreuves anticipées du baccalauréat. L'examinateur donne au candidat l'un des textes étudiés au cours de l'année, et une question à partir de laquelle il doit analyser ce texte. Après 30 minutes de préparation, le candidat est évalué en 20 minutes de passage oral : 10 minutes de présentation, 10 minutes de questions.

En terminale, actuellement, les options facultatives (LV3, langues anciennes…) sont aussi évaluées par des oraux au baccalauréat. Il y a également des épreuves orales qui peuvent littéralement sauver les élèves ayant échoué à l'écrit et leur permettre d'obtenir leur baccalauréat. En effet, le rattrapage s'organise uniquement à l'oral. Lors de ces examens, les élèves peuvent espérer obtenir les points qui les séparent de la moyenne et donc du diplôme. Ils doivent, à l'oral, prouver à l'examinateur qu'ils connaissent bien les points du programme de l'année scolaire. Ces épreuves représentent une deuxième chance pour des lycéens qui n'ont pas complètement réussi à montrer leurs connaissances à l'écrit.

Enfin, dans les concours d'entrée à de nombreuses grandes écoles et dans la fonction publique, après une première phase d'admissibilité organisée sous forme d'épreuves écrites, l'admission se joue souvent à l'oral. C'est bien lors de cette deuxième phase que la sélection entre les candidats est affinée.

Ces oraux comportent en général deux parties : une présentation orale en réponse à la question tirée au sort par le candidat, et un entretien avec l'examinateur qui prend généralement la forme d'une série de questions-réponses.

B. Réussir les oraux de contrôle de connaissances : les grands principes

Pour réussir ce type d'examen, il n'y a pas de secret. Il faut connaître ses cours et donc avoir suffisamment révisé ou travaillé.

Les oraux de connaissances, comme leur nom l'indique, visent avant tout à... contrôler des connaissances. Leur évaluation est quasi automatique et proportionnelle à notre capacité à retranscrire les parties du cours qui se rapportent au sujet qui nous est imposé

Cependant, au moment de l'épreuve, il est possible que vous n'ayez pas assez révisé cette partie-là du cours. Que faire, alors, face à l'examinateur ?

Tout d'abord, ne paniquez pas et n'hésitez pas à lui demander de reformuler sa question, cela vous permettra peut-être de retrouver le fil de vos connaissances. N'oubliez pas non plus que tous les oraux ne vous demandent pas de réciter le cours par cœur. Si l'oral porte sur un document ou un texte, n'essayez pas en vain de vous rappeler vos connaissances. Cherchez un maximum d'éléments de réponse dans le document (source, auteur, contexte de parution...).

Si la question ne porte pas sur un document et que vous ne savez vraiment pas quoi répondre, faites preuve d'honnêteté intellectuelle. Dites : « Je ne connais pas la réponse. » L'examinateur ne vous regardera pas dans le blanc des yeux pendant que vous cherchez, en vain, ce que vous pourrez bien lui dire. Il est également peu probable qu'il mette immédiatement fin à l'épreuve. Au contraire, il tentera, la plupart du temps, de vous donner une seconde chance. Demandez-lui de vous interroger sur un autre sujet. L'important est de passer rapidement à la suite de l'entretien pour engranger un maximum de points dans le temps imparti, ils compenseront ceux que vous n'aurez pas pu gagner sur la première question.

Rappelez-vous que ces oraux, notamment au lycée, sont organisés dans un certain esprit de bienveillance. L'intérêt n'est pas de sanctionner les élèves mais de leur donner l'occasion de montrer ce qu'ils savent.

Si vous maîtrisez votre sujet, l'important sera donc de bien organiser votre présentation. Lors de la phase de préparation de l'oral, structurez le propos en deux ou trois grandes idées.

Pour ce type d'oral, je recommande de s'inspirer de la trame du discours classique[16] :

1. introduction (sans exorde, qui n'est pas nécessaire dans ce cas) ;
– énonciation du sujet ;
– énonciation du plan ;

2. l'argumentation (si possible, donnez deux ou trois idées, au moins un ou deux arguments par idée et un exemple par argument) ;

---

16 Voir, dans cette partie, le chapitre 1, « Faire un discours », p. 306.

3. conclusion qui fait la synthèse du raisonnement.

Évidemment, lorsqu'il s'agit d'un sujet historique, le plan chronologique peut également être utile[17].

Allez droit au but et ne passez pas plus de 15 % de votre temps de parole sur l'introduction. Votre conclusion, elle, occupera 5 % à 15 % maximum de votre intervention. Dans le cas d'un oral où vous parlez 10 minutes, 1 minute 30 sera consacrée à l'introduction, et la conclusion durera entre 30 secondes et 1 minute 30. Au moins 80 % de votre prestation doivent être consacrés au développement de votre argumentaire.

II. LES ORAUX DE PRÉSENTATION D'UN PROJET

Contrairement aux oraux de connaissances, qui ont vocation à interroger au hasard les candidats sur des parties du cours dispensé pendant l'année, il existe des oraux où les élèves peuvent choisir eux-mêmes le thème qu'ils présenteront le jour de l'épreuve orale sous forme d'exposé. Ces oraux sont préparés en amont, parfois plusieurs mois avant l'épreuve. En voici les principaux cas de figure, ayant cours actuellement.

---

17 Voir « Le plan chronologique », p. 331.

A. Typologie

1. AU COLLÈGE

Depuis 2011, les collégiens doivent passer une épreuve orale au brevet. Elle peut revêtir trois formes : un oral d'histoire des arts, un travail réalisé en groupe dans l'année dans le cadre des EPI (enseignements pratiques interdisciplinaires) ou encore la présentation d'une activité effectuée dans le cadre des parcours éducatifs.

Le candidat peut présenter son travail seul. Dans ce cas, l'exposé dure 5 minutes, au cours duquel il parle sans être interrompu. Puis la présentation est suivie de 10 minutes d'entretien avec le jury, composé de deux professeurs du collège. Le candidat peut aussi choisir de passer l'épreuve en groupe de trois élèves maximum, pendant 10 minutes, suivies de 15 minutes de discussion avec le jury.

Cet oral est noté sur 100 points, soit un quart des 400 points visés lors des épreuves finales. L'élève est jugé sur sa prestation : l'examinateur attribue 50 points sur la qualité de maîtrise du sujet, et 50 autres sur la maîtrise de la présentation.

a. Les EPI

Depuis la rentrée 2017, les EPI (enseignements pratiques interdisciplinaires) peuvent commencer dès le cycle 4 (5ᵉ, 4ᵉ, 3ᵉ). Introduits lors de la réforme du collège en 2017, ils incitent enseignants et élèves à croiser plusieurs matières dans des projets transversaux.

Les EPI prennent la forme d'un travail que l'élève aborde avec plusieurs professeurs, sachant que toutes les disciplines sont susceptibles de proposer des EPI. Chaque élève doit en avoir réalisé au moins un en fin de collège, en croisant deux matières différentes, et peut donc le présenter à l'oral du brevet. L'organisation de ces enseignements (notamment en ce qui concerne le volume horaire dédié) et de ces épreuves dépend de chaque établissement.

> ●●● Une liste de huit thèmes d'EPI est transmise par le ministère aux collèges. En 2018-2019, il s'agit de :
> – transition écologique et développement durable ;
> – corps, santé, bien-être et sécurité ;
> – culture et création artistiques ;
> – information, communication, citoyenneté ;
> – sciences, technologie et société ;
> – langues et cultures de l'Antiquité ;
> – langues et cultures régionales et étrangères ;
> – monde économique et professionnel.

L'élève peut présenter à l'oral du brevet un projet d'EPI interdisciplinaire comme « Galilée, un grand savant[18] » (disciplines : histoire, arts plastiques et sciences physiques), ou encore le projet « Identités et métissages[19] » (disciplines : français et enseignement moral et civique).

L'intérêt de l'exercice est de stimuler l'esprit critique de l'élève et sa faculté à s'approprier des connaissances dans des matières transverses pour se forger son propre point de vue.

b. L'oral d'histoire des arts (HDA)

Depuis la rentrée 2018, à la place de l'oral d'EPI, l'élève peut présenter une œuvre d'art vue au cours de l'année. La préparation de cette épreuve orale d'histoire des arts au brevet dépend de chaque établissement scolaire. Les professeurs peuvent donner une liste de thèmes aux élèves ou laisser les candidats libres de choisir l'objet d'étude qu'ils présenteront le jour J. Il peut s'agir d'une œuvre d'art étudiée en cours d'arts plastiques, d'éducation musicale, d'histoire-géographie, de français. Cela peut être un tableau, une chanson, un poème, etc.

---

18 Projet d'EPI réalisé dans l'académie de Clermont-Ferrand.
19 Projet d'EPI réalisé dans l'académie de Versailles.

Le candidat peut apporter un dossier pour étayer son discours, montrer au jury des images de l'œuvre dont il parle, ou lire des extraits d'un livre s'il choisit un poème.

Il est important, cependant, de bien vérifier les modalités de l'épreuve avec l'établissement scolaire, car l'équipe enseignante peut ajouter des contraintes spécifiques, comme définir une période à laquelle l'œuvre ou l'artiste étudié doit appartenir (par exemple, le XXe siècle).

c. Les parcours éducatifs

Les parcours éducatifs, notion mise en place depuis 2015, recouvrent l'ensemble des activités du collégien sur quatre thèmes : orientation, santé, citoyenneté, culture. Toutes les disciplines peuvent y contribuer, ainsi que toutes les expériences organisées par le collège (stages, projets réalisés en cours) et menées par l'élève hors du cadre scolaire (choix de participer à une association, par exemple).

Depuis la session 2017 du brevet, l'élève peut présenter un projet effectué dans le cadre de l'un des quatre parcours éducatifs :

– Parcours avenir : il peut s'agir d'une présentation du stage en entreprise que l'élève a réalisé pendant l'année de 3e ;

– Parcours santé : il peut, par exemple, présenter un travail sur la prévention des conduites addictives ;

– Parcours citoyen : il peut évoquer un travail sur les fausses nouvelles ou sur une association qui lutte contre l'homophobie ;

– Parcours d'éducation artistique et culturelle : l'élève pourrait présenter le portrait d'un artiste qu'il aurait rencontré.

Les conditions de l'examen sont les mêmes que pour l'oral d'histoire des arts ou d'EPI, mais ici, l'élève est plus incité à présenter ses démarches, l'action qu'il a menée au cours du projet, et à les inscrire dans le parcours éducatif équivalent.

2. AU LYCÉE

a. Les TPE

Les travaux personnels encadrés (TPE) existent depuis 2001. En 2006, l'oral de TPE est devenu une épreuve obligatoire au baccalauréat. Créés pour initier les lycéens à la recherche, ils peuvent aujourd'hui apparaître comme la version « lycée » des EPI, car ils demandent aussi de croiser les disciplines dans un projet commun.

Comme pour l'oral de français, la soutenance des TPE a lieu en fin de classe de première, dans le cadre des épreuves anticipées du baccalauréat.

●●● Les thèmes des TPE, donnés par le ministère, changent tous les deux ans. Pour l'année scolaire 2018-2019, les thèmes communs aux trois filières ES, L et S sont :
- agir pour son avenir ;
- l'aléatoire, l'insolite, le prévisible ;
- individuel et collectif.

Sauf cas exceptionnel, les TPE doivent être un travail d'équipe, présenté lors d'un oral, en groupe de deux personnes minimum et de quatre maximum. Un groupe de deux élèves a droit à 10 minutes de présentation (5 minutes par élève) ; un groupe de quatre élèves aura 20 minutes. L'entretien avec le jury dure le même temps que la présentation. Les élèves doivent expliquer leur sujet, mais aussi leur démarche méthodologique, les apprentissages qu'ils ont tirés du projet, et leurs capacités à travailler en équipe.

Les TPE ont un coefficient de 2 pour le baccalauréat. Seuls les points au dessus de la moyenne sont conservés, donc les TPE sont bien une façon d'engranger des points.

Les TPE resteront en vigueur pendant l'année scolaire 2018-2019, mais vont probablement disparaître par la suite, remplacés par le Grand oral du baccalauréat qui en reprend la philosophie.

b. Le Grand oral du baccalauréat

À partir de 2021, les élèves de terminale passeront donc une épreuve orale. C'est la grande nouveauté de la réforme du baccalauréat en cours. Elle montre bien l'attention croissante portée à l'oral et à son évaluation, dans le système scolaire comme dans la société.

Le Grand oral s'inscrit dans une réforme du baccalauréat et du lycée qui sera mise en place progressivement jusqu'en 2021 : les séries ES, L et S disparaissent et, à la place, les lycéens sont amenés à choisir deux enseignements de spécialité dès la classe de première. Le Grand oral permettrait d'évaluer au moins une de ces matières. Selon les premières informations données par le ministère, il s'apparenterait à une version plus élaborée de l'oral des TPE.

●●● Le 4 mai 2018, le Grand oral du baccalauréat est présenté par le ministère comme « un oral d'une durée de 20 minutes préparé tout au long du cycle terminal [...].
L'épreuve orale repose sur la présentation d'un projet préparé dès la classe de première par l'élève.
Cet oral se déroulera en deux parties : la présentation du projet, adossé à un ou deux enseignements de spécialité choisis par l'élève et un échange à partir de ce projet permettant d'évaluer la capacité de l'élève à analyser en mobilisant les connaissances acquises au cours de sa scolarité, notamment scientifiques et historiques.
Le jury sera composé de deux professeurs[20]. »

---

20 Site Internet de l'Éducation nationale : www.education.gouv.fr/cid126438/baccalaureat-2021-un-tremplin-pour-la-reussite.html.

Le rapport Mathiot, qui a servi à préparer le texte de la réforme, préconise que l'échange, après la phase d'exposé, soit organisé sous forme de questions-réponses, pour tester l'esprit critique du candidat. « Ce deuxième temps particulier pourrait soit être consacré à poursuivre les échanges autour du sujet présenté par le candidat, soit porter sur le projet d'orientation de l'élève, soit permettre au candidat de développer des connaissances liées aux disciplines », peut-on lire dans le rapport.

Le Grand oral représenterait 15 % de la note totale du baccalauréat. Il ferait partie des quatre épreuves finales, passées en terminale sous forme d'examens nationaux (avec la philosophie et les enseignements de spécialité), alors que les autres matières seraient évaluées en classe de première ou en contrôle continu.

Les conditions de son organisation restent encore à préciser, mais c'est une prise en compte majeure du poids de l'oralité. C'est surtout, et cela mérite d'être souligné, une reconnaissance de la nécessité de former les élèves à développer leur esprit critique et à structurer des connaissances, deux axes de travail qui sont au fondement même de la pédagogie exposée dans ce livre.

B. Réussir l'oral de présentation de projet : les grands principes

1. LE CHOIX DU THÈME

Pour être à l'aise à l'oral, il faut partir d'un sujet qui nous tient véritablement à cœur, d'une cause, d'une problématique qui nous intéresse et qui nous touche personnellement.

Le choix du thème ou de la matière est donc stratégique. Dans le cas d'un oral où l'on peut déterminer le sujet, dirigez-vous vers celui qui vous est le plus familier, avec lequel vous avez le plus d'affinités ou qui suscite chez vous une véritable passion.

Dans le cas du brevet par exemple, pour l'oral d'histoire des arts, le collégien a intérêt à sélectionner une œuvre d'un peintre qui le passionne et dont il souhaite approfondir l'étude.

Si vous ne connaissez aucun des sujets proposés, optez pour celui qui vous intéresse le plus. Ne choisissez pas au hasard. Vous devez avoir la certitude que vous aurez envie de vous pencher sur ce thème, de le découvrir. Sinon, le risque est de peu vous investir, de ne pas habiter votre sujet dans la phase préparatoire et donc de ne pas le présenter correctement lors de l'examen.

Encore une fois, la phase de questions-réponses sera bien plus confortable à aborder si vous vous êtes vraiment imprégné du thème que vous étudiez. Vous serez tout simplement plus en confiance et vous disposerez en vous-même d'une mine d'informations dans laquelle vous pourrez piocher sans hésiter, pour réorienter l'entretien si nécessaire sur d'autres connaissances que vous avez déjà sur le sujet.

2. LE TRAVAIL AU COURS DE L'ANNÉE

Pour réussir l'examen le jour J, il est essentiel de le préparer efficacement. Cette préparation prendra des formes différentes selon le sujet de l'exposé.

a. Les exposés qui portent sur une expérience vécue

On peut présenter à l'oral du brevet une expérience personnelle. C'est le cas notamment dans le cadre des parcours éducatifs, par exemple quand l'élève évoque le stage en entreprise qu'il a effectué en classe de troisième.

L'entretien se prépare *pendant* cette phase d'expérience. Il ne faut pas attendre pour s'y lancer, au risque de ne pas recueillir la matière nécessaire ou d'avoir une matière trop peu nuancée.

On ne peut donc que conseiller aux élèves de prendre des notes à l'issue de chaque jour de l'expérience. Ces notes doivent synthétiser :

– le contenu de la journée, notamment si l'élève est en entreprise ou dans une association (y a-t-il eu un fait particulier à relever ?) ;

– le rôle du collégien ;

– ce que l'élève a apporté ;

– ce que l'élève a tiré comme enseignements de cette journée.

À la fin du séjour dans l'entreprise ou dans l'association, l'élève peut rédiger un rapport qui reprendra l'ensemble de l'expérience vécue à partir de ces éléments journaliers.

Il ne manquera pas de réaliser des interviews des salariés et de son maître de stage pour pouvoir les citer et donner du corps à sa présentation.

b. Les exposés sur une thématique choisie

Dans le cas des EPI, des TPE ou du futur Grand oral, vous présentez un travail effectué pendant l'année. Le premier conseil à donner à un candidat, c'est de travailler de manière régulière. Ces épreuves sont aussi à considérer comme un apprentissage de l'autonomie : c'est l'occasion d'apprendre à identifier les tâches, à les étaler dans la durée, à prendre des initiatives, à savoir gérer son temps. Pour les projets de groupe, répartissez-vous les activités. Le travail de recherche, de rédaction et de mise en forme de la présentation doit être pris en charge par tous les membres du groupe.

Les épreuves commencent par un exposé, dont il faudra rédiger le texte. Pour l'écriture de votre présentation, vous pouvez reprendre la structure classique du discours, mais rajoutez-y une partie personnelle en conclusion. Vous devez expliquer ce que vous avez retenu du sujet et de l'aventure. Un autre plan (chronologique, constat-besoin-solution) pourra être choisi si le sujet de l'exposé s'y prête.

N'oubliez pas, le cas échéant, de définir les supports visuels, qui compléteront votre présentation (photos, vidéos, maquettes...),

3. L'ENTRAÎNEMENT POUR LE JOUR J

Le jour de l'examen arrive : faut-il préparer des feuilles avec son texte tout entier ? En réalité, je conseillerais plutôt aux élèves de ne pas avoir de notes sur eux et d'apprendre par cœur leur propos. S'ils ont suffisamment travaillé, ils seront à l'aise pour évoluer dans leur sujet.

Cela dit, il ne faudrait pas réciter linéairement sa présentation comme une poésie, elle doit être vivante et incarnée. Le plus simple est de rédiger une petite note qui tienne dans une main[21].

Pour une présentation en groupe (EPI, TPE), il reviendra à ses membres de définir leur organisation à l'oral : ils devront se répartir le temps de parole. Il est évident que tout le monde doit être amené à s'exprimer dans le cadre de l'exposé.

Dans l'hypothèse où un élément du groupe est plus timide que les autres, il vaut mieux lui laisser présenter des parties au sein de l'argumentation, plutôt que l'introduction ou la conclusion qui doivent être très claires, percutantes et rappeler les idées phares de la présentation.

4. LE JOUR DE L'ORAL

Au moment de l'examen, il vaut mieux éviter toutes les sources de nervosité. Inutile d'essayer de savoir comment l'examen s'est passé pour les autres candidats, cela peut se montrer contre-productif et augmenter votre stress.

Sans prendre de retard, n'arrivez pas trop en avance, pour ne pas pâtir de la nervosité ambiante. Si l'examinateur est en retard, isolez-vous pour répéter votre présentation sous forme de mots-clés. Sinon, aérez-vous l'esprit, respirez, buvez de l'eau.

La phase de questions-réponses qui suit traditionnellement l'exposé peut concentrer les inquiétudes, car elle est imprévisible. Cette discussion a vocation à :

---

21 Voir la partie « Les notes : faut-il tout rédiger », p. 343.

– **évaluer des connaissances** : soit le jury revient sur le contenu de la présentation ou sur des points mal compris pour permettre au candidat de préciser, soit il invite le candidat à élargir le thème de sa présentation. Si l'élève a présenté un stage dans une association humanitaire, les questions pourront porter sur ce secteur d'activité (volume des dons en France, nom des grandes ONG françaises et mondiales, leur rôle dans la crise des réfugiés…). En résumé, l'examinateur va tester le degré de culture générale et/ou d'investissement de l'élève. Le seul moyen de bien préparer ce type de questions est de bien maîtriser les connaissances périphériques à notre sujet, de telle sorte que d'une manière ou d'une autre, on tentera de rapporter la question de l'examinateur à l'une de ces connaissances.

– **évaluer l'esprit critique** : avec l'arrivée du Grand oral du bac, ce point est la grande nouveauté. L'examinateur va chercher à évaluer la capacité d'un étudiant à argumenter sur un sujet, et dérouler un raisonnement logique

Par exemple, après la présentation d'un sujet qui serait « Victor Hugo, un homme politique français » (discipline Français-Histoire), l'évaluateur pourrait demander à l'élève en quoi Hugo, poète, dramaturge, écrivain, était légitime à s'impliquer dans la politique de l'époque.

Qu'est-ce que l'art engagé ? L'art doit-il s'impliquer dans la vie politique ? Autant de sujets annexes au thème de l'exposé principal mais qui requièrent de dérouler un nouveau raisonnement cohérent.

Lors de cette phase, n'oubliez jamais que vous n'êtes pas obligé de répondre du tac au tac. L'absence de précipitation est toujours appréciée. Cette attitude signifie à l'examinateur que sa question est pertinente, qu'elle vous oblige à réfléchir. C'est flatteur. Le temps que vous prendrez à réfléchir vous permet de trouver la réponse la plus appropriée et la bonne formulation.

En cas de questions sur un avis personnel, attention à ne pas rentrer dans un débat d'opinions. Normalement, le candidat peut soutenir l'opinion qu'il souhaite, même si ce n'est pas celle de l'examinateur. Ce qui n'empêche pas le propos de respecter des garde-fous moraux et éthiques. Il va de soi qu'au cours d'un examen, aucun propos insultant, violent ou discriminatoire ne sera toléré.

Il y a surtout un écueil à éviter : affirmer une idée ou une opinion sans en expliquer la construction intellectuelle.

Le conseil à retenir, c'est de suivre les règles de l'argumentation[22], de bâtir avec rigueur votre raisonnement. Vous ferez la preuve de votre esprit critique si vous montrez que votre opinion est fondée sur une réflexion logique et des illustrations probantes.

Pour cela, construisez une suite logique d'arguments : « Puisque [argument 1], [argument 2], [argument 3], alors [votre thèse]. » Ainsi, l'examinateur va juger l'analogie, l'enchaînement entre les arguments, la logique du raisonnement, et non son seul résultat qui est votre thèse. Cela permet de ne pas se faire noter pour une opinion, mais pour sa capacité à la construire.

En réponse à une question de l'examinateur, je suggère de répondre selon le modèle suivant :

« Puisque [argument 1] et que par exemple [exemple 1], mais aussi que [argument 2] et que [exemple 2], alors on peut dire que [énonciation de la réponse apportée]. »

Il est inutile d'avancer plus de deux ou trois arguments à la fois, l'objectif n'étant pas de refaire un exposé en entier. Si l'examinateur souhaite continuer d'approfondir sur le sujet, vous pouvez construire une nouvelle réponse selon le même modèle, avec les arguments qui n'ont pas encore été utilisés. Ce modèle permet d'attirer l'attention de l'évaluateur sur la nature de nos arguments et nos choix d'exemples afin d'éviter qu'il ne se concentre pas sur notre réponse finale, qu'il ne partage peut-être pas. Au demeurant, l'évaluation de l'esprit critique consiste à mesurer la capacité à trier et sélectionner des arguments et des exemples pertinents, au service de la thèse défendue. Ce n'est pas une notation « en soi » de la position finale du candidat.

---

22 Voir la partie « Trouver des arguments », p. 333.

3
PRÉPARER UN ENTRETIEN

Dans les études comme dans la vie professionnelle, un entretien peut être déterminant. Plus que sur un CV ou une lettre de motivation, c'est bien au cours de l'entretien d'embauche qu'un employeur tranche entre plusieurs candidats. Et si l'un d'eux cherche ses mots, est mal à l'aise, si son propos est décousu, l'impression qu'il renverra à cet instant jouera en sa défaveur. C'était peut-être bien lui le meilleur pour le poste mais il n'aura pas su l'expliquer. Les entretiens de personnalité, ce sont ces moments où un individu a besoin de convaincre un examinateur de la cohérence et de la sincérité de sa démarche, notamment pour un entretien d'embauche ou un oral d'intégration dans une grande école.

I. LA BOUSSOLE À ENTRETIEN

La boussole à entretien, qu'est-ce que c'est ? C'est une technique de formulation de ses idées et de préparation d'entretien, que j'ai apprise quand j'étais moi-même étudiant. Elle m'a permis d'avoir la note maximale lors du concours d'entrée à l'ESSEC. Je l'enseigne encore aujourd'hui à chaque promotion Eloquentia, en début de formation. L'objectif est d'orienter au maximum les questions de l'examinateur afin de mettre en lumière les points forts de votre candidature.

Imaginons que vous candidatez pour entrer dans une école ou que vous avez trouvé une offre d'emploi ou de stage à laquelle vous souhaitez postuler. Avec cette méthode, vous pourrez faire le tri dans vos expériences, envoyer le CV le plus approprié et préparer au mieux l'entretien en fonction de votre interlocuteur.

A. Réaliser la « fiche structure »

Pour débuter votre « boussole à entretien », il faut bien comprendre quelle est la structure au sein de laquelle vous candidatez ainsi que la nature de l'offre. Il faut donc commencer par la « fiche structure » : dessiner sur une feuille blanche un grand rectangle.

Nom de l'entreprise

> ## 1/ What, who, where, when, why.

Dans ce rectangle, notez le nom de l'entreprise ou de l'école à laquelle vous postulez, puis détaillez sa présentation en suivant quatre étapes.

Première étape : répondez d'abord aux 5 W (what, who, where, when, why).

– *What* : quoi ? Que fait cette entreprise ?

– *Who* : qui ? Qui la dirige ?

– *Where* : où ? Où est-elle située ? Où sont ses éventuelles autres implantations ?

– *When* : quand ? Depuis quand existe-t-elle ?

– *Why* : pourquoi ? Pourquoi cherche-t-elle à embaucher un nouveau collaborateur/stagiaire ?

Rassemblez un maximum d'informations : la cotation en bourse, la diversification des activités, l'histoire des fondateurs, etc. Vous devez être incollable sur l'établissement que vous souhaitez rejoindre.

Deuxième étape : recherchez les valeurs de l'entreprise. Est-ce le dynamisme ? l'innovation ? Identifiez les trois valeurs qui vous semblent principales. Pour ce faire, on peut tout simplement analyser le slogan de l'entreprise. Pour Apple, par exemple, il s'agit de « think different »[23], qui renvoie à des valeurs de créativité, d'innovation et d'indépendance. Ce que renvoie le logo peut également être significatif. C'est le cas de celui de l'Unesco (parent-enfant = transmission). Enfin, il ne faut pas oublier de se rendre sur le site Internet de l'entreprise où parfois ses valeurs sont expressément affirmées.

Troisième étape : interrogez-vous sur l'offre d'emploi ou de stage. Quelle est la nature du poste pour lequel vous candidatez ? Quelles seront les missions qui vous seront demandées si vous entrez dans l'entreprise ?

Quatrième étape : renseignez-vous sur la personne qui va vous interroger le jour de l'entretien, ses traits de caractère, ses attentes auprès de ses collaborateurs, ses exigences… Pour comprendre sa trajectoire et sa place dans l'entreprise, ne pas hésiter à se rendre sur Google ou encore LinkedIn pour recueillir des informations à son propos.

Nom de l'entreprise

1/ 5 W

2/ Quelles sont les valeurs de l'entreprise ?

3/ Quelle est la nature du poste ?

4/ Qui est mon examinateur ?

---

23 « Penser différemment »

B. Identifier les qualités demandées pour le poste

Concentrez-vous sur les qualités recherchées pour ce poste. Lisez très attentivement l'offre d'emploi ou de stage qui vous intéresse pour les repérer. Mettez-vous à la place de l'examinateur : quels sont ses besoins ?

Nom de l'entreprise

1/ 5 W

2/ Quelles sont les valeurs de l'entreprise ?

3/ Quelle est la nature du poste ?

4/ Qui est mon examinateur ?

5/ Quelles sont les qualités nécessaires ?

Voici un exemple d'offre de stage dans un cabinet d'avocats :
« Le cabinet XXXX offre un stage rémunéré, spécialisé en droit de la concurrence.

Durant ce stage vous assisterez nos professionnels dans :

• l'analyse juridique et économique de la position de marché de nos clients, de leurs fournisseurs et de leurs concurrents ;

• l'analyse de leurs projets (accords, partenariats, alliances…) ;

• le traitement des plaintes déposées ;

• la préparation d'une newsletter à destination de nos clients.

Doté(e) d'un excellent relationnel, vous savez faire preuve de rigueur, de curiosité, d'adaptabilité et d'un bon esprit d'équipe. »

Il faut ensuite isoler les 4 qualités qui vous semblent essentielles pour répondre à cette annonce. Pour chaque qualité vous pouvez choisir quelques adjectifs qui s'y réfèrent.

– La **rigueur** (méthodique, organisé) ;
– La **curiosité** (créativité, esprit d'entreprise) ;
– La **capacité à travailler en équipe** (coopératif, collaboratif) ;
– La **connaissance du droit de la concurrence** (diplôme, formation).

Comprenez bien la signification de chaque qualité, leur sens et comment elles se matérialisent dans le contexte de l'offre visée.

1 : 5 W
Quoi : le cabinet d'avocats xxx spécialisé en droit des affaires et de la concurrence
Qui : dirigé par Maître xxx et ses associés xxx
Où : cabinet à Paris et à New York
Quand : l'entreprise existe depuis 50 ans
Pourquoi : ils ont régulièrement besoin de stagiaires pour faire des recherches et préparer leurs dossiers

2 : valeurs de l'entreprise
1/ professionnalisme
2/ excellence (des conseils experts)
3/ proximité (avec le client)

3 : quelle est la nature du poste ?
Stagiaire en droit de la concurrence (conseil et gestion des contentieux)

4 : qui est mon examinateur ?
L'associé fondateur du cabinet pour qui le stagiaire devra travailler

5 : qualités recherchées ?
1/ rigueur (méthodique, organisé)
2/ curiosité (créativité, esprit d'entreprise)
3/ travail d'équipe (coopératif, collaboratif)
4/ connaissance en droit de la concurrence (diplôme, formation)

C. Associer ses expériences aux qualités demandées pour le poste

Faites correspondre à chaque qualité une expérience professionnelle, personnelle, sportive ou associative. Veillez à mentionner
des expériences diverses. Il est bon qu'au moins une des quatre
expériences soit en rapport direct avec le poste que vous visez.

Pensez à mettre en avant au moins une expérience non professionnelle : elle peut faire référence à un sport ou un loisir pratiqué.

Pour les plus jeunes qui n'ont pas suffisamment d'expériences
professionnelles, piochez dans des expériences humaines (stage,
hobbies, voyages, etc.).

Voici un exemple d'un jeune étudiant sans expérience professionnelle qui souhaite répondre à l'offre du stage en cabinet
évoquée plus haut :

• **Rigoureux**

Employé d'un bar de plage pendant l'été 2014 : gestion des
stocks et de la comptabilité.

• **Curieux**

En tant qu'assistant d'éducation en lycée en 2014-2015, et 2015-
2016, proposition et co-organisation de voyages scolaires en France
et à l'étranger pour les élèves.

• **Coopératif – capable de travailler en équipe**

Pratique régulière de sports d'équipe, notamment handball au
niveau régional depuis l'âge de 12 ans.

• **Connaissance du droit de la concurrence**

Stage dans le cadre d'un master 1 du droit de la concurrence à
l'université d'Aix-Marseille dans la perspective de devenir avocat.

À présent, choisissez les points cardinaux de votre boussole en
sélectionnant quatre expériences personnelles.

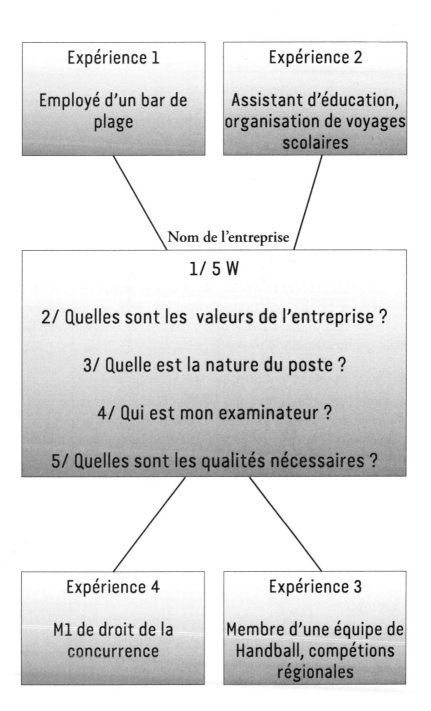

Expérience 1	Expérience 2
Employé d'un bar de plage	Assistant d'éducation, organisation de voyages scolaires

Nom de l'entreprise

1/ 5 W

2/ Quelles sont les valeurs de l'entreprise ?

3/ Quelle est la nature du poste ?

4/ Qui est mon examinateur ?

5/ Quelles sont les qualités nécessaires ?

Expérience 4	Expérience 3
M1 de droit de la concurrence	Membre d'une équipe de Handball, compétions régionales

D. Décrire les expériences

Pour chaque « point cardinal », précisez le nom de l'expérience et déroulez chacune d'elles selon les points suivants.

1. Le titre de votre expérience.

2. Décrivez votre expérience.

À cette étape, il faut expliquer en quoi a consisté votre travail dans le cadre de cette expérience. En quoi consistait votre mission ? Combien de temps a-t-elle duré ? Quelle tâche vous a-t-on confiée ? …

Étirez au maximum le récit de chaque expérience et veillez à le rédiger à la lumière des informations contenues dans votre rectangle central : les valeurs de l'entreprise, ce qu'elle recherche et les qualités demandées pour le poste.

3. Qu'est-ce que vous avez apporté à l'entreprise ?

Faites référence autant que possible aux qualités recherchées pour l'offre d'emploi ou de stage à laquelle vous postulez et aussi aux valeurs de l'entreprise à laquelle vous postulez. Mais attention à ce que cela ne semble pas superficiel non plus.

4. Qu'est-ce que le projet vous a apporté ?

Faites ici aussi allusion aux qualités recherchées. Qu'est-ce que vous avez appris, au cours de cette expérience, qui serait utile au poste que vous visez ? Pensez à répartir les valeurs, les qualités et les adjectifs trouvés entre les points 3 et 4.

Si vous avez rencontré des problèmes, quelles leçons en avez-vous tirées ?

5. Quel est le lien avec le poste que vous cherchez à obtenir ?

En quoi votre candidature est-elle dans la continuité de

l'expérience que vous venez de décrire ? Si l'expérience choisie est proche du secteur d'activité auquel vous postulez, il faut faire le lien sans faire mention expressément des qualités et compétences que vous avez acquises pour le poste visé. C'est à l'examinateur de les déduire au fil de la description que vous en avez faite précédemment.

6. Faites le lien avec une autre de vos quatre expériences.

Dans cette rubrique, il faut préparer une phrase de transition qui puisse suggérer d'aborder une autre expérience que vous avez préparée. Ainsi, l'évaluateur peut être amené à saisir cette « perche », ce qui vous permet de continuer à parler d'un sujet que vous maîtrisez et dont vous savez qu'il est en lien avec les qualités recherchées par l'évaluateur.

EXEMPLES :

Expérience 1

1. Le titre de votre expérience.

« Employé d'un bar de plage pendant l'été 2014 : gestion des stocks et de la comptabilité. »

2. Décrivez votre expérience.

« J'étais employé d'un bar de plage, situé à Mimizan, dans les Landes, qui servait des boissons, des glaces et de la petite restauration. À ce titre, je devais commander les marchandises, les réceptionner, m'assurer de leur fraîcheur, gérer les invendus et les stocks. Je devais également assurer la comptabilité chaque soir et les relations avec les fournisseurs. Le gérant m'a accompagné les deux premières semaines puis il m'a laissé gérer le bar les semaines suivantes, jusqu'à la fin de l'été. »

3. Qu'est-ce que vous avez apporté à l'entreprise ?

« Je pense que mon sens de l'organisation et de l'anticipation m'a permis de ne pas rater les journées les plus chaudes, en approvisionnant suffisamment le bar en glaces, notamment.

J'ai aussi anticipé les événements de l'été : le bal du 14 Juillet et le feu d'artifice du 15 Août, où nous avons proposé un menu spécial et réalisé à cette occasion un très bon chiffre d'affaires. »

4. Qu'est-ce que le projet vous a apporté ?

« Une première expérience professionnelle extrêmement enrichissante. En pleine saison touristique, je ne pouvais pas me permettre de ne pas être à la hauteur des attentes du patron. J'ai développé une grande adaptabilité, notamment aux conditions météo et pour réagir aux propositions des concurrents. La rigueur que l'on attendait de moi dans la gestion des stocks et de la comptabilité n'était pas négociable : je devais absolument être organisé et fiable à 100 %.

J'ai aussi appris à partager les responsabilités avec mon gérant, à réfléchir avec lui aux décisions, à l'écouter, à prendre en compte son avis tout en exprimant clairement le mien quand je le jugeais le meilleur pour l'établissement. »

5. Quel est le lien avec le poste que vous cherchez à obtenir ?

« Il m'a fallu faire preuve de méthode et de professionnalisme pour faire fonctionner le bar, mais cela m'a préparé à ma future vie d'avocat. »

6. Faites le lien avec une autre de vos quatre expériences.

« Cette expérience professionnelle m'a également aidé lorsque je suis devenu assistant d'éducation dans un lycée où j'organisais des voyages scolaires pour les élèves. »

Expérience 2

En tant qu'assistant d'éducation en lycée en 2014-2015, et 2015-2016, proposition et co-organisation de voyages scolaires en France et à l'étranger pour les élèves

1/ Le titre de votre expérience ?

Assistant d'éducation.

2/ Décrivez votre expérience.

« Lorsque j'ai commencé mes études de droit, je devais trouver un « job d'étudiant » qui puisse s'adapter à mes cours. C'est ainsi que je suis devenu assistant d'éducation dans un lycée d'Aix-en-Provence de 2014 à 2016. Outre mes attributions de surveillant, le directeur de l'école m'a très vite confié des fonctions pour organiser toutes les sorties scolaires des élèves. Une fois le choix des sorties arrêté avec les enseignants, il me revenait de négocier les tarifs avec les établissements culturels, et de gérer la logistique de ces voyages. Je devais aussi veiller à ce que les normes de sécurité et les obligations légales de l'école soient garanties. »

3/ Qu'est-ce que vous avez apporté à l'entreprise ?

« J'ai pu apporter à l'école ma logique de juriste pour encadrer les sorties des élèves et les contractualiser avec les partenaires que nous visitions. »

4/ Qu'est-ce que le projet m'a apporté ?

« J'ai pu mesurer à quel point le droit était présent partout dans nos quotidiens. J'ai compris aussi ce que cela signifie d'avoir sous sa responsabilité des personnes, en l'occurrence des enfants. »

5/ Quel est le lien avec le poste que vous cherchez à obtenir ?

« Lorsque l'on est avocat, on défend les intérêts de nos clients qui nous font confiance et pour lesquels nous avons la responsabilité de bien les conseiller. Nous avons parfois le sort de leur entreprise entre nos mains. Et il faut savoir gérer cette pression. »

6/ Transition vers une autre expérience.

« Si je pense avoir cette aptitude à gérer la pression c'est sans doute grâce à ma pratique intensive du handball, qui depuis l'adolescence m'a appris à canaliser mes émotions. »

Expérience 3

Pratique du handball au niveau régional

1/ Le titre de votre expérience ?

Pratique du handball au niveau régional.

2/ Décrivez votre expérience.

- Handball depuis l'âge de 12 ans.
- Capitaine de l'équipe trois saisons.
- Champion des Bouches-du-Rhône.

3/ Qu'est-ce que vous avez apporté à l'entreprise ?

- Esprit d'équipe.
- Coopération et collaboration avec les joueurs.

4/ Qu'est-ce que le projet m'a apporté ?

- La rigueur du sport.
- Apprendre à se surpasser.
- Prendre conscience que la capacité à travailler en équipe est essentielle pour gagner.

5/ Quel est le lien avec le poste que vous cherchez à obtenir ?

« Intégrer une entreprise c'est intégrer une équipe avec laquelle il faut collaborer et s'investir pour réussir. »

6/ Transition vers une autre expérience.

« D'ailleurs, dans le cadre de mon master 1 en droit de la concurrence, nous avons été amenés à faire des exposés en petits groupes, et résoudre des nœuds juridiques m'a semblé beaucoup plus facile en travaillant à plusieurs. »

Expérience 4

Master 1 droit de la concurrence à l'université Aix-Marseille

1/ Le titre de votre mission ?

Master 1 droit de la concurrence à l'université Aix-Marseille.

2/ Décrivez votre mission

Étudiant en M1 de droit de la concurrence avec mention favorable.

3/ Qu'est-ce que vous avez apporté à l'université ?

– Rendu d'un mémoire sur le droit de la concurrence dans le secteur de la téléphonie.

– Compte rendu auprès du directeur de la maîtrise.

4/ Qu'est-ce que le projet m'a apporté ?

– Connaissances en droit de la concurrence.

– Une formation de juriste.

– Un diplôme qui me permet de préparer le CRFPA (examen du barreau).

5/ Quel est le lien avec le poste que vous cherchez à obtenir ?

Formation au droit de la concurrence en adéquation avec l'offre de stage proposée.

6/ Transition vers une autre expérience.

« Au passage, les études de droit forment à l'organisation, et à la structuration de la pensée avec laquelle je me suis toujours senti à l'aise et familier et qui m'a notamment été très utile lors de mon premier job d'été en 2014. »

À la fin de l'expérience 4, complétez la boussole à entretien en synthétisant chaque expérience par des mots-clés. N'oubliez pas que l'étape 6 de chaque expérience fait le lien entre les diverses expériences choisies.

6) Bon entraînement en vue de mon autre job : organiser des voyages scolaires.

Expérience 1

1) Employé bar de plage
2) Réception produits + commandes + relations
3) Organisation + anticipation
4) Adaptabilité + rigueur
5) Méthode et professionnalisme

Expérience 2

1) Assistant d'éducation
2) Surveillance + organisation sorties scolaires
3) Logique juridique
4) Prise de conscience + responsabilité
5) Gérer la pression

Nom de l'entreprise

1/5 W
2/ Qui est mon examinateur ?
3/ Quelles sont les valeurs de l'entreprise ?
4/ Quelle est la nature du poste ?
5/ Quelles sont les qualités recherchées pour ce poste ?

Expérience 4

1) Master 1 droit de la concurrence
2) Étudiant avec mention favorable
3) Mémoire + compte rendu
4) Formation + diplôme
5) Offre de stage en adéquation avec formation

Expérience 3

1) Handball
2) Capitaine + champion
3) Collaboration + coopération
4) Rigueur + esprit d'équipe
5) S'investir pour réussir

6) Le droit forme à l'organisation et j'y suis familier depuis mon premier job d'été.

6) Je sais gérer mon stress grâce au handball de haut niveau.

6) En M1, résoudre des nœuds juridiques était plus facile en équipe aussi.

E. Soigner les transitions

Ce travail vous permet d'identifier la richesse de votre parcours, la diversité de vos expériences et des compétences que vous avez pu y développer. La boussole constitue le plan dans lequel il est possible « de ramener » l'évaluateur qui cherche à comprendre votre personnalité à travers vos expériences.

Ce sont les transitions qui vous permettent de naviguer entre ces expériences et de diriger l'entretien. Ces transitions peuvent être lues dans les deux sens, pour passer d'une bulle à l'autre en fonction de l'expérience que l'on souhaite suggérer à l'examinateur. Quand l'expérience est bien amenée, l'examinateur sera tenté de saisir la perche et de poursuivre l'entretien dans la direction que vous avez choisie.

Dès lors, il faut s'assurer que ces transitions soient courtes mais suffisamment impactantes pour susciter la curiosité de l'interlocuteur.

F. Rédiger son introduction

Pour être sûr de mettre l'évaluateur sur la voie de votre « boussole », votre introduction est déterminante. Les premiers mots que vous allez prononcer vont immédiatement orienter la suite de la discussion. Elle doit faire deux minutes non-stop, maximum.

L'introduction doit s'organiser en trois temps :

1. MOI

L'entretien doit débuter par une présentation de soi, en rappelant vos nom et prénom si nécessaire, et en déroulant chronologiquement votre trajectoire académique et professionnelle. Il faut évidemment insister dans cette présentation sur le rôle des quatre expériences prévues dans la boussole. Il est important d'expliquer comment ces expériences se sont enchaînées jusqu'à aujourd'hui, afin d'expliquer la cohérence de la candidature que vous défendez devant le recruteur.

Quelle est votre ambition professionnelle ? Il faut également la formuler.

2. VOUS (LE RECRUTEUR)

Expliquez pourquoi vous êtes face à ce recruteur aujourd'hui, pourquoi vous souhaitez rejoindre cette structure. Que représente-t-elle à vos yeux ? Pourquoi est-elle votre choix numéro 1 (même si elle ne l'est pas forcément, le recruteur n'a pas besoin de le savoir) ? Pourquoi avez-vous postulé à l'offre ?

N'hésitez pas à rappeler ici les valeurs de l'entreprise et à montrer que vous connaissez aussi le *background* de votre examinateur.

3. NOUS

Dans cette partie, précisez rapidement pourquoi le recruteur et vous pourriez être une équipe qui gagne. Expliquez ce que vous pourriez apporter à la structure, ce qu'elle vous apportera en retour, et comment cet échange se révélera nécessairement fructueux.

Autrement dit : « MOI + VOUS = ça fonctionne ».

Voici ce que pourrait être le plan de l'introduction :

MOI

Bonjour, je me présente je m'appelle XXXX XXXX, je suis étudiant à l'université d'Aix-Marseille en Master 1 de droit de la concurrence et je souhaite postuler à votre offre de stagiaire en droit de la concurrence.

Je souhaiterais vous expliquer brièvement ce qui me conduit à me tenir devant vous aujourd'hui. Je souhaite devenir avocat en droit de la concurrence et si je n'ai pas encore eu d'expérience professionnelle au sein d'un cabinet d'avocats, il n'en demeure pas moins que j'en ai déjà eu d'autres par le passé.

En effet, ma première expérience fut celle de diriger un bar de plage à Mimizan, dans les Landes, au cours de l'été 2014. Puis, en marge de mes études, j'ai assuré la fonction d'assistant d'éducation au sein d'un lycée d'Aix-en-Provence pendant deux ans durant lesquels on a fini par me confier l'organisation de toutes les sorties scolaires des élèves. Faire cohabiter mes études et un travail à mi-temps fut quelque chose d'intense et de sportif, mais j'étais sans doute bien préparé à cela depuis mon adolescence. C'est cet apprentissage de la rigueur qui me semble indispensable dans les métiers juridiques et que j'ai retrouvé au cours de mes études de droit. Aujourd'hui, je souhaite mettre ma passion pour le droit de la concurrence et toute mon énergie au service du stage que vous proposez.

VOUS

Votre structure est un cabinet incontournable sur la place des cabinets en droit de la concurrence. Au fil des cinquante années d'existence, vous avez su forger une réputation d'experts, de professionnalisme et de proximité auprès de votre clientèle. Pouvoir accompagner un des associés fondateurs du cabinet serait un privilège non seulement d'un point de vue des enseignements juridiques que je vais pouvoir acquérir mais aussi de l'expérience entrepreneuriale que constitue la création d'un cabinet d'avocats.

Nous

> Je suis résolument prêt à saisir cette opportunité en m'y consacrant à plein temps pour les six prochains mois. Je connais vos exigences en termes de disponibilité et de volumes horaires à réaliser par vos collaborateurs et j'y suis pleinement disposé. Je pense d'ailleurs que vous ne trouverez aucun candidat plus motivé que moi ! Sachez aussi que je souhaite devenir avocat à la fin de mon master 2 et qu'à l'issue de celui-ci, si notre collaboration se révèle à la hauteur de nos attentes respectives, je serais ravi que vous puissiez peut-être, également, être mon premier employeur.

L'introduction donne le *la* de l'entretien. D'ailleurs, le recruteur va apporter autant d'importance au CV qu'au début de votre introduction. Le mieux est donc de l'apprendre par cœur. J'insiste sur ce point : vous devez connaître cette introduction sur le bout des doigts, car elle constitue le menu des expériences sur lesquelles vous souhaitez que votre interlocuteur vous interroge.

Sans qu'elle le sache, la personne en face de vous sera « encerclée » par la boussole car vous maîtrisez totalement les chemins sur lesquels l'examinateur est susceptible de vous emmener.

G. Faire son CV

Pour chaque candidature, refaites votre CV en vous appuyant sur le travail effectué avec cette méthode, en adaptant le choix de vos expériences à la « fiche structure ». Ainsi, en fonction de la structure, vous pourrez choisir des expériences à mettre davantage en lumière que d'autres sur votre CV et que le recruteur aura sous les yeux lors de votre rencontre.

Je préconise de toujours mettre en avant les quatre expériences choisies dans la boussole.

II. LE JOUR DE L'ENTRETIEN

La technique de la boussole permet d'orienter l'entretien la plupart du temps. Vous maîtrisez donc la situation. Le stress est évacué, vous êtes en pleine possession de vos moyens. Soyez en confiance.

Il vous restera à gérer, pendant l'entretien, tout ce qui relève du non-verbal. Habillez-vous correctement en fonction du poste. Posez vos mains sur la table, regardez votre interlocuteur droit dans les yeux.

Après chaque transition, marquez un silence et laissez à l'examinateur le soin de vous poser la prochaine question. S'il ne saisit pas la perche de votre transition, pas de panique. Il se peut qu'il vous interroge sur un autre élément de votre CV que vous aurez de toute façon préparé en amont. Il se peut également qu'il puisse vous poser des questions aléatoires telles que « quels sont vos principales qualités et vos principaux défauts ? ». Évidemment, il faut que ces qualités ou défauts ne soient pas rédhibitoires pour le poste. Évitez de dire : « J'ai du mal à travailler en équipe, je ne suis pas rigoureux », etc. Enfin, si l'on vous pose une question sur vos convictions politiques, religieuses ou sur un sujet pour lequel vous vous sentez mal à l'aise, évitez de réagir au quart de tour et bottez en touche en gardant le sourire, accompagné d'un agréable « je ne souhaite pas répondre à cette question ».

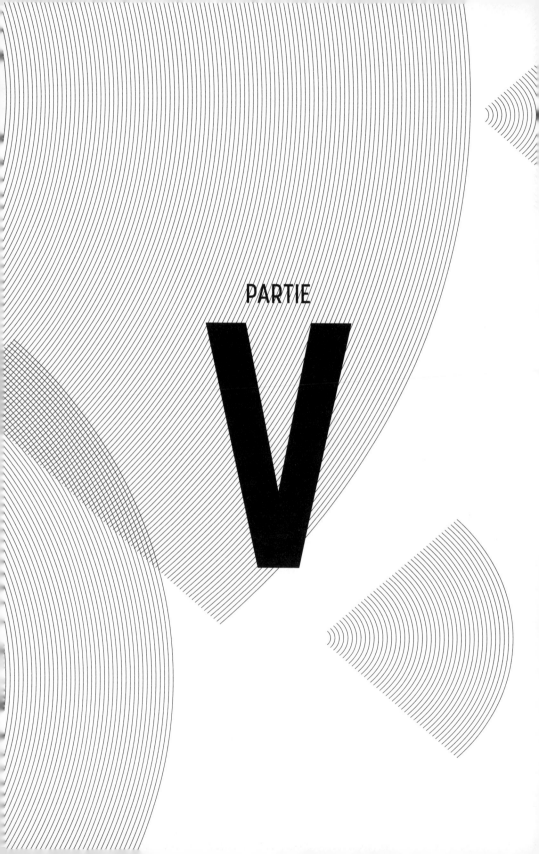

PARTIE

V

PRÉPARER UN
CONCOURS
D'ÉLOQUENCE

1
LES CONCOURS ELOQUENTIA[1]

Pour clore la présentation de cet ouvrage, je veux revenir sur ce qui en est la part la plus visible, peut-être la plus connue du grand public : le concours Eloquentia. Le film *À voix haute* l'a fait découvrir à de très nombreux spectateurs dans toute la France.

---

1 Je remercie Isabelle Chataignier-Haroche et Charles Haroche pour leur contribution dans ce chapitre.

I. UNE AGORA DES TEMPS MODERNES

Parmi tous les concours d'éloquence qui ont émergé au cours de ces dix dernières années, j'ai souhaité donner au concours Eloquentia un objectif particulier. Dans le contexte de crispation sur la liberté d'expression dans laquelle nous étions plongés depuis le début des années 2000, mon idée était surtout de créer une assemblée où tout le monde pouvait exprimer ses idées, ses convictions ou sa créativité : des agoras des temps modernes en quelque sorte.

Si j'ai mis en place un concours, c'est pour offrir un enjeu, une finalité, qui puisse motiver les participants. L'aspect compétitif reste secondaire. Lorsque j'ai proposé à l'université de Saint-Denis l'organisation du premier concours, en 2012, je désirais créer une célébration de la prise de parole. Pour moi, le concours est un événement culturel qui relève d'un intérêt aussi bien pour les candidats que pour les spectateurs.

On pourrait croire que la compétition se limite à Saint-Denis. En réalité, nous avons depuis des années essaimé dans toute la France. En 2018, une trentaine de concours Eloquentia aura été organisée dans les collèges, lycées ou universités. Tous ces établissements scolaires adhèrent à la charte des valeurs Eloquentia et au règlement du programme, dont nous allons voir certains points ci-après. Chaque année, des phases finales rassemblant tous les lauréats de ces concours, organisés par l'association Eloquentia, permettent d'élire le meilleur orateur de France, au collège, au lycée et à l'université.

Le concours Eloquentia se déroule en plusieurs tours. Chaque tour est une joute oratoire : des candidats s'affrontent sur un même sujet, philosophique ou sociétal, par exemple « Les valeurs importent-elles ? », « L'amour est-il un devoir ? », « La liberté d'expression résiste-t-elle à l'épreuve des balles ? ».

Le sujet est attribué à l'avance aux candidats. Jusqu'en 2018, les organisateurs attribuaient également à chaque candidat et candidate une position à défendre – affirmative ou négative. À partir de la rentrée 2018, les organisateurs se contenteront de donner le thème et les candidats pourront défendre la position qu'ils souhaitent.

Chaque orateur doit défendre sa position sur le sujet devant le jury, dans un temps limité. Notre spécificité, c'est que toutes les formes d'expression orale, sauf le chant, sont acceptées : plaidoirie, théâtre, poésie, slam, *stand-up*, etc.

Avant tout, nos jurys valorisent le fond, la qualité de l'argumentaire, l'enchaînement des idées et la pertinence des exemples plutôt que la forme. Un bon argumentaire prime sur la performance, même si, en règle générale, les gagnants parviennent à allier le fond et la forme et souvent, différents registres.

Une fois les prestations achevées, les jurés délibèrent à huis clos. Avant de rendre leur verdict, ils s'expriment sur le discours de chaque candidat. Dans les phases finales, une partie de cette « critique » peut prendre une forme humoristique.

À la fin de chaque tour, les meilleurs candidats sont retenus pour le tour suivant, jusqu'à la finale.

II. UNE COMPÉTITION SANS CONCURRENCE

Le concours Eloquentia repose lui aussi sur les valeurs de respect, d'écoute et de bienveillance, tout comme la pédagogie dont il est l'aboutissement. Évidemment, la performance en tant que telle est toujours appréciée, mais, contrairement à d'autres concours, il n'existe pas de sentiment de concurrence directe entre les participants. « Eddy Moniot, le vainqueur de l'édition 2015, avait ainsi parfaitement résumé l'esprit de la compétition : à Eloquentia, dès qu'on participe, on est déjà gagnant », confient

Isabelle Chataignier-Haroche et Charles Haroche, avocats au barreau de Paris, jurés du concours Eloquentia Saint-Denis depuis la première édition. « Ce sentiment est totalement vrai. Depuis des années que nous jugeons les tours du concours, nous avons bien sûr pu assister à des scènes de déception. Certains candidats ont regretté de ne pas accéder aux tours suivants ou s'en sont voulu de ne pas avoir donné le meilleur d'eux-mêmes, par manque de temps pour se préparer cette semaine-là, ou parce que le sujet les inspirait moins. Mais généralement, cette déception se cantonne uniquement à la prestation réalisée ou le regret de devoir s'arrêter. »

> « Cet esprit d'émulation et de "compétition saine" fait vraiment la valeur du concours. »

ISABELLE CHATAIGNIER-HAROCHE ET CHARLES HAROCHE, FORMATEURS ET JURÉS DU CONCOURS ELOQUENTIA

« Les participants à la compétition, et c'est encore plus vrai pour ceux qui ont fait la formation, ont un véritable esprit de groupe. Un candidat éliminé ira d'ailleurs très souvent soutenir ceux qui poursuivent l'aventure. On voit même régulièrement des candidats des années passées venir assister aux tours des concours les années suivantes, juste pour le plaisir de voir ce que donnent leurs successeurs. Cet esprit d'émulation et de "compétition saine" fait vraiment la valeur du concours. La très grande majorité des candidats a compris que lorsqu'on vient prendre la parole, c'est pour se surpasser, certainement pas pour écraser tout le monde sur son passage. Le défi de prendre la parole est avant tout un défi personnel et enthousiasmant. »

2

SE PRÉPARER À UN CONCOURS D'ÉLOQUENCE

Si, demain, vous participez au concours Eloquentia, ou à une compétition reposant sur les mêmes principes, vous avez peut-être besoin de quelques pistes pour vous guider. Dans la partie IV de ce livre, j'expose les grands principes à suivre pour élaborer et porter un discours, quel que soit le type de prise de parole. Ces principes sont, bien entendu, valables pour un concours d'éloquence. Dans cette partie, cependant, nous aborderons plus spécifiquement la façon dont vous pouvez vous préparer à ce genre de compétition en particulier.

I. LE SUJET, LA BASE DU DISCOURS

Comme dit précédemment, le discours est d'abord une réponse à un sujet donné. Dans un concours d'éloquence comme le nôtre, cette question est le sujet attribué à chaque participant. Jusqu'en 2018, les candidats du concours Eloquentia se voyaient même imposer une position affirmative ou négative par l'organisation, bien qu'ils aient la possibilité lors de leur discours de changer de point de vue, pour exprimer réellement ce qu'ils avaient envie de dire. Nous avons désormais décidé que les candidats seraient libres de choisir la position à laquelle ils croient. Il est plus aisé de trouver des idées et de s'approprier un discours lorsqu'on l'habite et que l'on porte des messages auxquels on est profondément attaché[2].

Défendre ce que l'on pense ne veut pas dire passer à côté de la question posée : « Le maître mot d'un discours, c'est de traiter le sujet. C'est la base absolue », expliquent Isabelle Chataignier-Haroche et Charles Haroche. « Pour cela, il existe des écueils à éviter. Il faut tout d'abord s'interdire de ne prendre qu'un seul terme pour gloser dessus par facilité. Par exemple, si le sujet est "l'amour peut-il être responsable ?", le candidat ne doit pas aborder uniquement la notion d'amour ou de responsabilité : c'est la somme de ces deux notions imbriquées entre elles qu'il faut traiter. Souvent, les orateurs traitent plus l'une des notions que l'autre et passent à côté du sujet : c'est la raison pour laquelle il faut s'efforcer de le lire et de le relire à sa réception pour bien en comprendre toutes les acceptions.

Un autre écueil à éviter est celui du "métadiscours". Il s'agit du candidat qui, pour commencer son discours, va raconter comment il a découvert le sujet, ce qu'il en pense, et comment il l'a accueilli. Son introduction lui coûtera des minutes précieuses

---

2   Voir partie IV, « Le choix du sujet » dans le cadre d'un oral d'examen, p. 429.

pendant lesquelles il ne traite pas le sujet et se prive d'arguments. Rappelons qu'un candidat, au concours Eloquentia, n'a que 8 minutes maximum pour traiter le sujet. »

Ce temps est imposé par souci d'égalité. C'est un critère important : il est beaucoup plus facile de trouver des arguments et des exemples brillants sur 5 minutes que sur 8 minutes. Au surplus, quand un candidat parle moins de 8 minutes sur un sujet, cela laisse souvent un goût de trop peu. Si le candidat écrit un discours trop court, il sera donc nécessairement pénalisé. Il en va de même si le discours est trop long. C'est la raison pour laquelle nous conseillons toujours aux orateurs de se chronométrer, en gardant à l'esprit que le jour du concours, il est probable que leur débit de parole sera plus rapide, à cause du stress.

II. ÉCRIRE SON DISCOURS

Lors des premiers tours du concours, les jurys vont souvent voir plusieurs dizaines de candidats dans une journée. Pour un candidat à la compétition, la question est donc la suivante : « qu'est-ce qui va faire qu'à la fin de la journée, un jury va se souvenir de vous ? »

Pour marquer l'esprit des jurés, il faut avant tout produire un texte convaincant. Comme vu dans la partie IV, le candidat va devoir choisir la structure de son discours (classique, dialectique, chronologique...). Dans le cas du concours Eloquentia, je recommande d'avoir recours à la structure classique. Ne déroulez pas plus de deux à trois grandes idées, pour lesquelles on prévoit deux à trois arguments.

Je conseillerais aussi aux candidats de jouer sur les exemples. Dans un concours d'éloquence, l'orateur peut surprendre par des exemples humoristiques. Par exemple, sur le sujet « Les mots peuvent-ils soigner les maux ? », alterner entre un exemple de Baudelaire, dont la beauté de la prose peut apaiser nos âmes, et une *punchline* du rappeur Booba. Dans le cadre particulier du concours Eloquentia, vous pourrez toujours amuser le public en changeant de registre de langue. De la même façon, incarner un personnage le temps de défendre un argument (un homme politique, un comédien ou une personne particulière que l'audience connaît) provoque souvent les rires de l'auditoire.

Quand vous aurez établi votre structure, vos idées, trouvé vos arguments et vos exemples, soignez bien votre texte, en particulier son début et sa fin. Dans un concours d'éloquence, plus que dans tout autre contexte, l'exorde joue un rôle essentiel. Les exordes littéraires[3], celles qui racontent une histoire, qui attisent la curiosité, savent toujours captiver le public et les jurés. Pour se surpasser dans la compétition, il faut marquer les esprits, il faut être percutant. Certains candidats ont même cherché à surprendre par des introductions hors normes. Par exemple, lors d'un quart de finale à Eloquentia Nanterre, un candidat a commencé son discours par une minute de silence. D'abord immobile, il s'est approché à trente centimètres du visage de chacun des jurés pour se plonger dans leurs yeux et les fixer froidement, avant de commencer son discours sur le thème : « Les apparences sontelles trompeuses ? ».

La conclusion, également, est fondamentale. Il faut achever votre discours par une prise de position claire et nette par rapport à la question posée, mais la forme importe aussi. Cette conclusion doit terminer en apothéose. Elle peut, par exemple, contenir une réponse à l'histoire commencée en introduction ou bien une adresse au jury ou au public (appel à la mobilisation, à la réflexion…). En règle générale, le volume de la voix de l'orateur ne cesse d'augmenter au fil du discours ; à la fin de la prestation, elle pourra se trouver à son paroxysme. Cela dit, le candidat peut prononcer les derniers mots en les chuchotant. Il n'est pas nécessaire de crier la fin de votre texte : il faut surtout frapper les esprits,

---

3 Voir partie IV, « L'exorde littéraire », p. 317.

que ce soit par le sens de vos mots, par leur forme, par votre voix ou votre gestuelle.

Lorsqu'un participant termine son discours, le public va naturellement l'applaudir. Pour ne pas créer de moment de gêne, au cas où l'audience n'aurait pas compris que le discours est fini, le candidat veillera à rassembler ses feuilles et à se rasseoir ou quitter la scène.

III. ÊTRE SON METTEUR EN SCÈNE

Les candidats ne disposent en général que d'une semaine pour écrire un discours. Un discours, ce n'est pas qu'un texte à déclamer, c'est une diction, une gestuelle, toute une mise en scène. L'orateur doit se représenter de manière à porter le mieux possible son texte. « Afin de gagner du temps, il est donc important d'écrire en anticipant déjà les tonalités, en visualisant l'espace, les gestes, les regards… » conseillent Isabelle Chataignier-Haroche et Charles Haroche. « Il va de soi que répéter le discours chez soi à voix haute permet d'être plus efficace le jour J. »

Idéalement, le texte doit être appris par cœur, sans qu'il soit nécessaire d'avoir ses feuilles. Lorsque cela n'est pas possible, il est vivement recommandé de ne pas avoir son discours en entier, mais simplement des notes[4].

Sur le plan de la gestuelle, nous conseillons, lors des premiers tours, d'éviter de trop se promener dans la salle. En général les candidats sont stressés et ne gèrent pas encore bien leur gestuelle. Le risque de voir apparaître des gestes parasites est grand (pieds qui tapent, bras croisés ou dans les poches, mouvement de balancier, cheveux qu'on recoiffe frénétiquement…). Autant de gestes qui vont perturber l'attention du jury, qui se portera alors sur le visuel et non plus sur le discours.

---

4 Voir partie IV, « Les notes : faut-il tout rédiger ? », p. 343.

D'ailleurs, gardez à l'esprit que c'est le jury qui va se prononcer sur votre sélection. Dans l'hypothèse où le jury fait face au public, comme c'est le cas la plupart du temps, il faut principalement lui adresser votre discours et éviter de lui tourner le dos, même si lancer quelques traits d'esprit en direction du public sera toujours bienvenu.

Une fois le discours écrit et la mise en scène prévue, il ne reste plus qu'une chose à faire : assumer ! Même si l'orateur estime qu'il aurait pu mieux faire, un discours « moyen » assumé jusqu'au bout peut parfois être plus efficace qu'un discours meilleur mais trop timide.

Enfin, le meilleur conseil que je pourrais donner à un candidat serait de rester lui-même. Oui, à un moment donné, l'orateur peut jouer un rôle. Mais, au fond, seule une parole authentique peut devenir véritablement éloquente.

« Un bon orateur, pour être crédible, doit être sincère. »

ISABELLE CHATAIGNIER-HAROCHE ET CHARLES HAROCHE, FORMATEURS ET JURÉS DU CONCOURS ELOQUENTIA

« Nous avons eu l'occasion en 2015 de juger deux étudiants qui avaient chacun un potentiel incroyable : Elhadj et Yacine. Tous les deux avaient une belle stature, une voix qui porte, une aisance naturelle et un fort coefficient sympathie. Mais lors de leur premier discours, ils se cachaient derrière l'image qu'ils voulaient renvoyer d'eux : celle de jeunes hommes confiants, sans failles, et qui font rire l'assemblée. Nous leur avons donc rappelé qu'un bon orateur, pour être crédible, doit être sincère. Aux tours suivants, Elhadj a choisi d'envisager chaque sujet à partir de son expérience personnelle. Nous avons alors découvert un garçon immensément profond, ce qui lui a permis d'arriver jusqu'à l'ultime phase du concours. Yacine a quant à lui exposé sa personnalité "cash" et humoristique qui lui a également réussi dans le concours, non sans une grande sensibilité, puisqu'il a choisi de dédier son ultime discours à sa mère. Au vu de l'émotion qui avait rempli la salle à ce moment, on peut dire que sa sincérité a payé. »

Le discours des candidats doit refléter leur personnalité, et il est important pour nous qu'ils le comprennent. Car, en fin de compte, c'est aussi cette personnalité qui donnera ou non l'envie à un juré d'entendre de nouveau un candidat… ou même de façon plus pragmatique, l'envie à quiconque de se laisser convaincre.

Le pendant de cette sincérité réside toutefois dans un respect mutuel : les candidats se livrent aussi parce qu'ils savent que les jurés sont là pour les faire progresser. Cette bienveillance ne quitte jamais l'esprit du jury, et c'est pour cette raison que tant de jeunes osent désormais prendre la parole et se dépasser depuis six ans.

●●● En résumé, pour préparer un concours Eloquentia :
– Appropriez-vous le sujet : prenez une feuille et écrivez tout ce qu'il vous inspire.
– Optez pour une structure de discours classique.
– Trouvez deux à trois idées principales.
– Réfléchissez aux arguments que votre adversaire va avancer.
– Soignez votre exorde et votre conclusion.
– Relisez votre texte et à chaque relecture, posez-vous la question : « Est-ce que j'ai répondu au sujet ? »
– Allez vers le style dans lequel vous êtes à l'aise, restez vous-même et assumez votre personnalité.

> – Écrivez votre discours en vous visualisant (gestion de la voix, de l'espace...).
> – Entraînez-vous en visualisant mentalement le jury !
> – Le jour J, avant de prendre la parole, buvez une gorgée d'eau pour clarifier votre voix.

IV. FINALE NATIONALE

Devenu le premier concours de prise de parole francophone, plus de trente concours Eloquentia se sont déroulés en 2018 du collège à l'université, avec plus de 1400 participants. L'association organise désormais chaque année une finale nationale pour désigner le meilleur orateur de chaque département au sein de chaque université organisant le concours mais aussi pour élire le meilleur lycée et collège de l'année. J'en profite ainsi pour inviter les associations étudiantes, les universités, les enseignants des écoles, des collèges, des lycées, désireux d'organiser un concours Eloquentia à se rapprocher de notre association[5] et célébrer une génération qui ne demande qu'à réapprendre à dialoguer dans ce monde pluriel.

Pour finir ce livre en beauté, j'aimerais vous livrer un discours prononcé par l'un des candidats du concours Eloquentia Saint-Denis, lors de la petite finale 2018.

---

5   contact@eloquentia.world

« Faut-il savoir s'arrêter ? » (à la négative)

LAMINE SAMASSA, TROISIÈME DU CONCOURS ELOQUENTIA 2018 SAINT-DENIS (93)

Ce discours a été prononcé par Lamine Samassa à la petite finale Eloquentia Saint-Denis en 2018. Le texte est annoté avec des remarques sur le ton.

« "Il ne faut que du cœur pour s'élancer au sacrifice ; il faut de la volonté pour ne pas s'arrêter en chemin." Eugène Marbeau.

On croirait entendre la énième phrase niaise d'un sombre film d'action des années 1990, **[Lire avec une voix de vieux rangé]** "S'élancer dans la mêlée, c'est facile, Steve, la difficulté c'est de ne pas s'arrêter."

Cette phrase, bien qu'elle ait étranglé l'originalité et dansé sur la tombe du bon goût, transpire de vérité.

Je comprends votre perplexité, j'étais comme vous, je n'arrivais pas à donner du crédit à cette citation, mais c'était sans compter sur cette soirée, sur cet instant.

Lundi 10 avril, 20 h, Bourse du travail de Bobigny. **[Lire comme un reportage]**

Le concours a commencé, les candidats passent les uns après les autres et c'est à moi que revenait l'office de clôturer la soirée, "Lamine Samassa". Mon nom est appelé et je monte sur la scène, je dispose mes feuilles sur le pupitre, je prends quelques inspirations... Ça y est. C'est mon moment. Je déroule mon discours, les mots s'attroupent en file indienne pour former des phrases qui elles-mêmes se superposent, telles des briques, pour former un pont entre ma pensée et celle de mon auditoire. Les notes défilent et je me sens comme montée sur des étalons sauvages ou courant après le bus... Je me sens inarrêtable.

Je tourne les dernières fiches de mon discours et un constat me glace le sang, me tétanise : les deux dernières fiches sont en tout point identiques avec celles que je viens de déclamer !

Le temps semble se suspendre alors que mon rythme cardiaque s'affole. J'éructe quelques mots : "Ah, heu..." Vous savez, ces mots que seuls les bambins peuvent comprendre. "Arrête-toi, explique que tu as un problème avec tes fiches... Sérieusement ! Arrête-toi avant de te couvrir de ridicule." Ces mots résonnaient en boucle dans ma tête. Mais une pensée plus profonde, plus impérieuse finit de les faire taire. "Ne t'arrête pas, trouve quelque chose, improvise, mais ne t'arrête pas !"

Naturellement, je demande à cette voix de décliner son identité par un charismatique : "Dieu, c'est Toi" ? **[Rire]** Comprenez mon désarroi ! Un candidat avait entendu juste avant Dieu qui S'adressait à lui, j'ai naturellement pensé que Dieu avait décidé de rester dans la salle !

Après cette discussion mentale, l'inspiration me frappe comme un coup de tête dans la poitrine en finale de la Coupe du monde et je prétends avoir monté cette mascarade afin de souligner le point de vue que je défendais. Le public et certains juges me prennent au mot et je parviens à embrayer sur la fin du discours.

Simple. Presque basique.

Il y a deux choses à retirer de cette histoire. Premièrement : il est grand temps que je m'achète une imprimante. Mais le véritable enseignement ne se trouve pas là, il se résume en une phrase : c'est seulement lorsqu'on a abattu toutes les cartes que les miracles surviennent.

Savoir s'arrêter, une jolie formule pour abandonner. Comme si l'abandon n'était qu'un savoir-faire parmi tant d'autres, à l'instar d'un ébéniste, d'un cordonnier ou d'un habile pickpocket de Gare du Nord.

L'art de savoir abandonner ! C'est beau ! Mais c'est faux ! Paradoxalement, c'est lorsqu'on décide de ne pas s'adonner à cet art qu'on finit par réussir.

Mes bien chers frères, mes bien chères sœurs ! Nous sommes-nous perdus ? Avons-nous tant échoué que nous en venons à considérer l'abandon comme notre plus grande réalisation ? **Mes bien chers frères ! mes bien chères sœurs !** Avons-nous seulement **[effleuuuuurééé !]** ce qu'est réellement la défaite ? Non... Nous sommes-nous véritablement retrouvés dos au mur ? NOOON !

Mes bien chers frères ! mes bien chères sœurs ! Vous pensez vous être battus, mais qu'en est-il de cet homme ? ! Car oui, il existe un homme que la réussite, avant de l'embrasser, a crucifié sans peine sur l'autel de l'abandon, et je ne parle pas de Jésus-Christ !

Cet homme a raté deux fois son examen de certification du niveau primaire ! Mais est-ce qu'il a su s'arrêter ? **NON !**

Il a raté trois fois son examen de certification du collège ! Mais est-ce qu'il a su s'arrêter ? **NON ! [avec le public]**

Ils étaient cinq à postuler pour devenir policier, c'est le seul qui a été... refusé ! Mais est-ce qu'il a su s'arrêter ? **NON ! [avec le public]**

Quand KFC, est arrivé en Chine vingt-quatre personnes ont postulé, vingt-trois ont été acceptées ! Quand le Poulet l'a refusé, est-ce qu'il a su s'arrêter ? **NON ! [avec le public]**

Alors oui ! Je suis un bien piètre prêtre... Mais, bien heureusement, l'histoire se suffit à elle-même.

Un homme qui n'a pas su s'arrêter... il a couru d'échec en échec sans perdre son enthousiasme et, comme Churchill lui avait prédit, il a rencontré le succès, car derrière cet homme, que la victoire semblait avoir oublié, se cache Ma Yun, le créateur d'Alibaba.com et selon le magazine Forbes rien que la vingtième fortune mondiale !

Nos échecs nous forgent. Ils nous préparent. Nous apprennent. Ils nous font souffrir aussi, c'est vrai... Mais c'est nécessaire. Comme la douleur pour le corps humain, les échecs sont des alertes...

Et c'est peut-être cette douleur qui donne tant de force à cette vile tentatrice... cette horrible séductrice... la résignation ! Savoir s'arrêter, c'est se résigner. Lorsqu'on se blottit dans les bras de cette sombre femme, il n'y a plus de douleurs. Plus de difficultés, juste plus de rêves et plus de songes... Une terrible équation qui nous entraîne droit vers la spirale maladive de la résignation. Deux pilules, mais un seul remède, alors... pilule rouge ou pilule bleue ?

Alors pour les derniers qui n'auraient pas saisi la référence, dans le film *Matrix*, le personnage principal se retrouve confronté à un choix. La pilule rouge le ramène à la réalité tandis que la pilule bleue le renvoie dans l'ignorance... dans un monde fantasmé...

Lorsque je demande à mes amis, quelle pilule ils auraient choisi, tous sans hésitation me rétorquent : "La pilule rouge !". Lorsque mes amis posent la question à leurs amis tous choisissent la pilule rouge... La pilule rouge... Alors, si ce n'est pas mes amis... ni les amis de mes amis... Je vous le demande, c'est vous qui avez comme proches ces hommes qui crient à qui veulent l'entendre : "Moi j'aurais pu être pro..." ? "Bien sûr ! J'étais un génie du football, toutes les équipes voulaient me signer... La roulette ? C'est moi qui l'ai inventé !" Naturellement vous leur demandez ce qu'il s'est passé. Et ils vous donnent tous ! tous ! la même réponse ! "Une rupture des ligaments croisés. Ça a détruit ma carrière..."

Oui, les ligaments croisés, oui... Ça n'a rien à voir avec le fait que lorsqu'on joue au football tu rates tous tes penalties ! "Les cages me perturbent, Lamine"... Tu as raison, des cages sans gardien, c'est assez inhabituel.

En revanche, si tu me disais que tu choisirais la pilule bleue, je ne serais pas surpris. Non je ne parle pas d'ecstasy, bien que ça ne me choquerait pas non plus, mais de résignation. Tu as préféré vivre dans le "j'aurais pu", à défaut de te battre pour pouvoir dire "j'ai fait".

Tu pensais que si tu t'arrêtais tu pourrais stopper le chronomètre... Mais le temps défile à la même vitesse. Tous autant que nous sommes, aussi incroyables que l'on puisse être, nous ne sommes que des joueurs ! Nous avons un temps imparti pour réaliser nos objectifs et, le pire, c'est que le chronomètre est invisible... Il peut s'arrêter à tout moment ! Nous sommes des joueurs ! La mort est l'arbitre et c'est dans ses mains que réside le sablier ! La seule chose que nous pouvons faire c'est jouer ! du mieux que nous pouvons ! échouer pour réussir !

Savoir s'arrêter ? Vous n'avez pas besoin de ce savoir ! La mort se chargera de vous arrêter ! »

ANNEXE

Sur le tableau ci-dessous, les jeunes des formations Eloquentia à Saint-Denis et à Nanterre en 2017 (formation de 60 heures) qui ont noté sur 20 différentes compétences avant et après leur formation, affirment avoir amélioré leur capacité à défendre leur point de vue et à structurer leur discours.

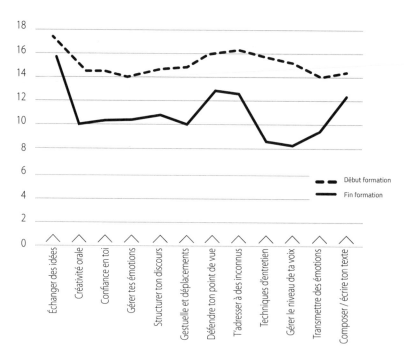

REMERCIEMENTS

Je tiens à remercier, sans pouvoir être exhaustif, Isabelle Chataignier-Haroche, Pierre Derycke, Charles Haroche, Alexandra Henry, Gildas Lagües, Loubaki Loussalat, Bertrand Périer, Romain Van Den Brande, Eddy Moniot, Ouanissa Bachraoui, Ibrahim Bechrouri, Louise Berthon, Asmae Davenel, Elhadj Touré, Lamine Samassa, Mathieu Bidal, pour leurs contributions.

Je remercie mes collaborateurs d'Eloquentia pour leur aide précieuse : Marie Lejmi, Rachel Bizouarne et Pablo Kerblat.

———————

Je remercie l'ensemble des formateurs du réseau Eloquentia et Locutia dont les retours n'ont eu de cesse de faire évoluer la pédagogie.

Mes sincères remerciements à la Fondation de France, la Fondation Total, la Fondation La France S'engage, la Fondation financière de l'Échiquier, Hashtag Marseille, la Fondation Unitiative, la Fondation Hoppenot, à l'Oréal et à Ashoka pour leur soutien à Eloquentia.

Enfin, je remercie les écoles qui ont mis en place la pédagogie « Porter sa voix » ces dernières années. Je pense entre autres à tous les collèges et lycées suivants, qui ont accordé leur confiance au programme Eloquentia dans leurs établissements : le collège Saint-Didier à Villiers-le-Bel, le collège Fabien à Saint-Denis, le collège Flora Tristan à Paris, le collège Jean Perrin à Paris, le collège André Doucet à Nanterre, le collège des Capucins à Melun, le collège Olympe de Gouges à Noisy-le-Sec, le collège Victor Hugo Aulnay-sous-Bois, le collège Pierre Brossolette à Bondy. Un grand merci aussi au lycée Daniel Balavoine à Bois Colombes, au lycée Simone de Beauvoir à Garges-lès-Gonesse, au lycée Darius Milhaud au Kremlin Bicêtre, au lycée Arago à Paris, au lycée Gustave Monod à Enghien les Bains, au lycée Virginia Henderson à Arnouville, au lycée Edgar Quinet à Paris, au lycée Auguste Blanqui à Saint-Ouen, au lycée Théophile Gautier à Paris, au lycée Suger à Saint-Denis…

BIBLIOGRAPHIE

Alvarez (Céline), *Les Lois naturelles de l'enfant*, Paris, Les Arènes, 2016.

Aristote, *La Rhétorique* [323 av. J.-C.], Flammarion, 2007.

Badinter (Robert), *Contre la peine de mort* (1970-2006), Fayard, 2006.

Barbé (Ségolène), « Psycho : pourquoi j'ai peur de parler en public », *Le Parisien*, 18 janvier 2013.

Bolle de Bal (Marcel), « Reliance, déliance, liance : émergence de trois notions sociologiques », revue *Sociétés*, n°80, 2003/2.

Bourreau (Jean-Pierre) et Sanchez (Michèle), « L'éducation à l'autonomie », Cahiers pédagogiques, janvier 2007, n°449, dossier « Qu'est-ce qui fait changer l'école ? ».

Camus (Albert), *La Peste*, Gallimard, 1972.

Chapelle (Gaëtane), « Imaginer pour grandir. Entretien avec Paul L. Harris », *Sciences humaines*, juin-juillet-août 2004.

Churchill (Winston), « Du sang, de la sueur et des larmes », discours du 13 mai 1940, Paris, Points, coll. « Les grands discours », 2009.

Cicéron, *L'orateur idéal* [55 av. J.-C.], Rivages, 2009.

Claeys Bouuaert (Michel), *L'Éducation émotionnelle de la maternelle au lycée*, Le Souffle d'Or, 2013.

Descartes, *Discours de la Méthode* [1637], Le Livre de Poche, 2015.

Dolto (Françoise), *Tout est langage* [1987], Paris, Gallimard, coll. « Françoise Dolto », 1995.

Florin (Agnès), dans *Sciences humaines*, « L'enfant et le langage », octobre 2015.

Freinet (Célestin), *Essai de psychologie sensible*, Delachaux et Niestlé, 1950.

Galichet (François), *L'accompagnement de l'élève dans une démarche d'autonomie*, Rapport final du Groupe Recherche Formation 03/05, IUFM d'Alsace.

Gardner (Howard), *Les Formes d'intelligence*, Paris, Odile Jacob, 1997.

Goleman (Daniel), *L'Intelligence émotionnelle*, Paris, Robert Laffont, 1997.

Gordon (Mary), *Racines de l'empathie. Changer le monde, un enfant à la fois,* Presses de l'Université Laval, 2015.

Jarry (Bertrand) et Cagnol (Céline), sous la direction d'Omar Zanna, « Apprendre à vivre ensemble. Pour une éducation à l'empathie », expérimentation à lire en ligne sur eduscol. education.fr.

Koechlin (Étienne) et Charron (Sylvain), "Divided representation of concurrent goals in the human frontal lobes", revue *Science*, vol. 328, avril 2010.

Marmion (Jean-François), « Le langage sur le bout de la langue », *Sciences humaines*, octobre 2015, « L'enfant et le langage ».

Mayer (John) et Salovey (Peter), "What is emotional intelligence?", in P. Salovey et D. J. Sluyter (éd.), *Emotional development and emotional intelligence: Educational implications*, New York, Harper Collins, 1997.

McGilchrist (Iain), *The Master and His Emissary: The Divided Brain and the Making of the Western World*, Yale University Press, 2009.

Meyer (Michel), *Histoire de la rhétorique des Grecs à nos jours*, Le Livre de Poche, coll. « Biblio essais », 1999.

Montessori (Maria), *L'enfant* [1936], trad. Charlotte Poussin, Desclée de Brouwer Éditeur, 2018.

Morin (Edgar), *Enseigner à vivre. Manifeste pour changer l'éducation*, Actes Sud-Play Bac Éditions, 2014.

Parlebas (Pierre), « Un modèle d'entretien hyperdirectif : la maïeutique de Socrate », *Revue française de pédagogie*, n°51, 1980.

Pascal (Blaise), *Pensées* [1670], Gallimard, 2004.

Périer (Bertrand), *La parole est un sport de combat*, Paris, Grasset, 2017.

Piaget (Jean), *Psychologie et pédagogie,* Paris, Denoël, 1969.

Platon, *La République* [315 av. J.-C.], Flammarion, 2016.

Platon, *Ménon* [385 av. J.-C.], Flammarion, 1999.

Plutarque, *Œuvres morales* [Ier et IIe siècles], Les Belles Lettres, 1987.

Rogers (Carl), *Client-Centered Therapy: Its Current Practice, Implications and Theory*, Boston, Houghton Mifflin et London, Constable, 1951.

Rosenberg (Marshall B.), *Les mots sont des fenêtres (ou bien ce sont des murs) : introduction à la communication non violente*, Paris, La Découverte, 1999.

Rousseau (Jean-Jacques), *Discours sur l'origine et les fondements de l'inégalité parmi les hommes* [1755], Flammarion, 2012.

Saussure (Ferdinand de), *Cours de linguistique générale* [1916], Paris, Payot, 1995.

Tolle (Eckhart), *Le Pouvoir du moment présent*, Paris, J'ai Lu, 2010.

Waldinger (Robert), conférence TED « Qu'est-ce qui fait une vie réussie ? Leçon de la plus grande étude sur le bonheur », novembre 2015, à partir de l'étude "Harvard Study of Adult Development".

Zay (Jean), *Souvenirs et solitude*, Paris, Belin, 2011.

Autres ouvrages à consulter

Anderson (Chris), *Parler en public. TED – le guide officiel*, Flammarion, 2017.

Levy (Thierry) et Bredin (Jean-Denis), *Convaincre, dialogue sur l'éloquence*, Odile Jacob, 2002.

Platon, *Gorgias* [385 av. J.-C.], Flammarion, 2018.

Rivière (Adrien), *Prendre la parole pour marquer les esprits*, Marabout, 2018.

Filmographie

À voix haute, la force de la parole, réalisé par Stéphane de Freitas, 2017.

Le Brio, réalisé par Yvan Attal, 2017.

Le Cercle des poètes disparus, réalisé par Peter Weir, 1989.

Le Discours d'un Roi, réalisé par Tom Hooper, 2010.

The Great debaters, réalisé par Denzel Washington, 2007.

Une Idée folle, réalisé par Judith Grumbach, 2017.

TABLE DES MATIÈRES

Chapitre 2 : La prise de parole éducative

PARTIE III
« Porter sa voix en groupe »

Chapitre 1 : Le postulat pédagogique de « Porter sa voix »

Chapitre 2 : Les cinq matières

Chapitre 3 : Les points clés du travail en groupe

PARTIE IV
« Porter sa voix individuellement »

Chapitre 1 : Faire un discours

Chapitre 2 : Préparer un oral d'examen

Chapitre 3 : Préparer un entretien

PARTIE V
« Préparer un concours d'éloquence »

Chapitre 1 : Les concours Eloquentia

Chapitre 2 : Se préparer à un concours d'éloquence

Achevé d'imprimer en France
par Normandie Roto Impression s.a.s.
61250 Lonrai
N° d'impression : 1802502
N° d'éditeur : 10240739
Dépôt légal : août 2018

MIXTE
Papier issu de
sources responsables
FSC® C022030